Trysorau Coll

Caradog Prichard

Cyflwynedig i'm gwraig, Deilwen,
a gefnogodd ac a gynorthwyodd
drwy gydol cyfnod ysgrifennu'r gyfrol hon

Trysorau Coll
Caradog Prichard

J. ELWYN HUGHES

Argraffiad cyntaf: 2020

Dymuna'r cyhoeddwyr gydnabod cymorth ariannol
Cyngor Llyfrau Cymru

Cynllun y clawr: Y Lolfa

Rhif Llyfr Rhyngwladol:
978 1 78461 772 1

Cyhoeddwyd ac argraffwyd yng Nghymru gan
Y Lolfa Cyf., Talybont, Ceredigion SY24 5HE
gwefan www.ylolfa.com
e-bost ylolfa@ylolfa.com
ffôn 01970 832 304
ffacs 832 782

Cynnwys

Rhestr o'r lluniau

Cyflwyniad
gan y Prifardd Alan Llwyd

Dyma'r trydydd llyfr i Dr J. Elwyn Hughes ei ysgrifennu am Garadog Prichard, ac afraid dweud mai ef yw ein prif awdurdod ar waith a bywyd Caradog. Eisoes cawsom ganddo ddwy gyfrol werthfawr iawn, *Byd a Bywyd Caradog Prichard 1905-1980* (2005), a ailargraffwyd yn yr un flwyddyn ag y'i cyhoeddwyd, a *Byd Go Iawn Un Nos Ola Leuad* (2008), y gyfrol unigryw, anghyffredin honno. Nid yn unig y mae'r ddwy gyfrol hyn yn ddifyr, yn ddarllenadwy ac yn oleuol ynddyn nhw'u hunain, ond maen nhw hefyd yn gyfeirlyfrau pwysig i'r sawl a fyn astudio gwaith y cawr hwn o lenor a bardd.

Deunydd ychwanegol a gynhwysir yn y llyfr hwn, lloffion o ryw fath, ond lloffion o wir werth, er hynny. Dewisodd Elwyn roi *Trysorau Coll Caradog Prichard* yn deitl i'r llyfr hwn, ac, yn wir, mae'r llyfr yn llawn o drysorau.

Bardd a llenor deufyd oedd Caradog Prichard. Roedd yn byw mewn dau fyd ar yr un pryd: y byd afreal a'r 'byd go iawn', chwedl Elwyn; y byd mewnol tywyll a'r byd allanol confensiynol â'i fân ddigwyddiadau dibwys ac undonog; ac fel bardd a llenor, roedd yn byw ym myd y dychymyg er mwyn osgoi undonedd a diflastod bywyd-bob-dydd, neu fywyd go iawn. 'My life has been so humdrum of late that it does not seem very likely there will be anything in the daily round of the coming year worth recording for any but my own eyes,' meddai am y byd go iawn. Ond mae yna fyd arall: 'Yet, this innermost existence of mine, if I can record it, may have some interest.' Yn y byd mewnol hwn, y fodolaeth fewnol, yr oedd y cyffro, hyd yn oed os oedd y byd mewnol yn fyd erchyll a thywyll lle'r oedd y mab yn treisio'i fam ac yn llofruddio merch. Ac mae'r ddau fyd i'w cael yn *Un Nos Ola Leuad* hefyd, byd mewnol prif gymeriad y nofel, a hwnnw'n fyd o wallgofrwydd, a byd allanol y bywyd pentrefol beunyddiol, er bod y bywyd hwnnw hefyd yn pendilio rhwng normalrwydd a gwallgofrwydd.

Fel bardd deufyd, mae'r ddelwedd o lyn, a dyfroedd yn gyffredinol, fel y Llyn Du yn *Un Nos Ola Leuad*, yn hollbresennol yn ei waith. Mewn dyfroedd y mae'r ddau fyd yn cwrdd â'i gilydd, ar yr un pryd â'i gilydd, wrth i ddŵr llyn neu afon adlewyrchu'r byd go iawn:

> Yma lle rhoddwyd y ffurfafen lân
> I dyfu'n ardd anghyffwrdd yn y Marddwr
> Goruwch amgyffred uchaf plan ei garddwr.

Ac mae'r llyn hwn yn 'Y Gân ni Chanwyd' yn adlewyrchu bydoedd dieithr, yn cynnwys bydoedd cyfan:

> Orioced ydyw'r ffansi wallgof hon
>   A droes ar un amrantiad ardd y llyn
> Yn grastir sy'n ymestyn don ar don
>   I orwel eirias. Pa ryfeddod syn
> Nas dengys i'w chredadun gweddw ei fron
>   A faidd ei dywys ganddi fel y myn
> Dros byramidiau hendre'r tywod moel,
>   A rhoddi ar hen hen chwedlau newydd goel?

A cheir yr un math o ddelweddu yn 'Terfysgoedd Daear', sydd yn sôn am 'uchelder y byd sydd â'i ben i lawr' yn nrych y llyn. Ac mae dŵr y llyn yn symbol o'r isymwybod yn ei waith. Y byd gwirioneddol uwchlaw'r llyn yw'r ymwybod, ond mae'r byd hwnnw ben-i-waered yn nŵr y llyn, ac yn un tryblith.

Ceir delweddu tebyg gan fardd o'r Alban o'r enw Alastair Reid, bardd a ddylai fod yn llawer mwy adnabyddus nag ydyw, mewn gwirionedd. Mae Reid, fel Caradog yntau, yn holi pa fyd sydd yn real a pha fyd sydd yn rhithiol wrth iddo weld adlewyrchiadau mewn dŵr, yn 'The Waterglass', er enghraifft:

> A church tower crowned the town,
> double in air and water,
> and over anchored houses
> the round bells tolled at noon.

Bubbles rolled to the surface,
The drowning bells swirled down ...

A boat below me floated
upside down on the sky.

An underwater wind
ruffled the red-roofed shallows,
where wading stilt-legged children
stood in the clouded sand,
and down from the knee-deep harbour
a ladder led to the drowned.

Ac mewn cerdd arall, 'A Game of Glass', y mae unwaith eto yn ceisio dyfalu beth sy'n ffaith ac yn wirionedd a beth sy'n ffug ac yn afreal mewn tŷ sy'n llawn o ddrychau a siandeliriau, a chyda ffynnon yn yr ardd:

I do not believe this room
with its cat and its chandelier,
its chessboard-tiled floor,
and its shutters that open out
on an angel playing a fountain,
and the striped light slivering in
to a room that looks the same
in the mirror over my shoulder,
with a second glass-eyed cat ...

Whatever way I look,
I cannot tell which is the door,
and I do not know who is who –
the thin man in the mirror,
or the watery one in the fountain ...

Un o'r pethau mwyaf diddorol yn y deunydd newydd hwn yw'r pytiau dyddiadurol sy'n rhychwantu'r cyfnod rhwng Ionawr 1, 1963, a Chwefror 6, 1980. Diflastod iddo oedd ei waith fel un o newyddiadurwyr Stryd y Fflyd, ac nid rhyfedd hynny. Dyma fardd a llenor creadigol mawr a oedd yn ymhél â mân straeon a mân ddigwyddiadau yn aml, ac yntau â stori fawr bersonol i'w hadrodd; ac er mwyn ennill bywoliaeth, roedd yn rhaid iddo gofnodi'r mân straeon hyn yn ei ail iaith, ymhell bell o'i gynefin. Nid rhyfedd iddo droi at y ddiod yn ei rwystredigaeth. Fe geir ambell gofnod rhyfeddol o drist yn yr egin dyddiadur, fel y rhain:

> Yn y gwely'n rhestio hyd ganol dydd, a'r annwyd beth yn well. Y gwaith yn ddiflas a dihwyl yn yr offis. Mati a Mari'n fy nisgwyl adref yn serchog mewn ystafell gynnes, minnau fel surbwch heb ddim i'w ddweud wrthynt. Arwyddion cyntaf melancolia a manic depression? Cymer ofal yr hen gâr. Prynais botel o donic (Metatone) gan obeithio y bydd yn fy nghodi o'r pwll.

> I'r gwaith yn y ST [*Sunday Telegraph*] yn y car, a'r car yn gloff er y doctora a fu. Teimlo, fel erioed, fod y gwaith yn hollol ddibwrpas a dyheu am waith a roddai ryw nod i fywyd. Nid yw hwn hyd yn oed yn cyflawni ei unig amcan, sef talu'r rhent. Adref i ginio da a chwmni serchus y merched …

A dyma gofnod rhyfeddol o drist: 'Dim arian o gwbl. Gorfod benthyca i gael swper.' Gwario'i arian ar sigaréts yr oedd Caradog, wrth gwrs. Ac mae'r atgofion poenus yn ei boenydio o hyd: 'Anniversary of my father's death (74th). Killed in quarry on rock face when I was 5 months old. Our house in Pen y Bryn went on fire and my father's coffin had to be dragged out from the flames. Someone disfigured his gravestone, presumably because he returned to work in the quarry too early for the strikers.' Does dim tystiolaeth fod gwirionedd yn hyn ond roedd hyd yn oed stori ddi-sail o'r fath wedi rhagbennu tynged eithriadol o greulon i Garadog.

Un o adrannau mwyaf diddorol y llyfr yw'r adran 'Gohebiaeth Cyfeillion a Chydnabod', adran sy'n cynnwys llythyrau gan rai o wŷr llên mwyaf blaenllaw Cymru at Garadog. Gyda'r mwyaf difyr o'r rhain y mae llythyrau maith a manwl John Eilian a Thomas Parry ato, Thomas Parry yn enwedig. Mae'r llythyr a anfonodd at Garadog ar Awst 14, 1930, i'w geryddu am ymuno â'r Orsedd wedi iddo wrthod cael ei arwisgo ar gyfer ei goroni yn Eisteddfod Genedlaethol Caergybi, 1927, yn berl. Yn yr Eisteddfod honno roedd Caradog wedi galw'r Gorseddogion yn 'asynnod'. Ceir ymosodiad deuol yn y llythyr, ymosodiad ar yr Orsedd fel sefydliad ffug a diffaith, a chwbwl anllenyddol, ac ymosodiad ar Garadog am ymuno â'r fath 'sbloet'. 'Rhaid i mi gredu mai dyma'r peth ffolaf a wnaethoch erioed,' meddai Thomas Parry wrtho, yn ddiflewyn-ar-dafod fel yna.

Yn goron ar y cyfan, ceir detholiad cynhwysfawr o'r llythyrau a anfonodd Caradog at ei briod, Mattie, rhwng Hydref 21, 1944, a Chwefror 18, 1946, pan oedd yn gweithio ar yr All India Radio yn Delhi Newydd yn yr India. Mae'r llythyrau hyn yn orlawn o'i hiraeth am Mattie, am ei gartref ac am ei gynefin. Hiraeth neu beidio, roedd ambell weithred o eiddo Mattie yn ei ddychryn. 'Really, bach, you are dynamite, and you frighten me sometimes,' meddai wrth y 'nicest girl in the world' unwaith. Ceir yn y llythyrau hefyd fynych sôn am frwydr gyson Caradog i drechu ei orhoffter o'r ddiod feddwol ac am ei ymdrechion aml, ond pur aflwyddiannus, i roi'r gorau i smocio. 'I am keeping quite a good boy. While I'm not quite strict T.T. I'm very, very moderate,' meddai wrth Mattie yn un o'i lythyrau; ac mewn llythyr arall: 'your loving husband toasted St David in water "all through the night" and I did not even have a cigar in his honour.' Ac yntau'n alltud unig ym mhen draw'r byd, mae Caradog hefyd yn llawn cenfigen ('these spasms of unreasonable jealousy') wrth iddo ymbil ar ei briod i beidio â mynd yn rhy gyfeillgar â dynion eraill, a gofyn iddi ymddwyn yn weddus mewn partïon a oedd yn dathlu Buddugoliaeth yn Ewrop. 'Don't flirt on the boat coming out!' meddai mewn llythyr arall. Rhybuddiodd Mattie rhag ymwneud gormod â gŵr o'r enw Hugh Sutherland, gŵr yr oedd Caradog yn hynod ddrwgdybus a gochelgar ohono. '[W]hen I think of Sutherland there is murder in my heart,' meddai. Thema arall a geir drwy'r llythyrau hyn yw pryderon Caradog ynghylch arian, a'i lwyr anallu i reoli ei *rupees*.

Mae hwn yn llyfr i'w groesawu, yn sicr. Mae'n ddiddorol ac mae'n ddefnyddiol ac, yn bennaf oll, mae'n taflu goleuni pellach ar waith a bywyd Caradog Prichard. Ac mae yma sawl peth difyr a doniol, yn enwedig pan mae Caradog ei hun yn rhoi pin ar bapur. Mae gennym le i ddiolch, bellach, fod y trysorau cudd hyn yn drysorau cyhoeddus.

Rhagymadrodd

Pa well ffordd i ddechrau'r rhagymadrodd i'r gyfrol hon na thrwy ddyfynnu geiriau Caradog Prichard ei hun yn y *North Wales Weekly News*, Hydref 18, 1973:

> Mae gennyf drwnc mawr yn y selar yma a'i lond o hen lythyrau. Bûm ar fin troi iddo lawer gwaith, i edrych trwy'r llythyrau ac yna gwneud coelcerth ohonynt rhag i neb arall gael eu gweld. Ond ymatal wnes i bob tro.

A da o beth ei fod wedi ymatal rhag difa'r deunydd yn y trwnc – fel y daw'n amlwg yn y man.

Mae'n rhaid dechrau'r stori ym misoedd cyntaf 2003, pan euthum ati i bori drwy'r casgliad o ddeunyddiau a drosglwyddwyd gan Mattie Prichard i'r Llyfrgell Genedlaethol yn dilyn marwolaeth Caradog ym 1980, ac yn y chwarel gyfoethog honno, yn ogystal ag yn y deunyddiau a anfonwyd gan Mari Prichard, merch Caradog, i'r Llyfrgell wedi iddi golli ei mam ym 1994, y bûm i'n lloffa i ddod o hyd i ddeunydd gwerthfawr a phwysig ar gyfer *Byd a Bywyd Caradog Prichard*.

Fy mwriad oedd ysgrifennu cofiant i Garadog Prichard ac roeddwn wedi gobeithio y byddai'r gwaith yn ymddangos ar Dachwedd 3, 2004, dyddiad canmlwyddiant geni'r bardd a'r llenor pwysig hwn. Gwaetha'r modd, ni lwyddais i gwblhau'r gorchwyl mewn pryd a bu'n rhaid aros tan ganol 2005 cyn cyhoeddi *Byd a Bywyd Caradog Prichard, 1904-1980 – Bywgraffiad Darluniadol* (Cyhoeddiadau Barddas). Mewn amryfal ffyrdd, cefais gymorth, ynghyd â gwybodaeth allweddol, gan dros gant o bobl – yn lleol, yn genedlaethol a hyd yn oed o wledydd eraill yn y byd. Bu'r ymateb i'r gyfrol yn rhyfeddol, gyda rhyw ddau gant a hanner o bobl yng nghyfarfod cyflwyno'r cofiant yn Neuadd Ogwen, Bethesda, ar Fai 20, 2005. Gwerthwyd yr argraffiad cyntaf i gyd o fewn ychydig wythnosau ac aeth y cyhoeddwyr ati'n syth i drefnu ail argraffiad.

Fodd bynnag, er i mi geisio sicrhau bod yr ymchwilio mor drylwyr ag yr oedd modd a'r 'gwaith ditectif' mor drwyadl ag y gallai fod, roeddwn rywsut neu'i gilydd yn ymwybodol nad oedd y 'stori' i gyd wedi'i dweud. Aeth deng mlynedd heibio cyn i'r annisgwyl ddigwydd!

Un diwrnod ym mis Mehefin 2015, a minnau wrthi'n golygu fy nghyfrol olaf o gyfansoddiadau a beirniadaethau (ar gyfer Eisteddfod Genedlaethol Maldwyn a'r Cyffiniau), canodd y ffôn. Mari Prichard oedd yn galw i drefnu ein bod yn cyfarfod ar faes yr Eisteddfod ym Meifod. A dyna a ddigwyddodd. Datgelodd Mari ei phrif reswm dros y cyfarfod, sef ei bod am i mi weld toreth o ddeunyddiau na chawsant eu trosglwyddo i'r Llyfrgell Genedlaethol i fod yn rhan o'r casgliad o bapurau ei thad oedd yno'n barod. Roedd y rhain wedi'u cadw'n sych a diogel, os anghofiedig, mewn hen gist flawd yn ei chartref.

Siars daer Mari oedd 'Dowch i Rydychen i weld be' sy acw.' Ac felly y bu, bnawn Sul, Medi 20, 2015. Cyrraedd yno, a Mari wedi gosod casgliad, ar fwrdd hirsgwar mawr, o lyfrau a deunyddiau a berthynai i'w thad.

Roedd yr 'arddangosfa' yn cynnwys gwahanol lyfrau, rhai ohonynt â llofnod Caradog Prichard arnynt, ynghyd ag amrywiaeth o lawysgrifau, darnau o ryddiaith a barddoniaeth, ysgrifau, erthyglau, a ffotograffau, yn ogystal â thelegramau a chasgliad o lythyrau mewn cês glas a welsai ei ddyddiau gwell. Yng nghanol y cyfan, roedd dogfen yn cynnwys 238 o ddudalennau cwarto mewn teip, yn dwyn y teitl 'Moonlit Night'. Cyfieithiad Caradog ei hun oedd hwn o *Un Nos Ola Leuad*, trosiad nad oedd yn arbennig o fodlon arno, yn ôl Mari – afraid dweud na allwn gynnwys gwaith mor swmpus yn y gyfrol hon. Ymhlith y deunydd, hefyd, roedd dyrnaid o gopïau o rai o'r ysgrifau a gyhoeddid yn bur gyson ganddo mewn amryfal gyhoeddiadau. Byddai dyfynnu casgliad o'r colofnau aneirif a gyfrannodd i wahanol bapurau-newydd (megis y *Cardiff Times*, y *News of the World*, y *News Chronicle*, y *North Wales Weekly News*, y *Sunday Telegraph*, a'r *Weekly Mail*) wedi bod yn hynod ddiddorol, hefyd, ond bu'n rhaid ymatal, ysywaeth.

Wedi dechrau tynnu lluniau â chamera-ffôn, daeth yn amlwg y cymerai hynny oriau lawer i fynd drwy'r cyfan. A chan sylweddoli hynny, caniataodd Mari i mi ddod â phob deunydd a ystyriwn yn berthnasol yn ôl i Gymru, gan ychwanegu mai ei bwriad, wedi i mi orffen efo nhw, oedd cyflwyno'r llawysgrifau ac ati i ofal y Llyfrgell Genedlaethol i'w diogelu gyda gweddill papurau ei thad.

Mae'n rhaid i mi grybwyll nad hawdd oedd penderfynu sut i ddefnddio'r casgliad diweddaraf hwn o ddeunyddiau mewn cyhoeddiad arall ar destun yr oeddwn eisoes wedi ymdrin ag ef. Pe bai'r deunyddiau hyn wedi dod i'r golwg cyn i mi gyhoeddi *Byd a Bywyd Caradog Prichard* yn 2005, yna byddai'r gyfrol honno wedi bod gymaint â hynny'n fwy cyfansawdd a nifer o fylchau yn yr hanes wedi eu llenwi. Wrth gwrs, yr her yn awr oedd ymdrin â'r dogfennau diweddaraf hyn a'u gosod o fewn cyd-destun ystyrlon heb ailadrodd (yn ormodol nac yn rhy fanwl, beth bynnag) yr hyn a gynhwyswyd eisoes yn y gyfrol a grybwyllais uchod. Wedi hir bendroni, penderfynais ar grynoder yn hytrach na manylder o ran ymdrin â chyd-destun y deunydd ychwanegol, a chynnwys unrhyw gefndir hanfodol mor gryno ag y bo modd lle'r oedd angen gwneud hynny er eglurder. O bryd i'w gilydd, teimlais fod rhaid i mi gynnwys cyfeiriadau at rannau o *Byd a Bywyd Caradog Prichard* (a *Byd Go Iawn Un Nos Ola Leuad* weithiau hefyd), fel y gallai unrhyw ddarllenydd chwilfrydig gael rhagor o wybodaeth na'r hyn a geir yn y gyfrol hon. At hynny, cynhwysais ambell lun a deunydd sydd eisoes yng nghasgliad Caradog Prichard yn y Llyfrgell Genedlaethol.

Mae'n rhaid i mi nodi fy mod wedi cadw at arddull ac orgraff y deunyddiau gwreiddiol drwodd a thro, heb wneud ond cyn lleied o newidiadau ag y bo modd (a chan ymatal, gan amlaf, rhag defnyddio *sic* i ddynodi mai felly yr ysgrifennwyd rhyw air neu'i gilydd). At hynny, dylwn ddweud, hefyd, i mi gynnwys elipsis (sef …) ym mhob man yn y testun lle'r oeddwn wedi penderfynu hepgor rhan o'r gwaith gwreiddiol (neu, ambell waith, lle'r oedd yr awdur ei hun wedi cynnwys elipsis). Yn yr un modd, ni thynnais sylw at yr amrywiadau a geid o ran Caradog/ Caradoc, Prichard/ Pritchard a Mattie/ Mati/ Matti.

Dylwn egluro, hefyd, fy mod wedi gweld yr angen i gynnwys Nodiadau ar ddiwedd y gwaith, dan benawdau pob pennod, i egluro rhai cyfeiriadau, enwau, ac ati (er na fu modd gwneud hynny bob tro). Nid oedd Caradog Prichard bob amser yn nodi dyddiadau a ffynonellau'r deunydd a gadwasai mewn gwahanol ffurfiau a phwysleisiaf na lwyddais i ddod o hyd i berchnogion pob hawlfraint a hynny er gwaethaf pob ymdrech, gan gynnwys cysylltu drwy wahanol ddulliau â nifer sylweddol o bobl ledled Cymru, yn ogystal ag ymchwilio'n ddyfal a thrylwyr ar wahanol wefannau. Ymddiheuraf yn llaes ynghylch unrhyw ddeunydd sydd wedi'i ddefnyddio yn y gyfrol hon heb i mi allu sicrhau caniatâd a chydnabod perchnogion yr hawlfraint.

Rydw i am ddod â'r Rhagymadrodd hwn i ben drwy sôn am ddau ddigwyddiad na ddylid eu hesgeuluso, er mor ffiniol eu cysylltiad â chynnwys y gwaith hwn.

Y cyntaf oedd sefydlu bragdy yn Rhes Ogwen, Bethesda, a'r bragdy hwnnw dros y ffordd i'r Rheinws, bron iawn gyferbyn â Gallt Pen-y-bryn lle'r oedd Llwyn Onn, lle ganwyd Caradog Prichard, a heb fod ond tafliad carreg o'r Eglwys a'r Ysgol a'r Blw Bel, a mannau eraill a gafodd sylw ganddo yn ei gampwaith, *Un Nos Ola Leuad* (Gwasg Gee, Dinbych [1961]). Hogiau lleol sydd y tu ôl i'r fenter hon a chawsant ganiatâd Mari i roi enw ei thad ar un math o gwrw a gynhyrchant yn ei bentref genedigol. Nid oes unrhyw amheuaeth na fyddai Caradog Prichard wedi bod uwchben ei ddigon fod cwrw wedi'i enwi ar ei ôl a bod ei lun ar boteli 'Cwrw Caradog'.

Yn ail, bu un canlyniad annisgwyl yn dilyn yr ymweliad â chartref Mari yn Rhydychen. Soniodd Mari ei bod yn chwilio am gartref addas i ddesg ei thad – desg ddigon cyffredin yr olwg ond un ag arwyddocâd arbennig o bwysig iddi. Ar y ddesg hon, yn ei gartref yn Llundain, yr ysgrifennodd Caradog Prichard lawer iawn o'i erthyglau, ei ysgrifau a'i gerddi ac, yn bwysicach na dim, ei nofel hunangofiannol, *Un Nos Ola Leuad*, y nofel a ddyfarnwyd y nofel Gymreig orau yn dilyn arolwg ar-lein o farn dros 1,400 o ddarllenwyr a barn panel o feirniaid y Wales Arts Review yn 2014.

Byddwn wedi bod wrth fy modd pe gallwn fod wedi dod o hyd i gornel iddi yn fy nghartref i fy hun ond roedd Mari am weld y ddesg mewn lle gweddol gyhoeddus. A chofio hynny, cefais hyd i gartref delfrydol iddi, sef yng nghyntedd yr ysgol uwchradd y bu Caradog yn ddisgybl ynddi, sef Ysgol y Sir, Bethesda, fel yr oedd yr adeg honno, Ysgol Dyffryn Ogwen erbyn heddiw. Cynigiais y syniad i Mr Alun Llwyd, y Prifathro ar y pryd, a thrafodwyd lle gellid lleoli'r ddesg er mwyn iddi fod yn weladwy i bawb, gan gynnwys ymwelwyr â'r ysgol. A phle gwell nag mewn cornel addas yn y cyntedd wrth brif fynedfa'r ysgol! Cafwyd cymorth aelodau Adran y Gymraeg (Dafydd Roberts a Jeni Lyn Morris) i drefnu arddangosfa o'i chwmpas, gan gynnwys gosod arni gopi o *Un Nos Ola Leuad*, wrth gwrs, a chopïau o rai o'r dwsin o gyfieithiadau o'r nofel i wahanol ieithoedd Ewropeaidd. Bnawn Iau, Mai 25, 2017, cynhaliwyd seremoni gerbron nifer o wahoddedigion i weld desg Caradog yn cael ei chyflwyno ar fenthyciad parhaol i'r Ysgol. Ac felly y daeth rhan o Garadog Prichard yn ôl i'w hen ysgol a'i gynefin yn Nyffryn Ogwen.

Desg Caradog Prichard yn ei chornel glyd yng nghyntedd Ysgol Dyffryn Ogwen
© Siôn Elwyn Hughes

Cydnabyddiaeth

Bûm yn ffodus iawn i gael cymorth parod nifer o gyfeillion wrth ysgrifennu'r gwaith hwn – er enghraifft: Dr Maredudd ap Huw, Aberystwyth; Nan Bate, Bangor; Dr Robin Chapman, Aberystwyth; Y Parchedig Ddr R. Alun Evans, Caerdydd; Dr Gwen Angharad Gruffudd, Rhostryfan; Jane Hodkinson, Gwasanaeth Archifau Manceinion; Mr Gethin Wynne Jones, Archifdy Meirionnydd; Yr Athro Dr Goronwy Tudor Jones, Birmingham; Yr Athro John Gwynfor Jones, Caerdydd; André Lomozik, Bethesda; Alun Llwyd, cyn-Brifathro Ysgol Dyffryn Ogwen; Ms Lucie Murell, Cofrestrfa Prifysgol Cymru, Caerdydd; Dr Ann Parry Owen, Aberystwyth; **Bobi Owen, Dinbych**; Tim Read, Aberystwyth; Dr Dafydd Roberts, Yr Amgueddfa Lechi yn Llanberis; Eirian Roberts, Ysbyty Ifan; Elfed Roberts, cyn-Brif Weithredwr yr Eisteddfod Genedlaethol; Katherine Sainsbury, Llyfrgell Sowerbridge; Andrew Speddy, Bethesda; Daniel Sudron, Gwasanaeth Archifau Calderdale; Gwen Thomas, Cemaes, Môn; Gerald Williams, Caernarfon; Yr Athro Gerwyn Wiliams, Prifysgol Bangor; Nerys Williams, Swyddog Gweinyddol Ysgol Dyffryn Ogwen.

Unwaith eto, cefais gefnogaeth ac anogaeth fy nghyfaill, Yr Athro Brifardd Dr Alan Llwyd, ac mae fy nyled yn enfawr iddo am daflu'i lygaid craff dros ddrafft cyntaf y gwaith hwn ac, yn arbennig, am ei Gyflwyniad celfydd a threiddgar. Llwyddodd fy ngwraig, Deilwen, i dyrchu drwy ambell wefan i ganfod rhai ffeithiau perthnasol i'w cynnwys yn y gyfrol hon. Gwerthfawrogaf hefyd gefnogaeth fy mhlant, Gwyndaf a Garmon ac, yn arbennig, Siôn Elwyn a Manon Elwyn, am ddarllen y gwaith a chynnig sylwadau adeiladol.

Mae fy niolch yn ddiffuant iawn i Mari Prichard am roi imi rai manylion ychwanegol yn codi o'i gwybodaeth bersonol a diolchaf iddi am f'ysgogi i ysgrifennu'r 'dilyniant' hwn i *Byd a Bywyd Caradog Prichard*. Diolchaf iddi hefyd am roi'r hawl i mi ddyfynnu o'r llythyrau amrywiol o waith ei thad sydd â'r hawlfreintiu bellach yn perthyn iddi hi, a'r llythyrau eraill yn y casgliad sydd â'r hawlfreintiau'n perthyn i'r ysgrifenwyr (neu i berchnogion eu hawlfreintiau).

Gwneuthum ddefnydd o rannau o'r casgliad cyflawn o Bapurau Caradog Prichard (LLGC 1-607) yn Llyfrgell Genedlaethol Cymru a dyfynnais yn helaeth o'r ohebiaeth a anfonodd Caradog at Mattie o'r India adeg y Rhyfel (LLGC 16-171). Ailddefnyddiais gopïau o ambell lun a gyhoeddais yn *Byd a Bywyd Caradog Prichard* ac a gefais yn LLGC PE 3151-64, ynghyd â chartŵn o waith J. C. Walker o'r un ffynhonnell). Rwy'n ddiolchgar iawn am bob cymorth a gefais gan staff ein Llyfrgell Genedlaethol.

O ran sicrhau'r hawl i ddefnyddio ambell lythyr, erthygl, dyfyniad – neu unrhyw fath arall o waith, mewn gwirionedd – nid gorchwyl hawdd, fel y nodais eisoes, fu canfod perchnogion hawlfreintiau o dros gant o ffynonellau a hynny er gwaethaf pob ymdrech i ddod o hyd i'r wybodaeth angenrheidiol. Rwy'n eithriadol ddiolchgar i'r rhai a enwir isod am ganiatáu i mi ddyfynnu o weithiau yr oedd yr hawlfraint yn eiddo iddynt neu wedi'i drosglwyddo iddynt neu, fel arall, wedi ei ddirprwyo iddynt.

Cefais ymateb cadarnhaol a chaniatâd parod gan y canlynol a nodaf, yn fras, o fewn cromfachau ar ôl eu henwau, eu cysylltiad â'r hawlfreintiau:

Louise Cole (ar ran y *Western Mail*); Alaw Mai Edwards (ar ran *Cyhoeddiadau Barddas*); Geraint Day (ar ran Plaid Cymru, a etifeddodd hawlfreintiau Kate Roberts a Morris T. Williams); Enid Parry-Evans (hawlfraint ei hewythr, Syr Thomas Parry); Myra Griffith (hawlfraint ei phriod, Selwyn Griffith); Yr Athro Dr Goronwy Tudor Jones (hawlfraint ei dad, John Eilian); Mair Jones, Moelogws (Picton Davies); Dr Nerys Ann Jones (Dewi Morgan); Y Parchedig Trefor Jones (ei ohebiaeth â Caradog Prichard); Gwyndaf Hughes (ar ran *Eco'r Wyddfa*); Dafydd Llwyd, Abertawe (Dylunydd cloriau *Byd a Bywyd Caradog Prichard* a *Byd Go Iawn Un Nos Ola Leuad*);Mair McGeever (ei hewythr, Robert/Bob – Pritchard); Y Cynghorydd Dafydd Meurig (Gwasg Gee); Yr Athro Dr Derec Llwyd Morgan (*Y Brenhinbren : Bywyd a Gwaith Thomas Parry, 1904-1985*); Yr Arglwydd Elystan Morgan (ei dad, Dewi Morgan); Dr Ann Parry Owen (ar ran ei hewythr a'i modryb, Ewart a Myf Roberts); Yr Athro Emeritws Prys Morgan (ei dad, T. J. Morgan); Stuart Needham (dylunydd clawr *Afal Drwg Adda*); Sioned O'Connor (wyres Albert Evans Jones – Cynan); Alan Pritchard (mab Howell, brawd Caradog Pritchard); David Roberts, Beaumaris (hawlfraint ei fam, Eleanor Roberts); Meilyr Rowlands (ŵyr

R. J. Rowlands – Meuryn); Nia Rhosier (merch y Parchedig W. Roger Hughes); Mark Waddington (Golygydd Gweithredol y *Daily Post*, ar ran y *North Wales Weekly News* a'r *Herald Cymraeg*); Dr Lynn E. Williams (ar ran Cymdeithas Anrhydeddus y Cymmrodorion); Gwenda Wyn (ar ran Gwasg Gwalia).

Diolchaf i Wasg Y Lolfa am ymgymryd â chyhoeddi'r gyfrol hon ac yn arbennig i Lefi Gruffudd, Pennaeth Cyhoeddi'r Wasg, am ei drefniadau trwyadl, ei gydweithrediad parod a'i hynawsedd wrth lywio pob cam o'r broses argraffu a chyhoeddi.

J. Elwyn Hughes

Chwefror 5, 2020

Byrfoddau (o hyn ymlaen)

ADA	*Afal Drwg Adda*
BaBCP	*Byd a Bywyd Caradog Prichard*
BGIUNOL	*Byd Go Iawn Un Nos Ola Leuad*
UNOL	*Un Nos Ola Leuad*

RHAN I

CARADOG A'I DEULU

Caradog a'i Fam – a'r Seilam

Howell a Glyn, brodyr Caradog

Robert (Bob) Pritchard

Caradog a Mattie

Mae'r Nodiadau y cyfeirir atynt yn yr adran hon i'w gweld ar dudalen 304

Caradog a'i Fam – a'r Seilam

Margaret Jane Pritchard, mam Caradog

Tua 1919-20, pan oedd Caradog oddeutu pymtheg oed ac yn ei flwyddyn gyntaf yn Chweched Dosbarth Ysgol y Sir ym Methesda, sylweddolodd fod meddwl ei fam yn prysur ddirywio. O fewn rhyw ddwy flynedd, roedd pethau wedi gwaethygu i'r fath raddau nes i Garadog benderfynu nad oedd dim amdani ond gadael yr ysgol a chwilio am waith i gynnal ei fam a'r cartref yn y Gerlan, Bethesda. Ceir rhagor o wybodaeth am y cyfnod trist hwnnw yn ei hanes ymhellach ymlaen yn y gyfrol hon[1].

Ym mis Mawrth 1922, ac yntau ychydig dros ddwy ar bymtheg oed, cafodd Caradog waith yn brentis is-olygydd yn swyddfa'r *Herald Cymraeg* yng Nghaernarfon. Bu'i flwyddyn gyntaf yno yn un gymysg iddo mewn sawl ystyr. Cafodd groeso a charedigrwydd mawr gan y staff, yn arbennig Tom Jones (o'r Bontnewydd)[2], Morris T. Williams[3] a Gwilym R. Jones[4], a dysgodd lawer gan y bardd Meuryn[5], golygydd y papur. Mae Gwilym R. Jones yn

cofio'r cyfnod pan oedd Caradog Prichard ac yntau'n gweithio ar bapurau'r
Herald:

> Lle hanner tywyll, digon afiach, gallwn feddwl, oedd y stafell lle'r oedd
> Caradog Prichard a mi yn crafu'n pennau am y pared â'r Golygydd.
> Roedd Caradog newydd orffen ei gwrs yn Ysgol Dyffryn Ogwen[6],
> Bethesda, ac yn hogyn swil â dyfnder ynddo fo. Roedden ni'n dau
> wedi dechrau prydyddu yr adeg honno ac yn cael tipyn bach o hwyl yn
> cystadlu mewn eisteddfoda' lleol[7].

Daeth Caradog yn ffrindiau, hefyd, gyda'r llu o ymwelwyr a alwai heibio'n
gyson, pobl fel y rhai a ganlyn (ymhlith eraill): Beriah Gwynfe Evans[8], J. R.
Morris[9], John Eilian[10], Eifionydd[11], a Gwynfor[12]. Ac nid cwmni'r rhain yn
unig a gafodd yn ystod ei flynyddoedd cyntaf yng Nghaernarfon – cafodd
gariad, sef Awen Williams[13], o bentref Bethel, ger Caernarfon.

Serch hynny i gyd, roedd sefyllfa'i fam ym Methesda yn taflu cysgodion
tywyll o bryder a gofid dros bopeth ac er i mi ddyfynnu yn *BaBCP* y paragraff
isod, lle mae'r Caradog ifanc yn mynegi ei bryderon dyfnaf, penderfynais ei
gynnwys yma eto er mwyn gosod cyd-destun cyflawn ac ystyrlon i'r hyn sy'n
dilyn:

> Yr oeddwn yn methu â byw yn fy nghroen neithiwr wrth feddwl am
> yr hen fam yn y tŷ yna ym Methesda, efallai heb ddim tân na dim byd.
> Wyddost ti, Moi [sef Morris T. Williams], does ganddi ddim i'w wneud
> trwy'r dydd. Bydd yn golchi'r llawr a dyna'r cwbl. Nid oes ganddi ddim
> i'w wnïo, na dim i'w ddarllen ond y Beibl, ac y mae'n darllen cymaint
> ar hwnnw nes wyf yn credu ei fod yn mynd ar ei hymennydd. Nid oes
> yna'r un ddalen yn y tŷ ond y Beibl. Y mae wedi llosgi popeth ond
> hwnnw. A meddwl amdani'n eistedd yn y lle ofnadwy yna ar hyd y
> dydd heb ddim ar y ddaear i'w wneuthur. O, mae'r syniad yn gwneud
> imi ferwi o aflonyddwch bob nos. Ac i feddwl fy mod innau yma, yn
> methu â bod yn ei chwmni. Yn wir, Moi, y mae'n anodd dal. Ond ni
> ddylwn gwyno fel hyn. Cofia nad cwyno ar ran fy hun yr ydwyf. Nid
> yfi sy'n dioddef. Petawn i'n cael ei phoenau hi, a hithau fy mhoenau
> i, rwy'n siŵr na byddai hi'n hir cyn mendio. A mwya yn y byd wyf yn
> feddwl amdani, cryfaf yn y byd y bydd fy mhenderfyniad i roddi cysur
> iddi … Yn wir i ti, yr wyf wedi dymuno lawer gwaith, wrth feddwl
> amdani yn fy ngwely, am iddi gael marw. Os oes yna fyd arall, beth
> bynnag yw hwnnw, nid wyf yn credu y caiff waeth uffern nag y mae

ynddo ar hyn o bryd. Mae sôn, onid oes, mai yn y byd hwn y mae'r
uffern. Ond yr wyf yn methu coelio hynny, gan ei bod hi yn cael uffern
na haeddodd erioed. Ond, bob tro, bydd dymuniad arall yn codi ynof,
ar ôl y dymuniad erchyll yna, sef am gael troi ei huffern yn nefoedd, ac
os oes yna Dduw yn bod, fe rydd ynof y gallu i wneuthur hynny … ac
os methaf â rhoddi nefoedd i mam ar ôl yr uffern yma, bydd yn anodd
iawn gennyf goelio bod yna Dduw …

Mewn llythyr, dyddiedig Mawrth 17, 1923, mae'n sôn wrth Morris T.
Williams am gynllun sydd ganddo i geisio datrys sefyllfa'i fam a'r problemau
ynghlwm â hynny (ac mae'n cloi drwy gyfeirio at y bunt a fenthycodd gan
ei gyfaill):

> Dydd Llun diwethaf … euthum i siarad a pherchennog tai … [yn
> Llanrug]. Cefais ef i osod un o'r tai imi … Mae gennyf eto i berswadio
> mam i ddod gyda mi. Pe llwyddaf yn hynny, bydd raid imi brynu par
> o esgidiau iddi hi, gwely i'w roddi yn y ty, ac amryw fan bethau megis
> oilcloth, &c. Bûm yn siarad a Wms[14] ac y mae Coplestone[15] yn dyfod
> yma heddyw neu ddydd Mawrth. Mae W. am alw arnaf i adrodd fy
> stori wrtho, ac y mae yn fy sicrhau y caf dair neu bedair punt gan yr
> hen ddyn. Cawn weld. Pe cawn hynny, byddai'n help garw. Yno [ym
> Methesda] y pnawn yma, rwyf am fynd i weld y swyddog elusennol a
> cheisio cael ganddo ryw ddwy bunt ar ol dweud fy nghynllun wrtho
> a'i sicrhau y byddaf yn cymryd mam oddi ar law'r plwy. Bydd hynny,
> hefyd, yn help. Yna mae gennyf y gorchwyl i fynd i daclo pawb y mae
> mam mewn dyled iddynt ac addo iddynt y gwnaf fy ngoreu i glirio pob
> un ohonynt … Be 'ddyliet ti o'r rhaglen? Y mae Wms hefyd wedi cael
> gwaith, medda fo, i'm brawd Glyn, ond nid yw'n gwybod pa bryd y caiff
> ddechrau. Yn Llanberis y mae'r job ond nid yw ond dros dro. Yr unig
> beth y bydd raid imi ei wylio (fel cath yn gwylio llygoden) ydyw na thry
> addewidion Wms yn wynt. Os digwydd hynny, fe â fy holl obeithion
> innau i'r gwynt. Ond gwyliaf ef yn ofalus y tro hwn. Gyda llaw, Moi,
> cael gair ynghylch y rhent sydd arnaf ar y ty yr ydym ynddo ar hyn o
> bryd a barodd imi wneud cais atat am y bunt yna [cyfwerth ag oddeutu
> £50 heddiw]. Mae'n ddrwg gennyf na allaf sicrhau ei thalu'n ol mor
> fuan ag y telais y llall a dylwn fod wedi dweyd bryd hynny pan yn anfon
> atat amdani. Ond gelli fentro y gwnaf fy ngoreu …

Ond ymhen ychydig iawn wedyn, cysyllta eto gyda Morris T. Williams, a sôn
am gynllun arall oedd ganddo, gan na ddaethai dim o'r syniad i gael y tŷ yn

Llanrug. Roedd newydd ymweld 'â'r dyn yna o Fangor' (nad yw'n ei enwi) i geisio cael mynd ar gwrs mewn diwinyddiaeth yn y Coleg ym Mangor. Mae'n ymhelaethu fel a ganlyn:

> Yr wyf, gan na allaf gael ty arall, am geisio gwneud trefn ar y ty sy gennym, a'i wneud i fyny fel y gallaf fynd adref bob nos a chadw cwmpeini i'r hen fam. Af hefyd at y swyddog elusennol, ei hysbysu o'm bwriad, ac oni chytuna i roddi 10/- tra byddaf yn y coleg, mynnu ynte bum swllt … Yr wyf yn llawn sylweddoli fy mod, trwy gymryd y cam hwn, yn aberthu fy annibyniaeth, am gyfnod go hir o'm bywyd beth bynnag, ar ran fy mam. Yr wyf wedi rhoddi ystyriaeth faith iddo, ac os llwydda, credaf mai dyna'r ffordd oreu y gallaf gyflawni fy nyletswydd iddi. Ac os af i'r Coleg, a bod gyda hi, yr wyf wedi penderfynu ymgysegru'n llwyr i'r gwaith o dalu fy nyletswydd iddi neu'n hytrach fy nyled iddi …

Prin y gallai fod wedi rhag-weld y byddai'n derbyn llythyr, dyddiedig Tachwedd 22, 1923, a fyddai'n chwalu'i gynlluniau a'i obeithion yn yfflon.

Roedd y llythyr hwnnw wedi'i gyfeirio at 'Caradoc Prichard, Reporter to the Herald, Jones Terrace, Llanrwst' ac mae hynny'n profi bod Caradog yn gweithio yn Llanrwst ym mis Tachwedd 1923. Roedd pennawd swyddogol y 'Bangor & Beaumaris Union' ar frig y llythyr ac mewn teip o dano, roedd y manylion a ganlyn: 'Robert J. Ellis, Relieving Officer[16], Vaccination Officer and Registrar of Births and Deaths, Hengoed, Bethesda, N. Wales'. Roedd y llythyr ei hun mewn llawysgrifen:

> Sir,
> This week, it was reported to me that your Mother Mrs M. J. Pritchard of 2 Glanrafon, Bontuchaf, Bethesda, was behaving in a peculiar manner.
> Dr. Pritchard[17] is now dealing with the case, it may eventually be necessary to remove your Mother to Denbigh – Dr. Pritchard wishes to consult with you respecting certain matters – will you come over this week-end to see the Dr.
> Yours truly, | R. J. Ellis | R. O.

Mae'n amlwg nad oedd Mr Ellis yn malio dim am ddewis gair priodol wrth sôn am fynd â mam Caradog i'r Seilam; prin y gellir ystyried bod 'remove' y gair caredicaf y gallai fod wedi'i ddefnyddio!

Efallai fod y llythyr hwnnw'n fyw yng nghof Caradog Prichard pan oedd yn adrodd hanes y Fam yn *UNOL* (tt. 165-7) a bod y geiriau 'behaving in a peculiar manner' wedi bod yn sail i'r sgwrs rhwng yr hogyn bach ac Elis a Gres Ifas:

Wyddost ti lle buo dy Fam ddoe? medda fo.

Na wn i.

Wel, yn ôl bob hanas, oedd hi wedi mynd i fyny Rallt yn y bora a wedi bod yn crwydro ar Ochor Foel trwy'r dydd.

Arglwydd mawr, a hitha'n tresio bwrw.

Ia. Gwelodd Robin Gwas Bach Gorlan hi'n pasio Tan Fron tua hannar dydd, ac oedd Now Gorlan wedi gweld dynas ar Ben Foel tua tri o'r gloch pnawn. Oedd hi'n rhy bell iddo fo fedru'i nabod hi'n iawn ond mae o'n tyngu mai dy Fam oedd hi …

Be ddigwyddodd wedyn?

Wel, does na neb yn gwybod yn iawn, medda Elis Ifas, a cnocio'i getyn ar pentan. Ond tro nesa ddaru neb ei gweld hi oedd yn cerddad i lawr Allt Bryn ac yn pasio Rheinws.

Faint o'r gloch oedd hi radag honno?

Tua pump, mae'n debyg. A wyddost ti be wnaeth hi wedyn?

Na wn i.

Taflyd carrag trwy ffenast Rheinws.

Pwy? Mam?

Ia.

Naddo.

Do, wir.

Na, smalio ydach chi.

Mae o mor wir iti â mod i'n eistadd yn y gadar yma.

Iesgob, medda fi.

Ac er mod i wedi mynd i grynu fel deilan, dyma fi'n dechra rowlio chwerthin dros y tŷ, a'r ddau'n sbio'n wirion arnaf fi.

Dew, fedra i yn fy myw beidio chwerthin, medda fi. Mam, o bawb, yn taflyd carrag trwy ffenast Rheinws.

Wel, dyna i chdi be ddigwyddodd, medda Elis Ifas. Ac mi gwelodd Gres yma hi'n dwad i fyny Rallt tua hannar awr wedi pump, ac oedd hi'n edrach mor ddrwg mi aeth Gres i weld be fedra hi neud. Ond deud y drefn yn ofnatsan am rywun oedd dy Fam, wsti, ac yn siarad am d'Yncl Wil, yntê Gres?

Ia, medda Gres Ifas. A pan es i i ofyn oedd yna rywbath gawn i neud iddi hi, mi aeth i mewn i tŷ a rhoid clep ar y drws yn fy ngwynab i.

Ma hi wedi bod yn siarad yn rhyfadd ers diwrnodia, wsti, medda Elis Ifas.

Ydy, yntydy?

Dyna oedd hi'n ddeud wrth ddwad i fyny Rallt, medda Gres Ifas. Deud bod d'Yncl Wil wedi cael ei grogi yn Rheinws.

Nid i'r ysbyty cyffredinol ym Mangor[18] y bwriedid mynd â'r fam ond, yn hytrach, i'r Seilam yn Ninbych a chadarnheir hynny pan ddarllenwn adroddiad am yr achlysur trist hwnnw yn hunangofiant Caradog Prichard, *ADA* (t. 68):

… cefais alwad i Fethesda i fynd a Mam, a oedd wedi llwyr dorri i lawr dan faich ei gorthrymderau, i'r Seilam yn Ninbych. Cofiaf ddychwelyd i Lanrwst, ar ôl y daith ofidus i Ddinbych, yn ddychryn ac yn ddagrau. Mi es yn syth o'r Stesion i Gaffi Gwydyr, lle'r oeddwn yn aros ar y pryd … a rhoi fy mhen ar y bwrdd a chrïo, tuchan crïo'n ddistaw, a heb eto ddod ataf fy hun ar ôl profiad alaethus y dydd.

Mae'n ail-fyw'r profiad hwnnw yn *UNOL* (tt. 173-4):

A wedyn dyma fi'n dechra crïo. Nid crïo run fath â byddwn i erstalwm ar ôl syrthio a brifo; na chwaith run fath â byddwn i'n crïo mewn amball gnebrwng; na chwaith run fath ag oeddwn i pan aeth Mam adra a ngadael i yn gwely Guto yn Bwlch erstalwm.

Ond crïo run fath â taflyd i fyny.
Crïo heb falio dim pwy oedd yn sbïo arnaf fi.
Crïo run fath â tasa'r byd ar ben.
Gweiddi crïo dros bob man heb falio dim pwy oedd yn gwrando …

Er nad oes tystiolaeth bendant ynghylch yr union ddyddiad y cludwyd Margaret Jane i'r Seilam yn Ninbych, cymerwn i'r trefniadau ar gyfer hynny gael eu gwneud ar unwaith o ganlyniad i'r neges oddi wrth R. J. Ellis (a'r sgwrs y gallasai Caradog fod wedi'i chael gyda Dr Pritchard) a'i bod wedi cyrraedd Dinbych ryw dro, mi dybiaf, ym mis Rhagfyr 1923 neu ddyddiau cynnar Ionawr 1924.

Ganol Ionawr 1924, derbyniodd Caradog daflen fechan swyddogol, yn mesur 5¼ wrth 4½ modfedd, dyddiedig Ionawr 14, â'r pennawd a ganlyn:

NORTH WALES COUNTIES LUNATIC ASYLUM:
I am desired by the Medical Superintendent to inform you that Mrs Margaret Jane Pritchard is ill, and should be visited at any time to suit your own convenience.
Wm Barker | pp. Clerk

Mae'n bur debyg fod Caradog wedi mynd yn syth i Ddinbych i weld ei fam ar ôl derbyn y neges honno ond ni wyddom pryd yn union yr oedd wedi ceisio cael sgwrs yn ei chylch gyda Frank G. Jones, Arolygydd Meddygol yr Ysbyty. Ond cadwodd Caradog lythyr, dyddiedig Mawrth 13, 1924, a anfonasai'r Arolygydd ato i Gaffi Gwydr, Llanrwst:

I am sorry I was unable to see you yesterday about your mother. I had a long interview with her, with a view to her discharge on trial, but I do not consider her well enough yet. She still has strange delusions in her mind, one being that her husband is still alive although she was able to tell me about his funeral.
I will consider her case again next month. Her bodily health has improved considerably since she has been here.

Gallwn dybio bod derbyn y newyddion calonnog am iechyd corfforol ei fam ar ddiwedd y llythyr wedi peri i Garadog holi eto a oedd hi'n debygol o gael

dod adref o'r ysbyty. Chwalwyd unrhyw obeithion o'r fath a allai fod ganddo pan dderbyniodd lythyr, dyddiedig Ebrill 3, 1924, i'w gyfeiriad newydd yn 2 John St, Llanrwst, oddi wrth Frank G. Jones:

Your mother's mental condition has not improved during the last month.
She is still very indifferent and does not take much interest in things. She fully

John Roderick Pritchard, tad Caradog

believes that her husband is still alive and says that she has seen him
and heard him speak.

She does not seem to worry at all at being here and does not
appear to mind whether she stays here or is discharged. Under the
circumstances I see no prospect of her discharge at present.

She is in fairly good bodily health.

Y llythyr nesaf oddi wrth Frank G. Jones sydd wedi'i gadw ymhlith papurau
Caradog ydi'r un â'r dyddiad Awst 27, 1924, arno.

I regret to inform you that your mother's mental condition does
not improve, and she is becoming very childish in her manner and
conversation.

She tells me that her eyes are alright, and that being able to read she
does not require glasses. She has not complained to anyone about her
sight and I am wondering if she complained to you on your last visit
although she says she did not.

Gwaetha'r modd, ni chadwyd yr un llythyr wedyn tan yr un dyddiedig Ionawr
20, 1926, eto oddi wrth Arolygydd Meddygol y Seilam, ac wedi'i gyfeirio i 7
Salisbury Terr., Llanrwst.

I regret to inform you that your mother does not improve mentally.
She still has delusions and hears voices talking to her at times. She
is in fair bodily health & condition. If you find the visiting days
impossible you may have permission to see your mother on Tuesday.

Tair blynedd o fwlch yn yr ohebiaeth wedyn a Charadog bellach yn
gweithio ar y *Western Mail* yng Nghaerdydd. Ysgrifennodd Frank G. Jones
ato, mewn llawysgrifen fel arfer, ond ar ben-llythyr swyddogol y tro hwn:
'The North Wales Counties Mental Hospital, Denbigh'. Yn y llythyr hwn,
dyddiedig Ionawr 25, 1929, roedd yn amlwg yn ymateb i lythyr a anfonasai
Caradog ato yn holi, unwaith eto, am y posibilrwydd i'w fam gael ei rhyddhau
o'r ysbyty.

In reply to your letter enquiring about your Mother Mrs M J Pritchard
I beg to state that I hardly think that your Mother is well enough to
be looked after privately, except at considerable expense in the way of
Nurses.

She still has delusions and hallucinations of hearing which affect her very much from time to time, making her noisy, restless and abusive. She does not worry about being here, and seldom bothers about being discharged.

Bwlch eto nes i ni ddod ar draws drafft o lythyr yn llaw Caradog ei hun, yn dwyn y cyfeiriad 'Editorial Department, Western Mail, Cardiff', wedi'i gyfeirio at 'The Medical Superintendent, The Mental Hospital, Denbigh', ac arno'r dyddiad Gorffennaf 1, 1930:

Dear Sir,
I visited my mother (Mrs M. J. Prichard, Bethesda) at the institution two weeks ago, and in spite of a report to the contrary, I felt convinced from her manner and her behaviour that she was well enough to justify a discharge on trial. In maintaining this I have no wish to disregard the expert medical opinion which is always available at your institution, but at the same time I feel that the intimate relationship of mother and son and the individual care and attention which I and my family would be able and willing to extend to her, together with the new environment would add considerably to her chance of recovery.
The fact that she raves and behaves violently in the presence of strangers who visit the institution does not prove to me that her manner would not change by gentle companionship and the individual care which must, where it is possible, react most favourably on such a case as my mother.
My plan, if my request be acceded to, is to move my mother for a week or so to a quiet nursing home, and after equipping her in the meantime, to move her to live with me here in Cardiff, where I can provide a proper home for her, with every necessary care and attention.
I trust, Sir, that you will read this letter in no other light than a warm regard on my part for the wellbeing of my mother and a keen desire to recompense her for her suffering, which is only known to myself. I have no cause to disregard your opinion and I have every cause to thank you for the courtesy and kindness with which I have been received by you and members of your staff during my visits to your institution.
I remain, Sir, | Yours sincerely, | Caradog Prichard.

Mae un cymal yn tynnu ein sylw'n arbennig ym mharagraff cyntaf y llythyr hwn, lle'r haera Caradog Prichard y câi ei fam, o'i rhyddhau o'r Seilam, fwynhau'r 'individual care and attention which I and my family would be able and willing to extend to her'. Er cymaint yr edmygwn ei daerineb i gael ei fam i fyw efo fo yng Nghaerdydd, mae'n rhaid gofyn sut y gallai edrych ar ei hôl o gofio ei fod yn y Coleg yn astudio am ei radd yn ystod y dydd ac yn gweithio ar y *Western Mail* yn ystod y nos! A phwy oedd y *'family'* oedd am ei helpu i ofalu amdani? Roedd ei ddau frawd wedi anghofio amdani fwy neu lai, Howell yn bobydd yn Lloegr a Glyn wedi diflannu heb roi gwybod i neb i ble'r oedd wedi mynd. Ac er bod Caradog yn canlyn Mattie ar y pryd, ni allaf ddychmygu y byddai hi wedi gallu helpu fawr ddim gan y byddai hithau wedi bod wrth ei gwaith bob dydd yn athrawes.

Er ei resymu perswadiol a'i ymbil taer, dyma'r ateb a dderbyniodd oddi wrth Frank G. Jones mewn llythyr (teipiedig y tro hwn), dyddiedig Gorffennaf 4, 1930, ar ben-llythyr swyddogol y Seilam:

> Dear Sir,
> Thanks for your letter. In her present mental condition I regret to say that your mother is quite unfit to go out on trial. You can apply to the Committee through their Clerk and they will invite you to interview them on the matter.

A dyna'r cyfan o'r ohebiaeth a gadwyd rhwng Caradog Prichard ac Arolygydd y Seilam ond 'synnwn i ddim na pharhaodd y llythyru ymhell wedi hynny.

Mae un llythyr arall mewn perthynas â mam Caradog yn haeddu sylw. Ar ben-llythyr swyddogol *Baner ac Amserau Cymru*, anfonwyd llythyr, yn dwyn y dyddiad Rhagfyr 27, 1928, oddi wrth M. Jones o swyddfa'r papur yn 'Market Square, Denbigh'. Rwy'n dyfalu mai dynes oedd M. Jones ac mae'n glir o gynnwys ei llythyr bod Caradog Prichard wedi gofyn iddi brynu anrheg(ion) Nadolig ar ei ran i'w fam a'i fod wedi anfon arian ati i dalu am yr hyn a brynwyd. Dyma'r llythyr:

> A. G.
> Yr eiddoch i law yn ddiogel. Holais pa ddilledyn fuasai'n dderbyniol, a chefais mai jersey gynnes. Sicrheais un felly – y gore allan, a'r un fwyaf defnyddiol; hefyd ychydig gadachau poced, a rhai oranges a melusion, a danfonais y parcel i ofal yr Head nurse. Yr oeddwn wedi son wrthi ymlaen llaw. Nis gwelais ar ol hyny. Hyderaf eu bod

wedi boddhau. Amgaeaf 10/0 gweddill. Hyderaf i chwi gael Nadolig hapus dan yr amgylchiadau. Dymuniadau goreu ar gyfer y Flwyddyn Newydd.

Cofion caredig, | M. Jones

Pan ddarllenais y llythyr hwn, cofiais i mi gynnwys yn *BaBCP* lythyr oddi wrth nyrs yn y Seilam, wedi'i ysgrifennu gan 'M. Jones (nurse)' ar ran mam Caradog. Nid oes dyddiad ar y llythyr hwnnw chwaith (sydd ymhlith papurau Caradog yn y Llyfrgell Genedlaethol), ond tybed ai'r un ferch oedd wedi ysgrifennu'r ddau lythyr (er na allaf gysoni gwaith y ddwy)? Yn Saesneg yr ysgrifennodd ar ran mam Caradog:

Dear Caradog,

Thank you very much indeed for the parcel received this morning. It was a most pleasant surprise.

The cardigan was most acceptable as my other was getting rather worn, and I feel the warmth of the new one this cold weather. Also the slippers are warm & comfortable.

I hope you are keeping quite well. I am just the same, still enjoying good health.

Cofion goreu i Garadog a'r teulu i gyd.

Oddi wrth Mam

Penderfynais y byddai'n addas iawn i mi gloi'r bennod hon drwy dynnu sylw at ddau lythyr sydd, ar ryw ystyr, yn bwysicach nag undim arall a ddaeth i'r golwg ymhlith 'trysorau coll' Caradog Prichard. Does dim dyddiad wedi'i nodi ar y naill lythyr na'r llall ond cawsant eu hysgrifennu ar ben-llythyr y 'North Wales Counties Mental Hospital, Denbigh', a hynny gan fam Caradog Prichard ei hun. Afraid dweud fy mod uwchben fy nigon pan ganfûm y rhain ac fe'u darllenais sawl gwaith, gan lwyr amgyffred sefyllfa alaethus Margaret Jane a llawn werthfawrogi ei chyflwr truenus.

Ni wyddys faint o lythyrau fel hyn a anfonasai Margaret Jane Pritchard at ei mab ieuengaf yn ystod yr holl flynyddoedd y bu yn y Seilam ond byddai'r ddau a ddyfynnir isod, fel unrhyw ohebiaeth arall oddi wrthi, y sicr o fod wedi agor briw egr yng nghalon Caradog bob tro. Nid yw'n debygol y byddai'r fam drallodus wedi cysylltu efo'i dau fab arall, Howell a Glyn.

Ar ail dudalen yr ail lythyr isod, sylwn ar y cyfeiriad a wna at Glyn, sef iddi fod wedi ei weld 'yn yr hall' ond ei fod wedi ei hanwybyddu. Byddwn yn deall yn syth, wrth gwrs, mai wedi dychmygu ei weld yr oedd. Ond, sylwn yr un pryd, nad oes unrhyw sôn am Howell, y mab hynaf.

Cynhwysaf isod gopïau o'r union lythyrau hynny yn llawysgrifen Margaret Jane Pritchard ac, yn dilyn hynny, er eglurder, ceir fersiynau teipiedig.

Llythyrau Margaret Jane Pritchard at Caradog

Dyma'r llythyr cyntaf uchod mewn teipysgrif:

Anwyl Caradog
Yr wyf yn anfon hyn o linellau atat gan fawr obeithio iddynt eich
cyraedd a'ch cael yn iach fel ac yr wyf finau ar hyn o amser. Gobeithio
dy fod wedi cyraedd adref yn safe y diwrnod o'r blaen. Mae yn dda
genyf ddweyd fy mod yn dal yn fy iechyd ac yn hyderu yn fawr y
caf ddod atoch yn fuan. rhaid i chi gofio mai dyma y llythur cyntaf
a ysgrifenais ers pan yma. gofynodd y nurses imi lawer gwaith i
ysgrifenu gartref ond yr oeddwn yn gweled mai ofer a fuase hynu gan
nad oedd genyf neb i dderbyn gair oddiwrthyf gobeithio y caf atebiad
i hwn a hynu gan dy anwyl dad yr hwn wyf heb ei weled ers pan wyt ti
yn faban 5 mis oed. dan yr amgylchiadau dyrus yma yr wyf yn teimlo
yn bur anifir ac anfoddlon gan nad oes genyf le i mi fy hun. buaswn
yn lecio yn arw cael cartref i mi a dy dad a chwithau. mae bod fel hyn
yn fy mhoeni terfynaf gyda fy nghofion goreu atoch a cofia fi at dy dad
a dy Frodur i gyd cofia ateb yn ol gyda troad y Post Hyn oddiwrth dy
anwyl Fam Margaret Jane Pritchard.

Mor ddirdynnol yw'r cyfeiriad a wna Margaret Jane at ei gŵr, nad oedd
wedi ei weld, meddai hi, er pan oedd Caradog yn bum mis oed, ac mor
wir oedd hynny, wrth gwrs, o gofio mai dyna faint oedd oed Caradog pan
laddwyd ei dad yn Chwarel y Penrhyn ar Ebrill 4, 1905, yn 34 oed.

Yn wahanol i'r llythyr uchod (a ysgrifennwyd mewn inc), mae'r ail lythyr
a gaiff ein sylw wedi'i ysgrifennu mewn pensil (ac eithrio'r 'No H Ward'
uwchlaw'r cyfeiriad, sydd mewn ysgrifen wahanol).

Anwyl Caradog
yr wyf yn pryderu dipin yn eich cylch a ydych yn eich iechyd ai
nag ydych. Buaswn yn lecio yn arw cael gair genych i ddweyd sut y
mae pethau yn myned yn mlaen gartref. Yr oeddwn yn eich disgwyl
im gweled yr wythnosau diweddaf, ond welais i neb. hyderaf yr
anfonwch air yn ol yn fuan i ddweyd sut y mae pethau yn myned yn
mlaen. Yr wyf wedi blino dipin yma mae arnaf eisiau newid mae y
tywydd yn hyfryd ac yn codi awydd am fyned ar ein holidays. yr wyf
wedi blino dipin heddiw toes gennyf ddim llawer o bleser i ysgrifenu
disgwyliaf di im gweled yr wythnos yma. gwelais Glyn yn yr hall ond
mi roedd o rhy independent i siarad hefo mi mae yn ymddangos i mi

ei fod dan y llywodraeth toes genyf ddim llawer o newyddion ond os ydi pethau am fyned yn mlaen fel hyn o hyd bydd yn ddifrifol dros ben arnom cofia ddwad i'm gweled byddaf yn eich disgwyl gydam cofion goreu atoch fel teulu tydi fiw i mi ddweyd fod dy dad ar dir y rhai byw hyn oddiwrth eich anwyl Fam Margaret Jane Pritchard.

Wedi treulio dros 30 o flynyddoedd yn y Seilam, bu farw Margaret Jane, yn 79 oed, ddydd Sadwrn, Mai 1, 1954. Cafodd ei chladdu ym Mynwent Eglwys Glanogwen, Bethesda, gyda'i gŵr, John. Yn yr un bedd, roedd corff William, mab John a Margaret Jane, a fuasai farw'n bum wythnos oed ar Ebrill 27, 1897 (a chredai Caradog fod baban newydd-anedig wedi'i gladdu yno hefyd).

Roedd Caradog a Howell, ei frawd, yn angladd eu mam, ond nid felly Glyn. Cawn sôn rhagor amdanyn nhw yn y bennod nesaf.

Mae'r Nodiadau y cyfeirir atynt yn yr adran hon i'w gweld ar dudalen 306

Howell a Glyn[1], brodyr Caradog

Ychydig dros flwyddyn ar ôl priodas John Roderick Pritchard a Margaret Jane Williams ar Ionawr 17, 1896, ganed eu plentyn cyntaf, William, tua Mawrth 15, 1897, a fu farw'n faban ifanc iawn. Aeth rhyw dair blynedd heibio cyn geni Howell ar Awst 8, 1900, ac fe'i dilynwyd gan Glyn ar Ionawr 16, 1902, ac yna Caradog ar Dachwedd 3, 1904. Cadwodd Caradog y Dystysgrif a roddwyd i'w dad pan gofrestrodd ei eni ym Methesda.

Tystysgrif Cofrestru Geni Caradog Prichard

Magwraeth un rhiant a gafodd y tri mab o Ebrill 4, 1905, ymlaen, yn dilyn y ddamwain angheuol a ddigwyddodd i John Pritchard yn Chwarel y Penrhyn. Meddai Caradog yn *ADA*: 'Cafodd Mam ddau gant o bunnau o iawndal gan y Lord am fywyd fy Nhad a buan y llyncwyd yr arian yn bwydo a dilladu tri o blant.' Pum mis oed oedd Caradog ar y pryd a bu magu'i thri phlentyn ifanc ar ei phen ei hun yn her enfawr i Margaret Jane. Gadawodd Howell a Glyn yr ysgol yn ifanc iawn; aeth Glyn i weithio yn Chwarel y Penrhyn, a Howell, am gyfnod byr, yn brentis barbar[2], ac yna'n brentis pobydd[3], cyn ymuno â'r Fyddin.

Ni chadwodd Glyn ei waith yn hir yn y chwarel; aeth ar lwybr oferedd ac, yng ngeiriau Caradog yn *ADA*, 'dechreuodd ddawnsio a hel diod'. Diflannodd Glyn ac ni ddaeth fyth yn ôl i'w gynefin; cafodd Howell waith yn bobydd yn Lerpwl ac yna yn Sheffield, lle treuliodd weddill ei oes. Ni thybir i'r naill na'r llall gadw cysylltiad â'u cartref.

Chwalwyd pob breuddwyd a goleddai Margaret Jane ynghylch dyfodol Howell a Glyn a'u perthynas â hi, a bu eu hymddieithrio yn ergyd drom iddi ar ben y problemau eraill oedd ganddi. Treuliodd flynyddoedd mewn tlodi a chyni, gydag amgylchiadau dyrys yn ei llethu. Pa ryfedd, felly, i hynny i gyd ddwysáu'r arwyddion o orffwylledd yr oedd Caradog ac eraill eisoes wedi sylwi arnynt.

Howell y pobydd yn ei farclod gwyn

Glyn

Yn ystod ei gyfnod yng Nghaernarfon pan oedd rhwng 17 ac 19 oed ac yn lletya yn 7 Margaret Street, byddai Caradog yn bwrw'i fol ynghylch ei broblemau wrth Morris T. Williams, ei gydweithiwr ar bapurau'r *Herald*. Soniai lawer am ei frawd, Glyn, fel yn y dyfyniadau a ganlyn o ddau lythyr at Morris yng ngwanwyn 1923:

> Wel, gair ynghylch fy mrawd. Euthum i fyny i Lanberis i edrych amdano, a chefais sgwrs hynod o gall ag ef. Buasat yn cymryd dy lw, ar ei siarad, ei fod am roddi tro o ddifrif, ac ymdrechais innau roddi'r cynghorion goreu a fedrwn iddo, a dechreu cynllunio ag ef sut i gael pethau i drefn. Ond O! Euthum i fyny i Lanberis wythnos i heddyw … Methais a'i weled, er ei fod yno'n rhywle. Bum yno o bedwar y pnawn hyd naw y nos ac nis gwelais. Cefais wybod ei fod wedi ei stopio (diffyg gwaith ac nid camymddwyn ar ei ran ef). Yr oedd wedi cael benthyg beic gan ddyn siop beics ym Methesda pan gafodd y job yn Llanberis. Yn lle dychwelyd y beic, fe'i gwerthodd i rywun o Nant Ucha am bymtheg swllt. Cefais lythyr bore ddoe oddiwrth y dyn siop beics yn bygwth cyfraith oni ddychwelir y beic heddyw. Yr oeddwn wedi anfon llythyr i Lanberis yn cynghori fy mrawd, ar ol imi fod i fyny y Sadwrn o'r blaen, i aros yn ei lety yn Llanberis am wythnos er ceisio cael bachiad eto, ac yna i ddychwelyd adref pe methai, a cheisio cael arian oddiar y Labour Exchange. Ni chefais ateb ganddo. Anfonais drachefn heddyw, gan amgau'r llythyr bygythiol a dderbyniais, a'i gynghori i fynd â'r beic yn ol heddyw. Yr wyf am fynd, ar ol postio hwn, ar y teliffon i siarad a'r *chap* ym Methesda, er cael gwybod ei fwriad, a mynd i fyny i Lanberis heno i weld beth y mae brawd wedi ei wneud.

ac eto:

> Un sylw bach ar y rhwystr mwyaf un sydd ar fy ffordd – fy mrawd. Y mae'n syrthio'n is, is, bob dydd, ac yr wyf innau, a phawb arall, yn syrthio'n is, is, i anobaith o fedru ei ddiwygio. Yn bur fuan bellach, bydd yn y llys ynghylch y beic, ac mae'n bur debyg mai carchar a gaiff. Ni fedraf i, petawn eisiau, gael y beic yn ol, er y credaf mai gadael iddo yw'r goreu. Petawn i'n mynd i brynu'r beic yn ol eto, buasai yntau'n gweld ei hun yn dod ohoni ac yn rhoddi ymddiried ynof wedyn yn ei gast nesaf. Ar y llaw arall, pe'i hanfonid i garchar am gyfnod go faith, byddai'n achos pryder i mam. Mae'n wir anodd gwybod sut i

weithredu. Dylwn siarad ag ef, meddyt ti wrthyf. Gwneuthum hynny mor ddifrif ag oedd yn feidrol bosib i ddau frawd siarad a'i gilydd, ac mor ddoeth ag y gallwn, ond ni thyciodd. Dywedais wrtho drachefn fy mod yn taflu pob cyfrifoldeb yn ei gylch oddiarnaf fy hun, ac y gallai wneud y peth a fynnai a chymryd y canlyniadau. Ymddengys nad yw hynny'n tycio eto … Bum adref ddoe ond nis gwelais. Clywais ei hanes ym Mangor bron bob nos a genethod gydag ef yn ei flingo, neu gyda'r bwriad o wneud hynny mae'n debyg, canys yr oedd ganddo siwt newydd lwyd amdano, y smartiaf a welaist erioed a *shoes* morocco, a chap newydd. Wedi eu cael mewn siop, mi glywais, ar amodau talu'n wythnosol. Nid wyf am dy flino'n ychwaneg a hanes y diawl. Petai fy hunan-barch, a'r teimlad sydd gan fy mam tuag ato, ddim o ddifrif, buaswn wedi mynd ag ef i'r carchar fy hun erstalwm …

Ni chanfûm unrhyw ohebiaeth rhwng Caradog a Glyn nes i'r llythyr a ganlyn ddod i'r fei'n ddiweddar. Y llythyr hwnnw, mewn llawysgrifen, dyddiedig 'Sunday 8th, 1939' (gallai fod yn Ionawr neu Hydref y flwyddyn honno) ydi'r unig dystiolaeth sydd ar gael fod cysylltiad, trwy lythyr, wedi bod rhwng Caradog a Glyn ar ôl i hwnnw 'ddiflannu':

Glyn Pritchard | c/o H. L. Simpson | Brookdale | Man.
Sunday 8th 1939.
Anwyl Frawd
… dyma fi yn ceisio anfon gair bach atat gan obeithio dy fod yn iach fel ag yr wyf fi ar hyn o bryd. Mae blwyddyn wedi mynd heibio ers pan ysgrifenais iti ond mae bron 3 blynedd wedi mynd heibio ers pan y clywais oddi wrthyt ti. Wel pan y cei di y llythyr hwn byddaf yn troi blwyddyn arall yn fy nhaith trwy yr hen fyd yma. Byddaf yn 36 oed, Wel buase yn dda genyf pe buaset yn anfon dipyn o hanes yr hen wlad imi mae hiraeth arnaf am dipyn o hanes. Sut mae Hywel. Yr wyt ti yn clywed oddi wrtho yn awr. cofia fi ato pan y byddi di yn sgwenu eto. Wel nid oes genyf ddim llawer o hanes ond mae pethau yn dal yn ddrwg iawn yma o hyd ac nid yw ein cyflog yn amount i lawer ond just ddigon i fyw a cadw fy hun mewn dillad. Mae y pobl yr wyf yn gweithio iddynt yn bobl neis iawn. Mae lot i wneud a chadw fy hyn allan o drwbl. Wel cofia fi at bawb a'r cofion goreu at bawb gyda Blwyddyn Newydd Dda i bawb yna. Hyn yn fyr gan obeithio y caf air yn fuan gyda dipyn o hanes ynddo.
Ydwyf dy frawd
    Glyn Pritchard, c/o H. L. Simpson, Brookdale, Man.

Glyn, y brawd canol

Sylwn na soniodd air o gwbl am ei fam, na holi dim amdani! Gyda'r llythyr hwn, amgaeodd Glyn y llun sydd ar y chwith ohono'i hun.

Gwaetha'r modd, ac eithrio'r hyn a nodwyd uchod, prin iawn ydi'r wybodaeth sydd ar gael am Glyn.

Wrth ohebu â'i gefnder, William John Brown, yn Neiniolen ym 1964[4], dywed Caradog iddo glywed bod Glyn 'wedi troi'n dduwiol iawn' tra oedd yn byw ym Mae Colwyn am gyfnod ac 'yn un o bileri'r capel yno, ac yn huodl iawn mewn seiat a chwrdd gweddi' ond y peth olaf a glywsai amdano, meddai, oedd iddo ymfudo i Ganada a'i fod yn 'gweithio ar fferm rywle yng nghymdogaeth Winnipeg' ac nad oedd 'yn rhy dda ei fyd arno'r adeg honno, yn ôl pob golwg'. Ychwanegodd: 'ni chlywais ddim amdano ar ôl hynny, ac er i mi wneud llawer o ymholiadau methais â chanfod ai byw ai marw ydyw, ac os wedi marw, pa fodd ac ym mhle y bu ei ddiwedd'. Ac ar y nodyn trist a ganlyn y sonia Caradog Prichard amdano yn *ADA* (t. 13): '… crwydrodd Glyn ymhell, a hyd y gwn i y mae'n gorwedd mewn bedd anhysbys mewn rhyw barth o Ganada'.

Mae un llythyr dadlennol ymhlith y deunyddiau diweddar o eiddo Caradog Prichard, gydag arfbais y British Columbia Police ar ei frig ac arno'r cyfeiriad o ble cafodd ei anfon, sef 'Invermere, B. C.', dyddiedig 'March 14th, 1932'. Mae'n llythyr hir (y byddaf yn manylu arno yn y bennod nesaf) ac ni wnaf yma ond dyfynnu detholiad byr yn unig ohono lle crybwyllir Glyn.

Mae'n amlwg fod Caradog Prichard wedi holi awdur y llythyr, sef Robert (Bob) Pritchard (ymhlith rhai eraill, ys dywedodd ef ei hun), ynghylch ei frawd, a dyma'r ateb a gafodd:

Dear Caradog: – I was very pleased and proud of receiving your interesting letter of the 9th ulto ... Now about your brother. I figure he must be about a thousand miles from here so I am afraid that I cannot help him at the present time. If he should ever come this way I can assure you that I will help him all I can and he will be certain of his bed and meals at least. Things in general are very bad all over and especially in this province. At the present time thousands are idle and the future does not look very bright either. I hope things will pick up this spring or I do not know what is to become of this country. When you write tell him to look me up if he should come this way and also tell him that British Columbia is a better province to live in than where he is ...

Cofion rif y gwlith, R. Pritchard

Ond pan oeddwn yn tynnu'r bennod hon i ben am ddau frawd Caradog, cafodd Deilwen, fy ngwraig, hyd i wybodaeth hynod ddiddorol am Glyn. Aeth ati i fwydo hynny o wybodaeth oedd ar gael amdano ar wefan *ancestry. com*. Ac *eureka*! Mewn dogfen â'r pennawd 'Canadian Passenger List 1865-1935', daeth ar draws hanes Glyn a oedd yn amlwg yn gwybod bod Llywodraeth Canada, ar y cyd â'r Canadian Pacific Railway a'r Canadian National Railway, yn awyddus i ddenu mewnfudwyr i'r wlad:

As the Canadian economy began to recover in the 1920s, the demand for labour increased. Canadian authorities initially believed the country's economic requirements could be met by agriculturalists and industrial workers within Canada or by emigrants from the United States and Great Britain ...[5]

Ac yntau'n 25 oed, ac wedi cael archwiliad meddygol gorfodol, hwyliodd Glyn o Lerpwl ar yr *SS Laurentic* ar Ebrill 26, 1929, yn deithiwr trydydd dosbarth a chanddo docyn unffordd y talwyd amdano gan Lywodraeth Canada. Mae Mari'n cofio i'w mam haeru bod Caradog wedi rhoi'r arian a gawsai am ennill un o'i Goronau i Glyn. Pen ei daith oedd Winnipeg, Manitoba. Roedd Glyn wedi datgan ei fod yn bwriadu ymsefydlu'n barhaol yng Nghanada ac am weithio yno fel labrwr ar ffarm. Enwyd Caradog Prichard, 'Western Mail Office, Cardiff', fel ei berthynas agosaf.

Canfu Deilwen, hefyd, fod Glyn wedi marw ddydd Sadwrn, Mehefin 18, 1960, yn y Deer Lodge Hospital, Winnipeg. Ei gyfeiriad cartref ar y pryd oedd 128 Langside Street, dair milltir o'r Ysbyty. Claddwyd ef ym Mynwent Brookside, ddydd Mawrth, Mehefin 21, 1960.

Howell

Mewn llythyr yn *Yr Herald Cymraeg*, Medi 19, 1973, dywed Caradog fod angladd ei fam ym mis Mai, 1954, wedi bod yn foddion i ddod â Howell ac yntau wyneb yn wyneb am y tro cyntaf ers tro, gan ladd y dieithrwch a fuasai rhyngddynt am ddeng mlynedd ar hugain. 'Wedi hynny,' meddai, 'buom yn ddau frawd drachefn, yn cwrdd bob haf yn yr hen fro ac weithiau yn yr Eisteddfod. Byddai wrth ei fodd yn galw am ei beint ym mar y Victoria neu'r Douglas[6], a chael sgwrsio'n hapus-ddiniwed yn Gymraeg â'i hen gyfeillion.'

Cyfarfu'r ddau hefyd yn angladd eu cefnder, William John, a fuasai farw yn ei gartref yn 7 Vaynol Terrace (Tai Faenol), Deiniolen, ar Chwefror 14, 1966, a buont yn llythyru â'i gilydd wedyn yn trafod stad eu cefnder a'u hetifeddiaeth.

Er fy mod wedi adrodd hanes William John Brown (1895-1966) yn bur fanwl yn *BaBCP* (tt. 141-3) a hanes ei deulu yn y bennod 'Guto Bwlch a'i Deulu' yn yr un gyfrol (tt. 82-93), mae'n rhaid i mi gyflwyno rhai ffeithiau perthnasol yn y fan hon er mwyn gosod yr hyn sy'n dilyn mewn cyd-destun priodol.

Bu farw Margaret (Mary neu Maggie'n aml), chwaer William John, ar Fai 30, 1950, yn 65 oed, a chladdwyd hi ym Mynwent Eglwys Llandinorwig yn Neiniolen. Claddwyd ei brawd yn yr un bedd ym 1966.

Mae englyn o waith Caradog Prichard wedi'i ysgrythu ar y garreg i goffáu Margaret:

> Ei hyfrydwch fu rhodio – heolydd
> Heulog fyd heb flino;
> Yn ddi-drwst dychwelodd dro
> Adref o'i llawen grwydro.

Penderfynodd Caradog wneud yr un gymwynas â William John ond 'fu pethau ddim mor rhwydd y tro hwn. Ni phlesiodd ei englyn er cof am ei gefnder ddim ar y Parchedig Evan Trefor Jones, Ficer y Plwyf rhwng 1962 a 1971, a ddywedodd mewn llythyr (dyddiedig Mehefin 24, 1966) at y bardd:

Diolch i chi ... am anfon yr arysgrif. Mi fydd cael bedd argraff o eiddo Mr Caradog Prichard yn denu llawer, am amser maith, at y feddrod hon yn Llandinorwig. Nid wyf mewn sefyllfa o gwbl i bwyso a mesur techneg englyna, ond os cantiatewch i mi fel Ficer y diweddar W. J. Brown, hoffwn wneud sylw neu ddau sy'n berthynol â chynnwys dwy linell olaf yr englyn. Oni theimlwch fod yr englyn – o ran cynnwys – yn y fan hon, braidd yn fyr o lawenydd a gobaith yr Efengyl, a drysorai W. J. B. gymaint, ac a adlewyrchai yn ei bersonoliaeth? Er ei 'hen lancdod', gwerthfawrogai gymdeithas, ac roedd 'cymdeithas (cymun) y Saint' yn wirioneddol fyw iddo o bobtu'r bedd. Oni hoffech fel minnau i'r feddrod hon barhau i gyhoeddi – er yn fud – y Gwirioneddau hyn, y credai ein hannwyl frawd ynddynt, ac y ceisiai eu mynegi yn ei fywyd?

Ceryddwch fi'n hallt os teimlwch fy mod wedi bod yn haerllug! Nid ceisio gweld bai sydd ym mêr fy mwriad o wneud y sylwadau uchod – fe wyddoch hynny. Ond bod i feddrod W. J. Brown, fel sawl sant arall a'i gorff yn Llandinorwig, barhau i dystio i lawenydd ei ffydd a'i obaith o'r atgyfodiad i fywyd tragwyddol yng nghwmni Duw a holl deulu'r Ffydd.

Dyma fi'n tewi! ...

Cofion da a charedig, | Trefor

Mae'n amlwg bod Caradog wedi ymateb yn gadarnhaol ac wedi mynd ati'n syth i lunio englyn arall er cof am ei gefnder. Cafodd ymateb mwy calonogol gan y Parchedig y tro hwn mewn llythyr, dyddiedig Mehefin 27, 1966:

Dwi'n ddyledus iawn i chi am eich llythyr y bore 'ma. Llythyr caredig a gonest. Ac mae'n nyled i'n fwy i chi am eich parodrwydd hynaws, yn wyneb fy haerllugrwydd, i lunio'r englyn presennol sy'n fynegiant o weithgarwch oesol Duw, sef dod â bywyd o farwolaeth a gobaith o anobaith dynol. Haedda'r argraff gael eich enw wrtho, a mynnaf hynny, os gwelwch yn dda?

Er mwyn ceisio sicrhau cywirdeb y beddargraff fel y saif 'rwan, a fuasech garediced â bwrw golwg ar a ganlyn, os gwelwch yn dda, fel yr osgoir unrhyw gambrintio:

Hefyd ei brawd hawddgar
William John Brown
Mai 1, 1895 – Chwefror 14, 1966

TRA O WYDDFOD D'ORWEDDFA – TROI A WNAWN
TUA'R NOS DYWYLLA';
DAW O GEUFFOS DY GOFFA
WAWR HINON EIN DYNION DA.

CARADOG PRICHARD

Yn wir ddiolchgar, | Yr eiddoch yn garedig iawn, | Cofion da, | Trefor

Ond nid dyna ddiwedd y stori, gan nad yr hyn a awgrymodd y Parchedig E. Trefor Jones a gerfiwyd ar y garreg! Dyma'r newidiadau:

- William J. Brown a ysgythrwyd yn yr ail linell;
- Newidiwyd 1895 yn 1885 yn y drydedd linell.

Gwnaed y newidiadau a ganlyn yn yr englyn:

- Newidiwyd 'troi a wnawn' yn 'troi a wnes' yn llinell gyntaf yr englyn;
- Newidiwyd yr ail linell i ddarllen: 'At wern oer Bwlch Ucha';
- Newidiwyd 'Daw' yn 'Doi' ar ddechrau'r drydedd linell.

Dyma'r englyn a ysgythrwyd ar y garreg ym Mynwent Eglwys Llandinorwig:

Tra o wyddfod d'orweddfa – troi a wnes
At wern oer Bwlch Ucha';
Doi o geuffos dy goffa
Wawr hinon ein dynion da.

Caradog, felly, a gafodd y gair olaf!

*   *   *

Mae'r llythyr a ganlyn, mewn llawysgrifen, ac yn Saesneg, oddi wrth Howell, yn ateb llythyr a dderbyniasai oddi wrth Garadog. Mae ynddo wahoddiad diddorol:

62 Cross Bedford St | Sheffield, | Yorks.

January 28, 1933

Dear Caradog,

Here's a word at last in answer to your long awaited letter. Many thanks for your kind gift for Alan [mab Howell a Mary]. But its a Poor excuse my lad for not writing to say you had lost the address. But Better late than never. Well, Brother, both Mary and I are very pleased to hear that you are preparing for the straits of matrimony and we both think that she is a very fine girl. My only wish is that you shall be as happy as we have been. I know your circumstances are better than ours and your prospects good so here's wishing you the Best of health in your life's venture. Alan is making a fine boy, he is going to school now and learning a lot of things that he didn't ought to. I wish your fiancé were here in Sheffield teaching him. You must let us know the date of the wedding so that we at least can send you a little souvenir of the Happy Event. I heard you Broadcasting the other week. I shall look forward to hearing you again. I am a big wireless fan you know. I have a lovely Cosser set now. But Mary is not so struck on it. I am sorry to hear Glyn is still down on his heels in Canada. But even if we get him back again over here I don't think he'll settle down in this country, once the wandering fever comes over them it never leaves them. I only wish we could do something.

Are you going to settle down on the farm and compose some of your extraordinary poems many of them I have read. I heard last Saturday that you have completed a Book of your work[7]. Have you got one to spare for me, I will treasure it for life if you send me one. I wish I had the spirit to visit mam. But if I can I shall try my best to have a week off this summer to come down there if you would care to have us for a few days, when you get settled down. If, when you are married and want somewhere to spend your honeymoon come to Sheffield we shall make you welcome, and you will be as comfortable here as anywhere. We have plenty of room here. You could be left all alone or mix with us. Well I haven't much more to tell you. I only wish you were a bit nearer to us, so that I could make you the finest Wedding Cake you've ever seen. Well here's wishing you the best of everything from

Your Brother | Howell, | Mary & Alan xx

Remember the address: | 62 Cross Bedford St | Sheffield

PS. I haven't seen Mr Kershaw since.

Amgaeodd Howell gopi o'i lun gyda'r llythyr uchod:

Howell, brawd Caradog. Yn ôl y dyddiad ar
y cefn, tynnwyd y llun ar Orffennaf 6, 1930
© Howell Pritchard

Mae'r cyfeiriad at 'Mr Kershaw' yn un sy'n haeddu sylw, gan fod llythyr oddi
wrtho wedi'i gadw ymhlith papurau Caradog Prichard ac arno'r cyfeiriad
108 Harcourt Road, Sheffield 10, a'r dyddiad '15th August, 1932'. Mae
cynnwys y llythyr, sydd mewn llawysgrifen, yn egluro sut yr oedd y ddau'n
adnabod ei gilydd yn ystod cyfnod Caradog yn Nyffryn Conwy a Kershaw,
yn ôl a gasglwn, yn gweithio mewn banc yn Llanrwst. Gallwn feddwl bod
Caradog wedi rhoi gwybod i Howell fod ei hen ffrind bellach yn gweithio yn
Sheffield a bod Howell a Kershaw wedi cyfarfod maes o law.

Dyma lythyr George Kershaw:

Dear Caradoc,
I have often thought of dropping you a line, and to see your name
in the 'Radio Times' to-night made me put everything else aside and
scribble you a word or two.

Allow me to congratulate you most heartily on your appointment as adjudicator[8] at the National Eisteddfod. It is an honour Caradoc, which I can venture to say, I had foreseen during my association with you at Llanrwst. I often think of those times and the quiet, yet intellectual talks we had occasionally. As you know, I am a lover of poetry and I used to enjoy to the full to listen to some of your poems, which were then in the making and you can imagine how I am looking forward to switching my set on next Saturday afternoon. How about a collection of your works Crad. Have you published it yet?[9] If so, I should very much like to procure a copy.

I have been here over two years in an office with nearly 80 staff and machines working full swing. It has been an education for me to come here, it has widened my experience of Banking and also I am glad to say widened my outlook on life, and made me feel how deeply into the rut one might fall by sticking in a small place like Llanrwst. I had a very happy time there and after spending a year or so more in England I should like to return to one of the Welsh towns again. My native air smells much purer to me on several occasions and often makes me eager to get back ac rwyf yn dal i ddangos mai gwaed y Cymro sydd ynof eto. I have now a little daughter six months old and she is getting to be very comical, and she makes me think how quickly time passes on. When are you getting married Caradoc? I feel sure I saw in some paper of your engagement …

Rhaid mynd yrwan, | Cofion Gore | George (Kershaw)

*   *   *

Yn dilyn marwolaeth eu cefnder yn Neiniolen ym 1966, bu cryn lythyru rhwng Caradog a Howell, a'r ddau'n cwyno am eu hanhwylderau wrth ei gilydd. Roedd Howell wedi cael triniaeth ar ei drwyn a Charadog wedi cael gwybod ar Ionawr 13, 1972, fod ganddo broblem gyda llinynnau'i lais. Yn dilyn llawdriniaeth, nid oedd yn disgwyl y byddai arno angen unrhyw driniaeth wedyn a chofia Mari fod ei mam yn gyndyn iawn iddo gael radiotherapi rhag ofn iddo amau bod ganddo ganser ac adweithio'n ddrwg i hynny. Ond ildio i driniaeth fu'n rhaid ar gyngor ei feddyg, Ivor Griffith, arbenigwr o Gymro ym maes triniaethau i'r glust, y trwyn a'r gwddw. Collodd ei lais am gyfnod yn dilyn y driniaeth ond fe'i cafodd yn ôl mewn pryd i wneud ei araith ym mhriodas Mari a Humphrey.

Ar Fawrth 22 y flwyddyn honno, cafodd Caradog a Mattie wybod eu bod i gael tenantiaeth Bryn Awel, sef hen dŷ gweinidog Capel Peniel, Llanllechid, Bethesda, 'y lloches yn Llanllechid ar gwr Dyffryn Ogwen', ys d'wedodd Caradog. Ychydig fisoedd yn ddiweddarach, cafodd newyddion drwg pan dderbyniodd air o Sheffield yn dweud wrtho am farw ei frawd, Howell. 'Roedd yntau,' meddai Caradog, 'wedi ymddeol ar ôl oes o wasanaeth fel pobydd.' Mewn ysgrif a luniodd Caradog amdano ar ôl ei farw, ar gyfer ei chyhoeddi yn y *North Wales Weekly News*, ysgrifennodd yn garedig iawn am Howell:

> Yr oedd [ynddo] ddefnyddiau crai llenor, neu hwyrach ysgolor. A phe bai wedi cael mynd i'r Ysgol Sir a'r Coleg, mae'n ddigon tebyg y buasai yn 'bleidiwr' selog, yn athro dawnus, ac wedi newid ei enw o Howell i Hywel.

Â Caradog ymlaen i sôn fel yr aeth i weld ei frawd tua 1924-25, pan oedd yn gweithio ar y *Faner* yn Nyffryn Conwy:

> … mi fentrais cyn belled â Sheffield i'w weld. Roedd newydd briodi â Mary, merch ifanc landeg, swil, ac iddi ddau lygad gloyw fel grawn duon. Cyrhaeddais eu cartref tua chanol dydd ac yntau yn ei wely'n cysgu, gan mai gweithio'r nos yr oedd. Bûm yno am dridiau. Yr argraff a erys ar y cof yw tridiau heb olau dydd oherwydd tawch a niwl, a thridiau o acenion Swydd Efrog yn ceisio'n ofer gyfathrebu â'm hacen Gymraeg innau. Daethant i'm hebrwng i'r stesion yn ddau gariad swil a llawen.

Yna, ar ôl dweud ei fod ef a Howell yn arfer 'cyfnewid cardiau pen-blwydd yn rheolaidd', mae'n taro nodyn trist iawn:

> Ond eleni [1972] anghofiais ei ben-blwydd. Sadwrn y Steddfod yn Hwlffordd ydoedd a minnau â'm bryd ar y Corau Meibion. Bu anghofio'r cerdyn yn gwasgu ar fy meddwl o hynny hyd y degfed o Fedi. A'r diwrnod hwnnw dyma'r telegram yn cyrraedd: 'Howell passed away[10]. Funeral Wednesday 2.30 p.m. Mary'.

Ac meddai wedyn:

Pan euthum i'w gynhebrwng dywedodd un o deulu ei wraig ei fod wedi marw yn feddyliol bedair blynedd yn ôl pan roddodd y gorau i'w waith. Fe'i claddwyd mewn mynwent ar lethr dyffryn oedd yr un ffunud â Dyffryn Ogwen ond heb gymaint ag un emyn Cymraeg i'w hebrwng ar ei hynt. Yntau bellach wedi cyrraedd dyffryn ei ddarostyngiad.

Mae'r Nodiadau y cyfeirir atynt yn yr adran hon i'w gweld ar dudalen 307

Robert (Bob) Pritchard

Un o'r llythyrau mwyaf diddorol y deuthum ar ei draws ymhlith y casgliad diweddaraf o bapurau Caradog oedd llythyr gydag arfbais y British Columbia Police ar frig y dudalen. Roedd y llythyrwr, Robert (Bob) Pritchard[1], yn ateb llythyr a dderbyniasai oddi wrth Garadog a oedd yn holi am ei frawd. Nodwyd eisoes fod Caradog wedi colli cysylltiad efo Glyn ers rhai blynyddoedd ac yn amlwg yn chwilio amdano. Pan glywsai gan rywun iddo fod yng nghyffiniau Winnipeg yng Nghanada, mae'n debyg iddo gofio am fachgen a fagwyd wrth ei ymyl ym Mhen-y-bryn, Bethesda, a bod hwnnw hefyd wedi mynd drosodd i Ganada. Dyma ateb Bob Pritchard, y cymydog cynnar hwnnw, i lythyr ato oddi wrth Garadog:

Invermere, B.C. | March 14th 1932

Dear Caradog: – I was very pleased and proud of receiving your interesting letter of the 9th ulto., and my intention at the time was to answer it right away but something cropped up and here I am. When you have finished this letter you will agree and believe that I only got as far as standard 7 in the Carneddi school[2]. It took me quite a time to recover my memory and now I am certain that I know your family well. Your grand mother used to do a little washing – hence the mangle, and she lived at Bont-uchaf[3] in a white washed cottage. Your father had very black hair which was rather pretty. Before going any further let me congratulate you for the position you are in and not only Bethesda should be proud of you but the whole of Gwalia as well. I am very sorry to say that my Welsh has got very rusty, the language that I loved so much when I was a boy there. They even used to nickname me the 'bardd' over there and I took a few small prizes in local competitions.

I used to go in for englynion mostly and I can still remember some of them. I think though that the old Cymreig would come back in a short time if I was fortunate enough to have someone to talk to. I left my native land about the time of the big strike and went for a few months to South Wales and worked in the mines around Aberdare and finally landed in the eastern parts of U.S.A. I drifted to the west here about 1906 and after wandering like a Jew located in this Province. I have been with this Department for nearly 19 years with the exception of the time I was in France and have made an easy living and quite contented. The Germans had it in for me it seems as I was shot through the back of my neck and also previous to this I got a prod in the thigh with a bayonet when too many of them was on top of the poor Welshman look you.

Now I am close to fifty and believe me I have no kick coming as I had good health all the way through and my cup has been full of happiness. I was born in Gerlan at the place called Hill Street and probably you will know some of my family, John the preacher who is now at Llanberis and Capt W. Pritchard[4] of Cilfoden.

After I came to America I lost interest in barddoniaeth mostly on account of so many of these preachers getting into it. They had the advantage over the ordinary chwarelwr because they were better educated and some of them had enough chairs to start a second hand store. I am glad to know that lads like you have cleaned them off the board as they were getting too egotistic. Mind you, I am a Christian and try to love my fellow man and have nothing against religion but there was a bunch there at the time that thought more of winning a chair or a crown than winning a soul. I am sure that the poetry of Wales is much better than it was at the time I was interested in it.

The Welsh choir were here about two years ago and I was surprised to come across a Gerlan boy with them in the person of Harry Williams (mab John Sam)[5]. He told me his father had died, a man I thought highly of. After he left the 'awen' came to me and here is the result:

Am Gymru lan, fe ganodd – am ddiwid
   Tros Dduw y meddyliodd
 Un i fyw yn y nef oedd
 Ein John Sam real genius oedd.

[Yn dilyn hyn, mae'r llythyrwr yn sôn am Glyn, brawd Caradog, ac mae'r rhan honno o'r llythyr eisoes wedi'i dyfynnu yn y bennod flaenorol]

CARADOG PRICHARD

I am glad that I met Miss Evans. She is a very bright lady and Welsh to the core. I hope some day you will be able to come over and see us.

If you should have any of your works published and for sale I would be very pleased to purchase a copy.

I hope some day I shall have a pension and then – i weled

Hen Walia y deuaf
Ag etto mi bysgotaf
Yn Ogwen lyn ganol haf.

Cofion rif y gwlith, R Pritchard

Fel nifer sylweddol o chwarelwyr Dyffryn Ogwen, gadawodd Bob Pritchard yr ardal ryw dro rhwng Hydref 1900 a dechrau Tachwedd 1903, cyfnod y Streic Fawr yn Chwarel y Penrhyn, ac fel y dywedodd yn ei lythyr, aeth i weithio mewn glofa yn ardal Aberdâr yn Ne Cymru. Gwyddom ei fod wedi gadael Cymru ac ymfudo i Ganada tua mis Gorffennaf 1904. Ni wyddys pa fath o waith a wnâi yn ystod ei gyfnod cynnar yn y wlad honno ond gwyddom iddo ymuno â'r heddlu tua 1912.

Yn ystod y Rhyfel Byd Cyntaf, ymunodd ar Ionawr 19, 1916, â'r 2nd Canadian Mounted Rifles yn Princeton, British Columbia. Cafodd ei glwyfo ym mrwydr Vimy Ridge yn Ffrainc ym mis Ebrill 1917. Dychwelodd i Ganada pan ddaeth y Rhyfel i ben. Yna, rhwng 1928 a 1933, bu'n blismon yn Invermere, British Columbia. Yn y tri degau cynnar, doedd ond un plismon yn y gymdogaeth gyfan, a Bob oedd hwnnw. Doedd neb yn troseddu ac roedd bywyd yn ddigon hamddenol a diddigwydd yn yr ardal. Roedd wedi priodi â merch o'r enw Caroline (Carrie) a chawsant un plentyn, Vic.

Yn ôl yr hyn a gofnodir yn y 'Canadian Passenger List', casglwn fod Bob Pritchard wedi prynu tocyn yn Ottowa i ddod ar ei wyliau i Gymru ar Awst 6, 1932, a chymerwn y gallai fod wedi cyfarfod Caradog a Mattie bryd hynny. Hi yw'r 'Miss Evans' y cyfeiria ati tua diwedd ei lythyr. Ar Fedi 16, 1932, hwyliodd Bob Pritchard yn ôl i Quebec ar yr SS *Duchess of Bedford*. Ni ddaethai'i wraig gydag ef i Gymru ar y fordaith honno.

Wedi iddo ymddeol o'r heddlu, cododd dŷ tua 1939 ar hen safle Cwrs Golff Radium, cwrs y bu'n edrych ar ei ôl am nifer o flynyddoedd. Wedi colli ei wraig yn 51 oed ym 1944, symudodd Bob yn ôl i Invermere. Bu farw yn Vancouver ddydd Sul, Medi 6, 1964.

Wrth gloi'r bennod hon, hoffwn ychwanegu un nodyn personol. Pan oeddwn yn hogyn bach, byddai sôn ar ein haelwyd o bryd i'w gilydd fod perthynas i ni yn y 'Mounted Police'. I hogyn f'oed i'r adeg honno, a oedd yn treulio llawer o amser yn darllen comics a straeon antur ac yn chwarae gemau 'cowbois ac Indians' a 'Phlismyn a Lladron', roedd cael bod yn *perthyn* i blismon ar gefn ceffyl yn hufen ar y gacen! Maes o law, cefais ychydig bach mwy o wybodaeth ond nid digon i brofi'r union berthynas. Ond, fel mae'n digwydd, canfu Deilwen, fy ngwraig, fanylion hollbwysig ar y we – sef bod Bob Pritchard yn gefnder cyfan i fy nain ar ochr fy mam. A dyna ddod o hyd i'r ddolen allweddol i ddatrys fy mherthynas ag un o'r 'Mounted Police'!

Robert (Bob) Pritchard a'i wraig, Caroline. Lluniau a dynnwyd ar achlysur eu priodas
© Teulu Robert (Bob) Pritchard

Mae'r Nodiadau y cyfeirir atynt yn yr adran hon i'w gweld ar dudalen 308

Caradog a Mattie

Mattie Adele Gwynne Evans yn ferch ifanc

Roedd Mattie'n ferch i John William a Mary Ann Evans. Roedd ei mam yn nyrs mewn ysbyty yn Llundain a'i thad yn deiliwr yn yr un ddinas pan gyfarfu'r ddau. Bu ef a'i frawd yn cadw busnes teiliwr yn y Gilfach Goch, lle ganwyd Mattie ar Ebrill 6, 1908. Bu'n rhaid iddo roi'r gorau i fod yn deiliwr yn dilyn anaf difrifol a gawsai i'w law dde yn y Rhyfel Mawr ac arallgyfeiriodd i weithio yn y Gwasanaeth Iechyd[1].

Gohebiaeth oddi wrth Mattie at ei darpar ŵr rhwng 1928 a 1930

Ymhlith y deunyddiau a gadwyd gan Garadog, yr oedd rhyw gymaint o ohebiaeth a anfonasai Mattie ato ym mlynyddoedd cynnar eu carwriaeth tua diwedd y 1920au. Dyfynnir yr ohebiaeth honno isod, heb ymyrryd â'r orgraff a heb hepgor fawr ddim (er na ddeallaf at bwy na beth y cyfeirir ambell waith!).

Cardyn Post, diddyddiad, a'r marc post yn annarllenadwy, wedi'i gyfeirio at 'Mr Caradog Pritchard, 56 Tewkesbury St., Cathays, Cardiff, S. Wales'. Llun 'Gray's Memorial, Stoke Poges' sydd ar y tu blaen. Dylwn ychwanegu y credir mai ym Mynwent Eglwys St Giles yn Stoke Poges y cyfansoddodd Thomas Gray ei 'Elegy Written in a Country Churchyard'.

> Dyma ni heddiw wedi bod yn yr Eglwys gyda haid o Americans. Byddwn yng Nghaerdydd tua 5pm yfori. Mattie.

*   *   *

Llythyr, diddyddiad, wedi'i gyfeirio at Garadog yn y 'Grosvenor Hotel, 7 Lord Nelson St, Liverpool', wedi'i bostio yng Nghaerdydd ar Awst 7, 1929. Wedi'i sgwennu yng nghornel chwith uchaf tudalen gyntaf y llythyr, ceir:

> PS 'Gofalwch am y gwddf a'r anwyd dyna fachgen da mae Mam yn dweud wrth Daddy! x
>
> 23 Brithdir St., Caerdydd. | Dydd Mercher
>
> F'annwyl Caradog,
>
> Dyma fi ar ol y daith hir ac yn teimlo yn iawn, bum yn cysgu yr holl ffordd a trwy'r dydd hyd amser te ac yna dyma fi draw at Mrs Roberts a'i 'stori' ... Oedd Mrs Roberts yn gofyn sut olwg oedd arnoch a minnau'n ateb 'ofnadwy, heb shavo, a heb coler stiff' ond twt y baw!! mae'n galed i mi sylweddoli fy mod yn eich nabod nawr wrth ddarllen y papurau yma ... A welsoch chwi'r Daily Express? rwyf wedi gorffen a hwna am byth. Y goreu ydyw'r cartoon rwyf yn anfon ond meddai Mrs Roberts 'Ni welais i e erioed yn cerdded fel yna'.
>
> Rwyf yn gobeithio nad ydych wedi mynd yn 'broud' iawn, ond yn wir, rwyf yn teimlo fel cerdded a mhen yn yr awyr – ofnadwy ynte? — ond efallai'n beth da i mi?
>
> Rwyf wedi digio (neu pwdi) wrth Mr J. T. Jones ... [Byddai'n ddiddorol gwybod beth yr oedd J. T. Jones (John Eilian, mae'n debyg) wedi'i wneud i bechu yn erbyn Mattie!]
>
> Mam oedd y 'centre of attraction yma ddoe' fel 'one in the know' ond mae wedi digio Mr a Mrs Leslie Jones wrth beidio dweud ein bod yn Lerpwl ond Mam oedd yn right er mwyn i neb wybod cyn tri o'r gloch [Roedd y teulu wedi cael gwybod ymlaen llaw gan Garadog

ei fod wedi ennill y Goron yn Eisteddfod Genedlaethol Lerpwl, 1929, ac wedi cael siars i gadw'r gyfrinach.] ... Mae Clara Jenkins yn mynd i Cork heno. Oh dear! dyma fi a'r gossip eto, ac roeddwn wedi penderfynu peidio siarad lol a chi mwy, eich tretio fel roedd gwraig Islwyn, nid oedd byth yn dweud pethau ysgafn o'i flaen. Beth am y resolution newydd yma?

Wn i beth mae Miss Griffiths y Post Llangranog yn dweud? faswn yn hoffi myned yna i celebration, cofiwch, celebrations am amser hir ar ol dod nol i *feast* yn iawn ar ol cyraedd Rhoose meddai Mam ac rwyf am brynu present i chi er cof am y parc, y shelter, y cemetery a'r pethau ereill i gyd heb anghofio'r Wenallt! Cofiwch fi at fy hen gyfaill Cynan, rwyf yn hoffi ei gân i chi a hefyd at Mr Rhys[2].

Wedi'i sgwennu, o'r top i lawr, ar ochr chwith y dudalen olaf:

Nis gallaf ddweud hwn yng Nghymraeg – Tons of love Mattie xxxxxxxxx i gwneud lan am ddoe X

*　　*　　*

Llythyr at Garadog yn Swyddfa'r Western Mail, wedi ei bostio yng Nghaerdydd Awst 9, '29.

23 Brithdir St. | Dydd Gwener

F'annwyl Caradog,

Gair bach eto yng nghanol y paratoi erbyn Rhoose.

Mae'r tŷ wedi bod yn llawn o fobl oddiar i ni ddychwelid, ac rwyf wedi derbyn llawer o pc's yn fy llongyfarch, rhyfedd ynte? Cefais un, ac englyn arno, o Gaernarfon – Mr Parry a Enid[3] rwy'n credu.

Bum yn y cwrdd gweddi neithiwr, peth da iddynt beidio galw arnaf i gymeryd rhan neu fuaswn yn siwr o ddiolch – i chwi'n gwybod am beth?

Nawr, mae'n debig y bydd llythyr yn eich cyraedd oddiwrth yr Arglwydd Faer, yn gofyn i chwi gyniatau 'Civic Reception'[4]. Rwyf wedi clywed ei fod am wneud hyn, oherwydd y siarad fod Caerdydd ddim yn anrhyddeddu Cymry. Pe buasech yn dod o Lanelli neu o Dreorci fuasai'r band allan yn eich cwrdd.

Oh please, please Caradog peidiwch a gwrthod, rwy'n gwybod y byddwch yn teimlo fel gwneud, ond mae'n amhosibl i chi wrthod y cais yma. Byddwch yn fachgen da fel arfer!! Dim ond eisiau ysgwyd llaw a'r Maer yn y City Hall.

Wel, dyna y matter yna ar ben – y peth nesaf rwyf am ddod i station Gaerdydd i'ch cwrdd a ellwch rhoi amser y train i mi wythnos nesaf. Rwyf wedi dweud wrth Dad a Mam fy mod yn dod, pob peth yn iawn.

Gobeithio fod yr anwyd yn well, peidiwch aros lan yn hwyr a prynwch het newydd yn Lerpwl – orders!

Roedd Mrs Owen yma neithiwr mae'n meddwl [ei bod] hi'n werth prynu 56 [sef y tŷ yn Tewkesbury Street lle'r oedd Caradog Prichard yn lletya ar y pryd], o herwydd bydd yn werth arian mawr mewn blynyddau, 'y tŷ lle'r ysgrifennwyd barddoniaeth y Goron'.

Dyna olwg ofnadwy ar Mr Emrys James [sef Dewi Emrys] yn y papur! A ydyw yn talu ei ddyled?

Byddaf yn cloi y Goron yn y box yfori cyn mynd, mae Mam eisiau prynu Bureau i'w rhoi.

Ein address yn Rhoose fydd 'Rosanne', Fontigary Rd. (neu Bon Marche) i wneud yn siwr pan fyddwch yn anfon amser y tren i mi.

Cofiwch fi at Enid a Mr Parry … Dewch nol cyn gynted byth ag sydd bosibl rwyf am eich gweld, cael y newydd i gyd (hopes!)

Mae Mrs Roberts yn gweld eich eisiau, neb yna i siarad meddai!

Yr eiddoch yn ffyddlon! | Cariad | Mattie xxxxxx

*   *   *

Llythyr-gerdyn at Garadog yn Tewkesbury St, wedi'i bostio yn Aberystwyth ar Awst 18, 1929.

Erw House | Dydd Iau [ond dim dyddiad]

F'annwyl Caradog

Dim llythyr heddiw – gwn paham – teimlo'n gas am i mi beidio dal y post – talu nol ynte?

Ydym wedi bod yn chwarae tennis bore ma ac O mae'n boeth! Dyma'r diwrnod gorau eto, ar ol cael bath pnawn, ydym yn mynd i Bow St. Daeth Mrs [Mary Prudence] Rees ac Eiddwen [priod a merch E. Prosser Rhys] allan ddoe a chawsom amser da … Yn erfyn llythyr yfori.

Daw'r llythyr i ben ar waelod isaf y dudalen ond yn y gornel chwith uchaf ceir y pwt a ganlyn wedi'i ysgrifennu â'i ben i lawr, fel petai:

Eich cariad 'down in the dumps'. Mattie. xxxxxx

*   *   *

Cardyn Post, gyda marc post Gorffennaf 10, '30, ond enw'r lle yn annarllenadwy, wedi'i gyfeirio at Garadog yn Tewkesbury St.

Mae Big Ben yn taro! A mam a mi yn cael amser yma, yr wyf yn cofio'r ffordd yn iawn. Cawsom fwyd yn yr un man yn Lyons – gobeithio eich bod yn dda. Maddeuwch P.C. heddiw ond bywyd yn hectic yn y dre yma. Mattie.

*   *   *

Llythyr, diddyddiad:

97 Park St | Slough | Bucks |Dydd Sul

F'annwyl Caradog

Sut mae erbyn hyn? Yr wyf yn iawn, mae yma le braf, ond fuss rhyfedd heddiw, paratoi erbyn yfori, mae Mam a mi yn edrych ymlaen at amser da yr wythnos nesaf.

Cefais amser da ar y daith, 'fish a chips' yn Cheltenham – dyna le braf … Yr oedd yr undergrads yn cerdded ar yr heol yn Oxford, yn eu gowns a hoods. Y mae'r colegau yn hardd yr oedd y bws yn sefyll tu allan i Magdalen. Cawsom de yn Benson pentre bychan ar y ffordd i Maidenhead …

Oeddwn yn gwrandaw ar yr oedfa o Gaerdydd y prynhawn.

Yr oedd y W. Mail yn dda dros ben, y barddoniaeth yn ardderchog. Oeddwn yn ei ddarllen neithiwr yn y gweli.

Mae Mam a minnau yn mynd i Windsor ac Eton yfori ar ol y briodas, ac efallai yr awn i Stoke Poges i weld y fynwent enwog.

Y mae holl draffic Llundain yn mynd trwy yr High Street yma, pawb bron yn berchen 'car' a dyma le am 'dai' braf …

Y mae Gwyneth yma yn paratoi ei dillad ac yn siarad o hyd y mae hi yn waeth na mi!! Mae bws Llundain yn mynd o'r High St i'r Strand ac mae'n debig y byddwn yn cael trip bach i'r 'dre' … digon o fish a chips i gael, mae yma siop gerllaw – lwc ynte?

Wel, nos da nawr, nid yw yn hawdd i feddwl am newydd yn yr ystafell yma, a'r wireless, a'r siarad.

Mae'r briodas am 8 a.m. – ofnadwy! Ond mae'r bws yn gadael am 7 a bydd rhaid codi yn gynar.

Nos da, bach! | Eich cariad Mattie xxxxxxxx

*   *   *

Llythyr, diddyddiad.

c/o Erw House | Custom House St, Aber

Dydd Mawrth.

F'annwyl Gariad

Oeddwn yn falch dros ben o weld 'envelope' y W. Mail ar y plat bore heddiw, ac i ddarllen eich bod wedi cael siwrne braf. Cefais y 'dumps' ar ol eich gadael i feddwl am bythefnos yma hebddach. Wel, bum yn y station i gyfarfod y bus o Aberteifi ond nid oedd son am Sam[5] a gwelais y trên yn gadael am Gaernarfon ond nid oedd arni, ac ar ol mynd i'r tŷ roedd yno 'wire' oddiwrth Dad i ddweud ei fod yn dod am y dydd mewn car ac felly pasiodd ddoe yn gyflym iawn rhwng pobpeth.

Bu Dad yn y môr mewn siwt benthyg ac honno yn cyraedd y canol. Gwelais Mr Rees ddoe ar y stryd, ac rwyn disgwyl gweld 'film' a dynwyd ar y pryd bydd yn barod yfori.

Penderfynom fynd i Aberdovey heddiw gan ei bod mor braf, ac ydym newydd gyraedd nol ar ol cael amser da … digon o sand a golygfa ardderchog o'r cwch – y City of Birmingham a Captain Rees wrth y lliw – roedd am ymladd gyda'r morwr ar y llong arall am ei fod yn ein 'cocsio' i fynd i'w long, bu raid i'r 'marine inspector' ddod i roi taw arno yn y diwedd.

Mae 'carnival' yma yfori ac 'aquatic sports' maent wedi dechreu paratoi heno. Rwyf am fynd i nol Mrs Rees am bicnic ar y traeth yfori os daw hi.

Mae'r 'beach photographer' newydd basio a dyma'i result! 'A film star on the Riviera' meddai, er mwyn ei werthu!!

Wel, caf glywed eich llais nos Sadwrn, cofiwch siarad yn dda, fel arfer ynte?

Rwyf wedi bod yn ferch dda hyd yn hyn, ddim yn sylwi ar y bechgyn poenus ar y prom sy'n gollwng 'tins' i lawr, er mwyn cael eich sylw a 'bwmpio' i fewn atoch, etc, debig mae dyna 'life' y prom yma!! gobeithio na fuoch chi yn gwneud y fath drics!!

Rwyn ofni bydd y 'post' wedi mynd ond oeddem yn hwyr yn dychwelid o Aberdovey. Bum yn batho (ymdrochi) heddiw, ac yn treio nofio, rwyn golygu dysgu cyn dod nol!

Byddwch yn fachgen da, a peidiwch prynu'r tŷ nes dof adre!!! rwyf yn edrych ymlaen at y 27th ac rwyf fi yn mynd am dro gyda chwi … Byddaf yn teimlo'n iach ar ol y gwyliau ma rwy'n siwr a dyna'r peth ynte? … Ta.Ta. cariad gorau, maddeuwch y scribble yma, ar y traeth ydym, ar meddyliau ym mhell o fod mewn 'order'.

Eich cariad. XXXXXxxxx Mattie | un bob dydd!!

*   *   *

Ymhlith y deunydd a gadwyd, roedd Tystysgrif a ddyfarnwyd i Mattie:

*   *   *

Dengys yr ychydig lythyrau uchod gymaint o feddwl oedd gan Mattie o'i darpar ŵr. Roedd Caradog yntau'n meddwl y byd ohoni hithau. Dathlwyd eu cariad pan briodwyd y ddau ar Fehefin 7, 1933, yng Nghapel Minny Street, Caerdydd.

Caradog a Mattie, newydd briodi, yn sefyll yn nrws y capel

Mewn ysgrif yn y *North Wales Weekly News*, dyddiedig Ebrill 5, 1973, wrth gofio am briodas Mari a Humphrey (Carpenter) yr wythnos cynt, edrydd Caradog am rywbeth a ddigwyddasai iddo ef ar y noson cyn ei briodas â Mattie:

> Roedd yn noswaith lawog, ac er na bu parti 'stag' na dim byd felly, aeth fy nghar i wrthdrawiad â thacsi a bu'n ffwdan fawr fore'r briodas yn rhedeg i orsaf yr Heddlu i brofi bod gennyf leisians dreifio.

Â ymlaen i adrodd hanesyn a ddigwyddodd ar ddiwrnod y briodas ei hun:

> Roeddwn wedi dewis un o'm hoff emynau ar gyfer ein priodas ni – yr emyn hwnnw sy'n dechrau: 'O llefara addfwyn Iesu, | Mae dy eiriau fel y gwin.' Ond pan aethom i'r festri i roi ein henwau yn y cofrestr,

bu tipyn o gynnwrf. Rhuthrodd gŵr ifanc i mewn a'm cofleidio, fy nghofleidio i, y priodfab, nid y briodferch. Un o'm cydweithwyr ar y 'Western Mail' ydoedd, ac yn lle dod i'r capel roedd wedi tario yn rhywle ar y ffordd, i edrych yn ormodol ar y gwin pan ydoedd goch.

*   *   *

Roedd Caradog wedi cadw toriad papur-newydd o'r *Cardiff Times* ddydd Sadwrn, Mehefin 24, 1933, yn cynnwys adroddiad am y briodas gan J. C. Griffith-Jones, dan y pennawd 'Thrice-Crowned Bard and His Bride':

Dafydd ap Gwilym had his Morfudd and his Myfanwy and now Caradog Prichard, thrice-crowned bard of Wales, has won and wed his Mattie.

This rebellious poet who refused to be decked up in 'fantastic' raiment in the hour of his first 'national' triumph came willingly to the altar arrayed in full morning dress and most severe of Gladstonian high collars. The shy creature who crept out of a side entrance at Cardiff Station to escape a public reception after he had set up a bardic record at the Liverpool Eisteddfod courted the publicity of a packed chapel and the limelight of the 'big seat'.

Although it was a poet's wedding, there was no hitch. The Welsh minister who joined together these two confessed his surprise at the reception! The best man was also a bard, but both he and the bridegroom proved that in a crisis even poets can behave like mortal men. They neither forgot the certificates nor the ring; they saw to it that the bride was there; not to mention the bridegroom in person!

It was a short, simple, and dignified service, all conducted in Welsh, the language of poetry. The congregation sang two Welsh hymns with fervour. The poet and his bride pledged themselves to 'love, honour and cherish' – obedience was not demanded by the minister, the bride's response being clear and audible, the bridegroom's low and tremulous, but earnest.

A poem in white, the bride's golden head was encircled by his silver coronet which her husband won at Holyhead for his triumphant ode on 'The Wedding' – *Gwallt o aur dan goron o arian*. It was the crowning day of her life.

Congratulatory messages were received from all parts of Wales, from Gilfach Goch and Llanrwst, from Porth and Penmaenmawr, and from Wales at Dorking and London. At the reception there was a flood of oratory in which the M.P. for Carmarthen[6], Wales's divisional controller of the Ministry of Labour, poets, jounalists, teachers and the BBC and Ministry of Health officials joined in. It was amazing the number of people who had known the bride long before she had met her bridegroom.

Having removed their ceremonial uniform, the poet and his wife appeared in plain holiday clothes, but their women friends labelled them effectively with confetti before they escaped in their touring car. There were cheers and hand-waving, and Caradog Prichard had started on a new journey. On that golden road, perhaps, he will re-discover his muse which has been in hiding for many a long day.

Cawn ragor o fanylion mewn toriad papur-newydd arall (na roddasai Caradog ddyddiad nac enw'r papur arno):

The bride is the daughter of Mr and Mrs J. W. Evans, of Brithdir-street, Cardiff. She was a member of the teaching staff of Lansdowne-

Caradog a Mattie ar eu mis mêl

road School, Cardiff. In attendance were the misses Dudfyl Evans and Elsie Hopkins (cousins of the bride), 'Babs' Phillips (daughter of Trefinfab, Mr Edgar Phillips), and Valmai Thomas (daughter of Telynores Rhondda, Mrs R. F. Thomas). The Rev. R. J. Jones (pastor of Minny-street) officiated, assisted by the Rev. D. D. Lloyd Evans, B.A., Crickhowell (cousin of the bride). Mr Tom Parry, of Bangor University College, was best man.

Mr Caradog Prichard writes weekly for the *Cardiff Times* and *Weekly Mail*.

*   *   *

Wrth gwrs, doedden nhw ddim bob amser yn gweld lygad yn llygad a chofiwn am yr olygfa honno a welsom mewn rhaglen deledu a'r ddau wrth y bwrdd brecwast yn dadlau'n ysgafn ynghylch lliwiau gwleidyddol y naill a'r llall – 'Tori ydych chi, Caradog ...' meddai Mattie, ac yntau wedyn yn edliw'n chwareus iddi hithau mai cefnogi'r Blaid Ryddfrydol a wnâi hi[7].

Cofiwn, hefyd, am y gofid a'r pryder a achosodd Caradog i Mattie, ac i Mari, eu merch. Haera Mari nad oedd ei thad yn ddibynnol ar alcohol ac yn bendant ddim yn feddw drwy'r dydd na phob dydd. Gallai fynd am gyfnodau hir heb gyffwrdd diferyn a phan fyddai yn Stryd y Fflyd gwyddai y collai ei swydd pe bai'n yfed cyn neu yn ystod ei oriau gwaith. Ond ar adegau pan oedd iselder ysbryd wedi'i daro, dyheu am ddiod y byddai. Ni chymerai lawer o amser nac alcohol i feddwi ac, yn aml, ni allai roi'r botel heibio nes ei fod ar fin cysgu. Maes o law, câi hyrddiau o iselder ysbryd ac mae'n debyg fod troi at alcohol yn fath o hunan-feddyginiaeth barod i ddatrys ei iselder.

Roedd bod yn naturiol gymdeithasol mewn cwmni hefyd yn esgor ar broblemau gan y tybiai Caradog y gallai gadw rheolaeth ar ei yfed. Pan groesai'r ffin, byddai ei feddwdod 'cyhoeddus' yn fwy lletchwith na'i feddwdod ym mhreifatrwydd cwmni ei deulu.

Gellid dweud mai yng ngwanwyn 1966 y rhoes Caradog y gorau i'r ddiod a hynny pan fu'n rhaid i Mattie gael triniaeth at ganser y fron. Cafodd y sefyllfa effaith eithriadol ar Garadog a heb na chyhoeddiad na datganiad o unrhyw fath, trodd ei gefn ar alcohol.

Cŵn Caradog a Mattie

Bu gan Garadog a Mattie dri o gŵn dros y blynyddoedd – dau bwdl digon tawel, ufudd a chyfeillgar a'r pwdl arall yn un tra gwahanol o ran natur ac ymddygiad. Adroddais hanes y tri hyn yn *BaBCP* (tt. 154-157) ond daeth pwt arall i'r fei ymhlith papurau Caradog – am y pwdl 'eisteddfodol' (Benji[8]), fel y câi ei alw. Benji oedd y pwdl cyntaf i ymgartrefu ar eu haelwyd yn y Tŷ Gwyn, 7 Carlton Hill, St John's Wood, yn Llundain ac mae'n briodol nodi iddo fod ym mhob Eisteddfod Genedlaethol yn ystod ei ddeunaw mlynedd ar y ddaear. Dyma a gyhoeddodd Caradog yn y *North Wales Weekly News*, ar Awst 30, 1973:

> Mae Ben y ci a minnau yn llawn cydymdeimlad â'n gilydd y dyddiau yma. Fe broffwydodd John Roberts Williams[9] ar y radio mai Eisteddfod Dyffryn Clwyd fyddai prifwyl olaf yr hen eisteddfodwr ffyddlon hwn ac y byddai'n crafu ei asgwrn nesaf 'yn y nefoedd a baratoir i gŵn ple bynnag y mae honno'.
>
> Mae'r hen greadur bach yn hercian o gwmpas y tŷ yma a'i ddwy goes ôl yn llusgo, gan ei fod yn arthritig. Fe ddaeth yn fuddugoliaethus trwy donnau mwd maes yr Eisteddfod ac fe fihafiodd yn dda ar lawr y car fel y gwibiem yn ôl ar hyd yr M1. Ac er pan ddaeth yn ôl y mae o wedi bwyta pwysi o siocled, er ein bod wedi ein rhybuddio nad yw hwnnw'n llesol i'w gylla.
>
> Tipyn o ddolur llygad yw ei weld yn mynd i fyny ac i lawr y grisiau wrth sodlau'r wraig. Ac ni chaiff mwyach roi tro hefo mi rownd tai i flasu'r arogleuon sy'n rhoddi cymaint pleser iddo ef a'i fath. Yn lle'r troeon hyn, y cwbl a gaiff yw tro yn yr ardd ac yna hepian a chwyrnu yn yr haul.
>
> A yw'r creadur bach mewn poen? Pan aethom ag ef at y milfeddyg y dydd o'r blaen mi synnais glywed y wraig yn awgrymu ei fod efallai wedi dod i ben ei dennyn ac mai'r tro caredicaf ag ef fyddai ei roddi i gysgu. Y wraig o bawb yn awgrymu'r fath beth! A minnau wedi bod yn arswydo rhag y dydd y byddai'n rhaid iddo ein gadael.
>
> Ond fe'n sicrhawyd nad oedd mewn poen o gwbl, ac yn wir ni roddai yntau unrhyw arwydd o hynny. 'Clywch,' meddai'r doctor, 'pe baech chwi'n arthritig, fyddai unrhyw feddyg yn awgrymu ei bod yn bryd eich rhoddi chwi i gysgu?' Ac roedd llygaid y ci bach yn loywon a'i dafod yn rowlio chwerthin ar y ffordd allan. Roedd hefyd yn fwy sad ar ei draed wedi cael chwistrelliad adnewyddol gan y meddyg.

Ychydig llai na dwy flynedd yn ddiweddarach, ar Fehefin 19, 1975, eto yn ei golofn yn y *North Wales Weekly News*, sonia am golli Benji yr wythnos cynt ac â ati i hel atgofion amdano:

> Cawsom ragflas o'i golli pan ddihangodd o'r tŷ unwaith a pheri cryn bryder. Ond fe'i cawsom yn ôl oherwydd ein bod wedi rhoddi ei enw a'i gyfeiriad ar ei goler. Trwy ryw ryfedd fodd, yr oedd wedi teithio'r filltir i'r stesion ac wedi mynd ar un o'r trenau tanddaearol. Bu llawenydd mawr pan ffoniodd gŵr o Wanstead i ddweud ei fod wedi ei ganfod yn y trên a mynd ag ef adref. Aethom fel y gwynt i'w gyrchu a dyna lle'r oedd yn chwarae'n hapus ar aelwyd y gŵr o Wanstead.
>
> Mae'n rhaid ei fod yntau wedi cael braw o'n colli. Am amser hir nid oedd raid ond dweud y gair Wanstead i beri iddo gyfarth yn chwyrn arnom ...
>
> Byddai'n dod efo ni ar wyliau bob blwyddyn i Ddyffryn Ogwen. Un diwrnod pan oeddym yn croesi'r Rhiwen, fe welodd ddefaid am y tro cyntaf yn ei fywyd. Pan ollyngwyd ef yn rhydd fe redodd i'w canol, a rhyfedd oedd gweled tri o hyrddod yn rhedeg am eu bywyd ac yntau'r pwdl fel oen bach gwlanog yn eu herlid.
>
> Dro arall, pan aethom ag ef i'r Parc yn y ddinas yma fe'i gollyngwyd yn rhydd. Gwelodd haid o hwyaid ar lan y llyn ac fe ruthrodd arnynt gan eu gyrru'n ôl i'r dŵr. Methodd yntau ymatal ac aeth ar ei ben i'r llyn. A'r rhyfeddod oedd gweld y creadur bach, na bu mewn dŵr erioed o'r blaen, yn nofio i'r lan fel rhyw Capten Webb.

Mae'n cloi'r ysgrif fel hyn, wrth sôn am golli Benji:

> Daeth y diwedd ... braidd yn annisgwyl. Aethom ag o at y fet i gael triniaeth ond roedd ei galon yn rhy wan i'w dal a bu farw dan yr anaesthetig ... Fe'i claddwyd yng nghornel yr ardd. Daeth clamp o Wyddel ffeind i dorri ei fedd. Fydd y tŷ yma fyth yr un fath eto.

Do, fe gladdwyd Benji yng nghornel gardd y Tŷ Gwyn yn St John's Wood yn Llundain dan lechen las o Chwarel y Penrhyn, Bethesda, ac arni'r geiriau: 'Benjy, 18 years'.

Yn ei golofn 'O Siambr Selwyn', yn *Eco'r Wyddfa*, Medi 1992, roedd gan Selwyn Griffith[10] air am Benji, Wili[11] a Nico:

Roedd Matti Prichard ... yn aros yn y Gogerddan, Llanbadarn Fawr, a chawsom lawer o'i chwmni yn ystod yr wythnos. Roedd Nico hefo hi. Nico? Pam dod â deryn i'r 'Steddfod, meddech? Na, y pwdwl diweddara yn llinach yr enwog Benji a Wili yw Nico. Bu Benji a Wili yn ffyddlonach i'r brifwyl ar hyd y blynyddoedd na rhai y gwn i amdanynt sy'n honni eu bod nhw yn Gymry pybyr.

Bu farw Benji o henaint, 'rôl blynyddoedd o eisteddfota yn ei fasged o dan fwrdd yn ystafell y wasg. Rwy'n cofio i mi unwaith gael yr awydd i blannu tipyn o ddiwylliant eisteddfodol ym mhen yr unig gi a fu gen i erioed – Pete. Cafodd y fraint o ddod gyda mi i Eisteddfod Genedlaethol Rhuthun 1973, ac yn naturiol ddigon, tybiais mai da o beth fyddai i mi ei gyflwyno fo i eisteddfotgi enwoca' Cymru – sef Benji Prichard, a oedd yn belen o gyrls yn hedd ei fasged. Dim ffiars! Doedd 'na ddim heddwch yn teyrnasu ym mhabell y wasg y bore hwnnw. Fe ddeffrodd Benji o'i gwsg llwynog a buan iawn y deallodd Pete nad oedd croeso iddo fo, mwngral o gi, yn ystafell gysegredig y wasg. Ond chwarae teg i Benji, roedd ganddo fo bob hawl i ddangos ei awdurdod, ac yntau'n berchen tocyn wythnos.

Diwedd trychinebus, fodd bynnag, a gafodd Wili druan. Torrodd lladron i mewn i gartref Matti yn Llundain a cheisiodd Wili, chwarae teg iddo, efelychu Gelert trwy ymosod ar y lladron er mwyn achub ei feistres. Ond ym mrwydr St John's Wood, fe'i trawyd gan un o'r lladron a bu'r ergyd, gwaetha'r modd, yn ddigon iddo.

Yn dilyn y brofedigaeth hon y daeth Nico i gwmni Matti, a 'Steddfod Aberystwyth oedd ei 'Steddfod gynta' ac roedd yntau, fel ei gyn-bwdwl eisteddfodol, i'w weld yn mwynhau'r awyrgylch. Choelia i ddim fod gwirionedd yn honiad Gwilym Owen, yn ei slot dychanol o'r 'Steddfod, mai problem fawr Matti drwy gydol yr wythnos fu 'anfon Nico i wneud dŵr'!

Na, ci bach cyrliog, tawel a chyfeillgar yw Nico, parotach ei lyfiad o groeso na'i fygythiad o frathiad.

*　　　*　　　*

Ychydig dros bythefnos cyn iddi farw, caiff Mattie ei dyfynnu'n dweud hanesion am Garadog mewn erthygl go hir gan Byron Rogers yn y *Daily Telegraph*, Gorffennaf 30, 1994, a phan ddaeth y diwedd, cafodd ei marwolaeth lawer o sylw yn y wasg.

Clywais Humphrey Carpenter[12], gŵr Mari a mab yng nghyfraith Mattie,

Mattie – 'Brenhines Cymry Llundain'

yn cyfeirio ati fel 'Brenhines Cymry Llundain' gan ei bod fel pe bai'n adnabod pawb oedd yn 'rhywun' ym mhrifddinas Lloegr, yn eu hystyried yn ffrindiau ac yn eu croesawu ar yr aelwyd yn y Tŷ Gwyn. Roedd cylch ei ffrindiau yn un eang iawn, a'r rheini o wahanol gefndiroedd – gan gynnwys gwleidyddion o'r ddau Dŷ, fel Cledwyn Hughes, Emlyn Hooson ac eraill.

A byddai wrth ei bodd yn mynd i'r theatr a throi ymysg actorion a cherddorion, yn enwedig Cymry fel Anthony Hopkins a Richard Burton a chantorion megis Syr Geraint Evans, heb sôn am eraill y deuai ar eu traws ar hap ar adegau felly, fel y dengys y llun a ganlyn:

Mattie Prichard yn mwynhau cwmni Norman Vaughan a Bernard Braden

Cofiaf i Mattie ddweud wrthyf un tro fod Shirley Bassey wedi bod yn un o'i disgyblion ac ategir hynny mewn adroddiad a gyhoeddwyd adeg ei marw yn *Y Cymro*. Ond ni ellir bod yn gwbl sicr a oedd hynny'n wir, mewn gwirionedd, ond yr oedd, yn bendant, yn adnabod y gantores ac wedi ei chyf-weld ar ran *Y Cymro* ryw dro. O gofio bod Mattie wedi dechrau ar ei gyrfa'n athrawes yn ardal y dociau yng Nghaerdydd (a anfarwolwyd fel Tiger Bay), gallai hi a Shirley Bassey fod wedi bod yn hel atgofion am yr ysgol a hyd yn oed am Mattie'n dysgu canu i ambell ddosbarth yno.

*　　　*　　　*

Bu Mattie farw ar Fedi 16, 1994, mewn ysbyty heb fod nepell o'i chartref yn St John's Wood yn Llundain. Cynhaliwyd y gwasanaeth angladdol yng Nghapel Cymraeg y Tabernacl (Annibynwyr), Pentonville Road, King's Cross, bnawn Sadwrn Medi 24. Cafodd ei chladdu gyda Charadog ym Mynwent Eglwys Goffa Robertson[13] yng Nghoetmor, Bethesda, heb fod ond tafliad carreg oddi wrth fedd y gŵr ifanc a goffeir yn enw'r Eglwys.

Bedd Charles Donald Robertson
© J. Elwyn Hughes

CARADOG Y BARDD

Croeso Dinesig Caerdydd

Gwahoddiad David Lloyd George

'Terfysgoedd Daear'

Bardd Rhydychen

Mae'r Nodiadau y cyfeirir atynt yn yr adran hon i'w gweld ar dudalen 309

Croeso Dinesig Caerdydd

Mae'n siŵr fod Caradog wedi cael ei blesio pan welodd arfbais euraid Dinas Caerdydd, a 'City Hall' wrth ei hymyl, ar frig y llythyr, dyddiedig Awst 9, 1929, a dderbyniodd oddi wrth Arglwydd Faer Caerdydd, W. R. Williams[1]:

> Dear Mr Caradog Prichard,
> Will you allow me to say with what pleasure we in Cardiff heard of your recent success at the National Eisteddfod in winning for the third time[2] the title of 'Crowned Bard'.
> I understand that you will not be returning from Liverpool until next week; I should like then to take the first opportunity of offering to you in person my warm congratulations. Meanwhile, I desire to assure you that the citizens share my pride and gratification in your great achievement.
> Believe me, | Yours very truly, | W. R. Williams, Lord Mayor.

Bu digwyddiad pwysig yn y Brifddinas yn dilyn y llythyr hwn. Mewn llythyr, dan bennawd y *Western Mail*, dyddiedig dydd Sul, Awst 12, 1929, ysgrifenna'i gyfaill a'i gydweithiwr, Picton Davies[3], ato:

> Annwyl Gyfaill,
> Yr wyf yn anfon gair ar gais Mr Sandbrook[4] i ofyn i chwi anfon telegram i'n hysbysu pa bryd y bydd eich trên yn cyrraedd Caerdydd ddydd Iau. Deallwn mai dydd Iau y bwriedwch ddyfod yn ôl. Bydd yr Arglwydd Faer yn y stesion i'ch croesawu. Fydd yma ddim llawer o rwysg a defod – dim brass band na gorymdaith fawreddog – ond

y mae'r Arglwydd Faer am ddod yno yn enw'r dref i'ch cyfarch a'ch croesawu. Anfonwch y telegram cyn gynted ag y caffoch y llythyr hwn, ac y mae Sandbrook yn pwyso'n drwm ar i chwi beidio â siomi'r cyfeillion fydd yn eich disgwyl yn y stesion.

Cofion lawer, Picton Davies

Pan gyrhaeddodd Caradog Prichard o Lerpwl i Orsaf Caerdydd, yn dilyn ei fuddugoliaeth yn ennill ei drydedd Goron gyda'i bryddest 'Y Gân ni Chanwyd', prin y gallai fod wedi disgwyl yr olygfa oedd yn aros amdano! Roedd hanes yr achlysur wedi ymddangos yn y *Western Mail* a chopi wedi'i gadw (heb fod arno ddyddiad) ymhlith papurau Caradog:

When the 7.50 train arrived at Cardiff Station on Thursday evening a short bespectacled young man slipped unobtrusively on to the platform. When he saw the crowd awaiting him he looked as if he would have given much to be allowed to take to his heels.

The young man was Caradog Prichard who, by winning the crown at the National Eisteddfod for the third successive year, had broken all records.

Mr Prichard is a member of the sub-editorial staff of the *Western Mail* and the first person to greet him on his return to Cardiff after his triumph was Sir William Davies, editor-in-chief of this journal, who was accompanied by Lady Davies.

The crowned bard was accorded a welcome by the Deputy[5] Lord Mayor (Alderman C. F. Sanders) who was accompanied by several other city councillors and a large company of journalistic colleagues and friends.

Dirprwy Arglwydd Faer Caerdydd (Yr Henadur C. F. Sanders) yn croesawu Caradog Prichard wrth iddo gyrraedd Gorsaf Caerdydd. Enwir y rhai yn y tu blaen (o'r chwith i'r dde): Llewelyn Jenkins, B. A., Y Cynghorydd Gwilym Hughes, C. F. Sanders; Syr William Davies, a Mattie (yn siarad gyda'r Fonesig Davies)

'I welcome you,' said Alderman Sanders, 'and congratulate you on behalf of the Lord Mayor, who very much regrets that he cannot be here, and I also congratulate you on behalf of the citizens of Cardiff. We are all proud of your remarkable achievements. It is something to win the crown once, and splendid to win it twice, but to capture this great prize three times is, we appreciate, unprecedented. I cannot speak your language and I do not profess to have learnt the secrets of the bardic art, but I can say that Cardiff recognises the honour you have done it by your magnificent success. You are young yet, and no doubt there still remain even greater fields for you to conquer.'

Mr Prichard responded in Welsh in a few nervous but happy words. 'I am very glad to have been able to bring this honour to Cardiff,' he said. 'Perhaps I may hope that this will not prove the last feather I shall be allowed to place in Cardiff's cap.'

The ordeal of facing the camera and handshakes and enthusiastic cheers over, the crowned poet was escorted from the platform by two burly constables. As he slipped quietly out of the station and escaped the crowd, he whispered 'It's a hard lot is the poet's!'

Out in the street, he breathed a sigh of relief and pointing to a book under his arm, added, with a smile, 'All quiet on the Western Front now!'

It is understood that Thursday evening's welcome was in the nature of a preliminary gesture only, and that arrangements are being made to give a civic welcome to Mr Prichard at the Civic Hall, probably next month …

Oedd, roedd yr achlysur pwysig a grybwyllir ar ddiwedd y dyfyniad uchod yn cael ei drefnu ar ei gyfer, sef Derbyniad Dinesig yn Neuadd y Ddinas, a chafodd Mattie hefyd wahoddiad. Dyma'r adroddiad (eto'n ddiddyddiad!) a gadwodd Caradog ymhlith ei bapurau:

CROWNED BARD
CIVIC RECEPTION FOR CARADOG PRICHARD
CARDIFF TRIBUTES
'WESTERN MAIL' AND NATIONALISM

'This gathering brought about by the Lord Mayor of Cardiff to-day is of tremendous significance. It means that, through its chief citizen, the great city of Cardiff is paying homage to the spirit of Wales as represented by young Caradog Prichard.' So said Professor E. Ernest Hughes, of the University College, Swansea, at a gathering which assembled at the City-hall, Cardiff, on Saturday afternoon, at the invitation of the Lord Mayor (Alderman W. R. Williams[6]) to meet Mr. Caradog Prichard, winner of three successive crowns at the Welsh National Eisteddfod.

Advantage was taken of the occasion to present a framed portrait of Mr. Prichard to the city of Cardiff on behalf of Western Mail Limited. The portrait will hang in the City-hall.

The Lord Mayor, who wore his chain of office, was accompanied by the Lady Mayoress.

Among Mr. Carardog Prichard's colleagues and friends who had come together at the invitation of the Lord Mayor were the Rev. H. M. Hughes[7], D. D., president of the Cardiff Cymmrodorion Society; the Rev. John Roberts, the Rev. J. Penry Thomas, the Rev. Cuthbert Thomas, Professor E. Ernest Hughes and Mr. Richard Hughes, Swansea; Alderman W. H. Pethybridge, Dr. D. Llewelyn Williams, Welsh Board of Health; Mr. J. A. Sandbrook, Dr. Morgan Watkin, Mr. John Thomas and Mr. Llewelyn Jenkins, secretary of the Cymmrodorion Society; Mr. and Mrs. G. H. Sutton, Mr. and Mrs. E. Elliss [*sic*] Hughes, Mr., Mrs., and Miss Picton Davies, and Mrs. Jones; Mr. Pierce Jones, deputy divisional officer, Ministry of Labour; Mrs. Jones, Menai Bridge; Mr.W. Howells-Jones, Mrs. Claud Llewelyn; Mr. and Mrs. E. R. Evans, Mr. Sam Jones, Mr. R. J. Owen, Mr. and Mrs. J. W. Evans and Miss Mattie Evans, Miss Maud Griffith, Penarth County School; Miss Cassie Davies, and Miss Powell, Barry Training College; Mr. Arthur ap Gwynn, Mr. Thomas Mathias, Mr. and Mrs. David Evans, Whitchurch; Mr. Morris Williams and Mrs Williams (Miss Kate Roberts), Rhiwbina, and Mrs. Roberts and Mrs. Owen.

The Lord Mayor said every one present was personally interested in Mr. Caradog Prichard's success – unprecedented in the history of the National Eisteddfod

Coron Eisteddfod Genedlaethol
Lerpwl 1929

– in winning the crown in three successive years. Unfortunately, it was not possible for him to take part in the reception given to Mr. Prichard on his return to Cardiff from Liverpool. He would have greatly liked to have been present on that occasion to assure Mr. Prichard, on behalf of the citizens, how proud they were of his remarkable achievement, and how desirous they were of expressing their delight that he was linked up with Cardiff in its associations with the national life of Wales (Hear, Hear). He, however, decided to arrange a meeting with Mr. Prichard at the first favourable opportunity and the occasion had come at last.

Cardiff sometimes was imagined to be somewhat lacking in Welsh sentiment. but it was his personal experience, on the city council and among its citizens that there was a very strong attachment to the Welsh national spirit, and a very real desire to foster it and to elevate it in every real way. (Hear. hear.) It was for that reason that they were specially pleased that a young man who had made Cardiff his home had won such distinction in cultural ranks in Wales (Hear, hear.)

'WESTERN MAIL' AND WELSH NAT1ONALISM

Continuing, the Lord Mayor said he desired to take advantage of that opportunity to acknowledge the debt Cardiff owed to the *Western Mail* in its advocacy of Welsh ideals and aspirations (Hear, hear.) He could speak more freely on that point because there were questions on which he differed from the *Western Mail*. But from the very important standpoint of Welsh nationalism they were all agreed that not only Cardiff but the whole of Wales owed a great deal to that influential journal. (Hear, hear.) For as long as he could remember there had never been any doubt about the note the *Western Mail* struck on the question of Welsh nationality and of the cultural side of Welsh life which meant so much to them as a people. He was bound to pay that tribute to the *Western Mail* for the great services it had rendered to the Welsh nation for so many years. (Hear, hear.) To have such unanimity in respect of any newspaper in these days was an exceptional thing and he was delighted to give expression to it. (Hear, hear.)

They had gathered to do honour to Mr. Caradog Prichard, who was a member of the *Western Mail* editorial staff, and their united hope was that he would be long spared to do still greater service to Welsh literature.

A UNIQUE OCCASION

The Rev. H. M. Hughes, D. D.[8], said he was delighted that the Lord Mayor had thought fit officially to recognise merit in that aspect of Welsh life that the people of Wales most highly valued. Cardiff had given an official reception to a football team when it brought a coveted cup to the city[9], and as good sportsmen they were all united in that reception, but as far as he knew, that gathering was the first occasion on which a successful figure in the literary and national life of Wales had received official recognition at the hands of their first citizen. It was a proof that there was in Cardiff, even amongst the citizens who could not speak the native language, a deep sense of sympathy with everything that was elevating and inspiring and cultural in the life of Wales.

It so happened that Mr. Prichard and himself were fellow-parishoners from Bethesda, and he well understood how, as a young man from the mountains, he had achieved such distinction in the realm of imaginative poetry. Caradog Prichard had caught the spirit of the mountains, and they could feel the breath of that spirit in his poetry. He had tackled the great problem of life and soul in his poems; the heights and the ravines of Snowdonia had assisted him to dive into the mysticisms of human existence.

NATIONAL SPIRIT OF THE FIRST ORDER

Dr. Hughes added that he desired to associate himself with the Lord Mayor's references to the *Western Mail*, with whose politics he did not hold, but whose Welsh national spirit was of the first order (Hear, hear) The *Western Mail* supported Wales's cultural institutions through thick and thin; it was thoroughly Welsh in spirit; almost every one on its literary staff was Welsh-speaking, and the Welsh spirit was strong in every one of its members from the editor down to the boys who sold it on the streets. It was quite true to say that, started as a party newspaper, it had risen to the status of a national organ of the rarest order, and as a nation the Welsh people were deeply indebted to it. (Hear, hear)

Professor E. Ernest Hughes, Swansea, said he had lived in Cardiff for fifteen years but he was a Welshman before he was a Cardiff or Swansea man, and he was always ready to come down on the side of the centre in Wales which showed the deepest and truest inclination to put Wales first and to make its own greatness subservient to the highest and best interests of Wales as a whole. (Hear, hear)

He took not the slightest interest in the politics of the *Western Mail* or of any other newspaper, but he was interested in the attitude that every newspaper published in Wales took on Welsh questions, and on that ground he was delighted that the *Western Mail* had found a place on its staff for his young friend – a place he was filling with so much credit – and the only thing he hoped was that the great city of Cardiff and the great institution – the *Western Mail*, with its power and influence, would not make any impression that would spoil the Caradog Prichard that the whole of Wales outside Cardiff knew. He wished Mr. Prichard long life and still greater distinctions in the higher spheres of Welsh literature and culture.

'ON THEIR OWN HEARTH'
The Rev John Roberts said that as citizens they were all grateful to the Lord Mayor for the opportunity of greeting Caradog Prichard on their own hearth. Having referred to the fact that his father (Iolo Caernarfon[10]) had won two national crowns, which were still in his possession, Mr. Roberts said that, whilst it was true that Caradog Prichard was a son of the hills of Caernarvon, it was in Cardiff that he produced the poem that had led that stern and unbending critic, Professor W. J. Gruffydd[11], to break forth into something like a whoop of triumph when he announced at Liverpool that a new star of great promise had appeared once more in the firmament of Welsh poetry. Cardiff, therefore, had not spoilt him, and with the *Western Mail* at his service they expected still more of him.

The Lord Mayor read a letter of regret for non-attendance from Wil Ifan[12], who jocularly wrote that he had heard it whispered that a Llanelly silversmith was already inquiring about Caradog Prichard's head measurements.[13]

Another letter was read from Mr Ellis Owen, the official receiver, who is a great admirer of Mr. Prichard, 'but whom,' said the Lord Mayor, with a laugh, 'I hope Mr. Prichard will never have anything to do with officially.' (Laughter)

PRESENTATION OF PORTRAIT
Mr. J. A. Sandbrook, chief assistant editor of the *Western Mail & South Wales News*, then asked the Lord Mayor to accept, on behalf of the corporation, a framed photograph of Mr. Caradog Prichard for permanent custody in the City-hall. He thanked his lordship and other speakers for their kind references to the *Western Mail*, which

would continue to endeavour to serve the best interests of Wales. (Hear, hear.) Mr. Caradog Prichard's colleagues on the *Western Mail* were delighted that the Lord Mayor had given them an opportunity of joining in the public tribute to his genius, because they felt that he had won his great prizes in the national competition by the sheer merit of his poetry. They were content to accept the judgment of 'stern and unbending' critics like Professor Gruffydd. But his colleagues did not admire Mr. Prichard merely as a poet. They also admired him for his modesty and his quiet efficiency as a journalist, and they all sincerely wished for him a great future in his profession.

Having conveyed the regret of Sir William Davies at his inability to be present, Mr. Sandbrook handed over the framed photograph on behalf of the proprietors of the *Western Mail* for safe keeping on the walls of the City-hall. [Ysywaeth, er i mi holi a siarad â sawl un, ni chefais wybod ym mhle y mae llun Caradog Prichard y dyddiau hyn – yn ôl a glywais, nid yw bellach yn hongian ar waliau Neuadd y Ddinas.]

The Lord Mayor said he accepted the gift with the greatest pleasure, and was sure the city council, through Alderman Pethybridge, as chairman of the property committee, would find a suitable place for it. The acceptance of such a gift made him believe that the City-hall might become a place famous as the repository of objects representative of the history and progress of Welsh culture. It was a young building yet, but it was a glorious building that was a worthy treasure-house for gifts that would remind them of Cardiff's part in the national life of Wales. (Hear, hear.)

CROWN BARD'S REPLY

'I cannot tell you how nervous I feel in getting up to acknowledge this great tribute you have paid me,' said Mr. Caradog Prichard, in responding. 'But it is not exactly the nervousness of the young man not accustomed to public speaking. Rather is it the nervousness of a young man about to take a premature step into the hereafter. (Laughter.) Living will be so dangerous after this, because one is so apt to acquire what we might call the poet-consciousness, and that has a habit of developing into a very nasty complex.'

Referring to the absence of Welsh in what was essentially a Welsh gathering, Mr Prichard said that the Lord Mayor in doing this honour to him had shown a fine, sympathetic spirit towards Welsh sentiment, and it was to be regretted that the Lord Mayor was unable to express his feelings in their own language.

'I should like to throw out one suggestion to the city council,' added Mr Prichard, 'and that is that they should make it at least an unwritten law that a knowledge of the Welsh language be an essential qualification for the Lord Mayoralty. They could find in Cardiff plenty of Welshmen willing to give their Lord Mayors-elect private tuition, and they could take the tuition fees from the ratepayers pockets without a qualm of conscience.' (Laughter)

The Lord Mayor said Mr. Prichard's suggestion as to the acquisition of the Welsh language being a sine qua non for membership of the city council was an excellent one, but he was delighted to know that the present members were not ruled out altogether, because the suggested condition was that they should acquire a knowledge of Welsh after their election to the council (Laughter). The older he became the more he felt that he was rather out of the inner life of Wales because he was not Welsh-speaking, and it had been borne upon him that the absence of a knowledge of the language was a handicap in dealing with the public life of Wales. (Hear, hear.)

The proceedings closed with the singing of 'Hen Wlad fy Nhadau', after which the company were entertained to tea in the members' room.

At the close a vote of thanks to the Lord Mayor and Lady Mayoress was heartily accorded on the motion of Dr. D. Llewelyn Williams. Seconded by Alderman W. H. Pethybridge.

O fod wedi adnabod Caradog Prichard, synnais ddarllen rhai o'r sylwadau, a'r awgrymiadau, a wnaethai yn ei araith fer gerbron Maer Caerdydd. Doedd Caradog ddim bob amser yn greadur rhy fentrus ei farn nac ychwaith yn barod i droi'r drol yn unrhyw ffordd (ac eithrio pan alwodd aelodau'r Orsedd yn 'asynnod' ym 1927!) ac ni allwn ond ei edmygu am iddo herio'r llew, fel petai, yn ei ffau ei hun ac o flaen yr holl wahoddedigion, gan fynegi ei siom yn ddiflewyn-ar-dafod na allai'r Maer siarad Cymraeg, a'r awgrym a wnaeth yn sgîl hynny i ddiwygio'r sefyllfa yn y dyfodol. Roedd ymateb y Maer i awgrym a sylwadau Caradog yn ddiddorol!

J. A. Sandbrook yn cyflwyno portread o Garadog Prichard i Arglwydd Faer Caerdydd i'w gadw'n barhaol yn Neuadd y Ddinas

Mae'r Nodiadau y cyfeirir atynt yn yr adran hon i'w gweld ar dudalen 310

Gwahoddiad David Lloyd George

Nid y Croeso Dinesig gan Faer Caerdydd oedd yr unig anrhydedd a gafodd Caradog Prichard ar ôl iddo ennill ei drydedd Goron yn Lerpwl. Cafodd hefyd wahoddiad i dreulio wythnos yng nghartref David Lloyd George, Bryn Awelon[1], yng Nghricieth a chadarnheir hynny mewn cardyn post a anfonodd Cynan ato ddydd Gwener, Awst 9, 1929:

> Cefais air swyddogol fod disgwyliad mawr am danat ti a Prosser ym Mrynawelon Ddydd Llun nesaf. Anfon air i ddiolch i Ll.G. ac i ddweud pryd y cyrhaeddwch …
>
> Cofion filoedd atoch eich dau, Cynan.

Bryn Awelon, cartref David Lloyd George a'i deulu
© Lilywhite Ltd.

Cadarnhawyd hyn y diwrnod canlynol mewn telegram oddi wrth Crawshay: 'Dame Margaret expecting you and Prosser Monday night.' Cawn syniad o bwy oedd Crawshay[2] mewn toriad papur-newydd a gadwodd Caradog Prichard, heb fod arno na dyddiad nac enw'r cyhoeddiad, â'r pennawd 'DLG and the Bards':

> ... the former Premier, who was accompanied by Capt. Geoffrey Crawshay, herald bard of the Gorsedd; Mr Caradog Prichard, thrice crowned bard of the National Eisteddfod, and Cynan, of Penmaenmawr, another crowned bard, visited the shop of Mr Caradoc Evans, secretary to the Pwllheli National Eisteddfod. Hundreds of visitors gathered around the premises and the traffic was blocked for over twenty minutes ... Mr Lloyd George then proceeded to visit places of interest in South Caernarvonshire.

Anfonodd Prosser Rhys delegram at Garadog ar Awst 10 yn dweud y byddai yntau hefyd yn ymuno ag ef ym Mryn Awelon (ond ar y dydd Mawrth, nid y nos Lun). Nododd ei fod yn anfon llythyr ato a dyma'r llythyr hwnnw, gyda marc post Aberystwyth ar yr amlen, ac arno'r dyddiad Awst 9, 1929, wedi'i gyfeirio at Caradog Pritchard, Esq., Press Table, Eisteddfod Pavilion, Sefton Park, Liverpool.

> Annwyl Gyfaill,
> Yr wyf wedi cael allan y bydd yn werth chweil mynd i Fryn Awelon. Am hynny af yno ddydd Mawrth – cyrraedd yng Nghricieth tua hanner awr wedi tri y pnawn. Tyrd dithau frawd – gall ein bod ar drothwy digwyddiadau diddorol. Bydd Cynan yno ddydd Llun, mi dybiaf.
> Yn gywir felltigedig, | Prosser

Ar waelod y ddalen, ychwanegodd Prosser Rhys y pwt a ganlyn:

> Anfon air i L.G. i gydnabod y gwahoddiad drwy Crawshay a dywedyd pa adeg y cyrhaeddi.

Cawn ychydig o hanes yr ymweliad arbennig hwn gan Garadog yn *ADA*, tt. 105-6:

Wedi ennill Coron Lerpwl cefais wadd, gyda Chynan a Phrosser ac
un neu ddau arall, i dreulio wythnos ym Mrynawelon, cartref Lloyd
George yng Nghricieth. Wythnos gofiadwy. Ac un atgo'n sefyll allan.
Mynd mewn *Rolls-Royce* hefo'r hen ŵr a'i ferch, Megan, i brynu llyfrau
Cymraeg ym Mhwllheli. Torf yn casglu o gwmpas y car ac yn banllefu.
A'r hen ŵr yn edrych arna i a'r dagrau'n powlio i lawr ei ruddiau ac yn
dweud mewn llais crynedig: 'Fy mhobol i. Fy mhobol i ydyn nhw.'

Ac yna, yn ei ysgrif 'Coronau a Chadeiriau' a gyhoeddwyd yn *Trafodion
Cymdeithas Anrhydeddus y Cymmrodorion, Sesiwn 1970, Rhan II*, tt. 308-9,
cawn hanesyn diddorol arall ganddo:

> Ar ôl cinio un noswaith gofynnodd Lloyd George imi ddarllen fy
> mhryddest i'r cwmni. 'Roedd hi'n dipyn o straen, wrth gofio bod rhai
> yn y cwmni nad oedden nhw'n deall yr un gair o Gymraeg. Ond mi
> gefais fy synnu a 'mhlesio'n arw drannoeth.
>
> Aethom i gyd am bicnic i Gwm Pennant. 'Roedd hi'n ddiwrnod
> hyfryd yng nghanol Awst. A thra bod Dame Margaret a'r lleill yn
> paratoi'r wledd o wyau wedi eu berwi a chwrw o Dŷ'r Cyffredin
> – ac 'roedd hwnnw, coeliwch chi fi, yn gwrw go anghyffredin – fe'm
> tynnwyd i o'r naill du gan briod brydferth Richard[3]. Ac aeth â mi am
> dro a dechrau siarad am y darlleniad y noson cynt. Ac er fy syndod
> dechreuodd ailadrodd wrthyf amryw o ddarluniau a delweddau o'r
> gerdd, a hynny'n hynod o gywir er nad oedd yn deall gair o Gymraeg.
> Eglurodd fod Dic wedi bod yn eu dehongli iddi ar ôl iddynt fynd i'r
> gwely … Yn wir, ar ôl clywed cymeradwyaeth o le mor annisgwyl ac
> o dan y fath amgylchiad hyfryd, fu'r un bardd erioed mor falch ag
> oeddwn i'r diwrnod hwnnw 'mod i wedi sgrifennu pryddest.

Mae'r Nodiadau y cyfeirir atynt yn yr adran hon i'w gweld ar dudalen 311

'Terfysgoedd Daear'
(Cystadleuaeth y Goron 1939)

Ymhlith papurau Caradog Prichard, deuthum ar draws dau doriad papur-newydd, nad oedd arnynt na dyddiad nac enw'r papur. Roedd y cyntaf, yn Saesneg, yn cynnwys ymateb y bardd i'r hyn a ddywedwyd gan y tri beirniad am ei bryddest anfuddugol[1] yng nghystadleuaeth y Goron yn Eisteddfod Genedlaethol Dinbych, 1939. Yr un oedd thema'r ail doriad, yn Gymraeg, ond roedd hwnnw fymryn yn llawnach ac yn cynnwys ei farn am safbwynt y tri beirniad yn eu tro: E. Prosser Rhys, Yr Athro J. Lloyd Jones[2] a'r Athro T. H. Parry-Williams.

Er bod Caradog wedi ymdrin â'i siom a'i anfodlonrwydd ynghylch y dyfarniad yn ei hunangofiant, *ADA* (tt. 110-116), ac er bod Menna Baines wedi ymdrin yn dreiddgar â'r bryddest a'i chefndir yn ei chyfrol ragorol, *Yng Ngolau'r Lleuad – Ffaith a Dychymyg yng Ngwaith Caradog Prichard*, mae'n werth darllen y dystiolaeth a ysgrifennwyd gan Garadog ei hun yng ngwres y foment, fel petai, yn y ddau adroddiad a ganlyn:

1. CARADOG PRICHARD'S EISTEDDFOD POEM

Reply to Adjudicator's View of Its Theme

Sir, – Now that Welsh readers have had an opportunity of reading my poem ... together with the adjudicators' detailed reasons for rejecting it at the Denbigh National Eisteddfod on the ground that it was irrelevant to the set subject, I should be grateful for a short space in which to reply to the three adjudicators.

The praise of the poem, delivered in the hyperbolic manner peculiar to Eisteddfod adjudicators, will doubtless be modified by later critics; but their foolish and inexplicable decision that the poem is irrelevant will, unfortunately for their reputations as Eisteddfod critics, be perpetuated in the festival's annals. The reasons they give are even more incomprehensible than their decision.

Mr Professor [*sic*] [3] Rhys, for example, states: 'Unfortunately, this is not a poem on 'Terfysgoedd Daear' ('Turmoils of Earth'), rather it is a poem on 'Y Tŵr Tawelwch' ('The Tower of Silence') or 'Dihangfa' ('Escape') or 'Hunanladdiad' ('Suicide'). He thus very generously gives the poem three alternative titles. Why could not such generosity have expanded to embrace a fourth alternative, namely that which was set for the competition? Would he have condemned a poem on 'Escape' had the set subject been 'The Tower of Silence'. He would not, according to his own rather remarkable logic.

The adjudication of Professor Lloyd Jones lays itself open to still louder ridicule. Having scattered his superlatives all over his manuscript and called the poem an 'artistic masterpiece', he has the audacity to place on it the tape-measure of classroom arithmetic in a feeble effort to prove that it is not on the set subject. He proceeds to count the lines and makes the profound discovery that only 50 out of nearly 400 lines deal with the subject. To answer this mathematical judge according to his own mathematics, I applied my own tape-measure and found at least 200 lines 'dealing with the subject'. I gave up in despair after the 200th.

Professor Parry-Williams's reason for his decision I take more seriously. It is that the subject of the poem is introduced only by antithesis ('trwy wrthgyferbyniad'). That, at any rate, is an admission that the subject was introduced. It was dealt with throughout the poem through the eyes of a suicide, surely the being in whom above all others, the turmoils and tumults of this earth reverberate. The antithesis was, to my mind, perfectly justified. And I can still confidently assert that the earth's turmoils reverberate throughout my poem.

Whatever may have been their reasons for doing so, there is no doubt in my mind that the Denbigh adjudicators have erred grievously. But I can still afford to smile as I think of the glorious possibilities had

I submitted to them a sublime and cunningly rhymed interpretation of the Air Ministry's weather report. – Yours, &c.
CARADOG PRICHARD. | London, Aug. [1939]

2. BEIRNIADU TRI BEIRNIAD CORON DINBYCH
CARADOG PRICHARD

Gorchwyl hawdd, – a digon pleserus – yw beirniadu beirniaid, yn enwedig pan fo'r beirniaid hynny wedi eich collfarnu. Ond y mae'r rhesymau a roddwyd gan feirniaid y Goron yn Ninbych eleni mor anghyffredin nes bod eu sylwadau'n galw yn groch am ateb gennyf.

Wrth gwrs, fe wneir llawer o ensyniadau y mae dyn yn ei siom gyntaf yn barod i roddi gormod coel arnynt. Dyma rai ohonynt.

Dywedwyd bod y beirniaid yn fodlon coroni 'Pererin' [sef y ffugenw a ddefnyddiodd] ond yn anfodlon coroni Caradog Prichard a chanddo eisoes dair coron. Dywedwyd hefyd fod y beirniaid yn anfodlon rhoddi sêl bendith ar gerdd yn trafod hunanladdiad. *Goddefer i mi ddywedyd ar unwaith nad oes, os wyf i'n adnabod y beirniaid yn iawn, yr un rhithyn o sail i'r ensyniadau hyn.*

Stori arall a glywais – ac un yr wyf yn barod i roddi rhywfaint o goel arni – yw i rai pobl nad oedd ganddynt hawl o gwbl i fusnesu yn y mater geisio pwyso eu barn eu hunain ar y beirniaid neu ar rai ohonynt, ac eiriol ar ran fy ngherdd pan oeddynt yn dadlau ymysg ei gilydd a oedd y gerdd ar y testun ai peidio. Ac i'r beirniaid, o'r herwydd, 'roddi eu cefnau i fyny' chwedl y Sais.

Boed hynny fel y bo, dymunwn i'n bersonol ddywedyd eto nad oes gennyf yr un amheuaeth am ddidwylledd y tri beirniad. Caf ddweud gair eto ymhellach ymlaen am y didwylledd hwnnw. Goddefer i mi hefyd ddiolch i'r tri am eu canmoliaeth hael i'r bryddest, canmoliaeth a gymedrolir, o bosibl, pan ddaw'r beirniaid answyddogol i'w rhoddi yn y glorian. Yn unig mynnwn drafod yma reswm y beirniaid dros gollfarnu'r gerdd, sef am nad oedd ar y testun. Cymeraf y tri beirniad fesul un.

MR PROSSER RHYS – Ychydig amser wedi imi anfon y bryddest i mewn daeth imi'r newydd fod Prosser Rhys yn ddifrifol wael. 'Y Nefoedd fawr,' meddwn, 'Y bryddest yna!' a thybiais y byddai gwaed gwirion un o'm cyfeillion mwyaf annwyl ar fy mhen! Ond da oedd gennyf weld golwg mor raenus arno wedi'r driniaeth lem a gafodd.

Oherwydd ei waeledd ni fedrodd Prosser Rhys sgrifennu beirniadaeth lawn ar gyfer cyfrol y beirniadaethau ac ni welais ond dyfyniad o'i sylwadau yn y 'Faner'. Yn hwnnw fe ddywed, os cofiaf yn iawn, fod diffyg unoliaeth yn y gerdd ac nad yw'r rhannau'n asio i'w gilydd. Y mae hyn yn profi i mi ddiffyg dealltwriaeth difrifol o'r gân neu ddiofalwch dybryd wrth ei darllen.

Dywed Prosser hefyd: 'Yn anffodus, nid pryddest ar 'Derfysgoedd Daear' mohoni; yn hytrach pryddest ar 'Y Tŵr Tawelwch' neu 'Dihangfa' neu 'Hunanladdiad'. Anffodus iawn, yn wir, Mr Beirniad. Pam na allech fod wedi ychwanegu 'neu Terfysgoedd Daear'? Hynny yw, petai'r pwyllgor wedi gosod 'Y Tŵr Tawelwch' yn destun, a gollfarnech chwi bryddest ar 'Hunanladdiad'? Y mae eich beirniadaeth yn rhyfedd ac ofnadwy.

Dyma feirniad sy'n gallu rhoddi i gerdd dri gwahanol destun yn rhyfygu ei chollfarnu am nad oedd ar destun gosodedig. Yr wyf yn barod i gydnabod nad oedd yr amgylchiadau'n gyfryw ag i alluogi Prosser Rhys i ddwyn holl rym ei ddawn feirniadol ar waith pan yn cloriannu fy ngherdd i ac ar y pwynt hwnnw yn unig y maddeuaf iddo am ddyfarniad mor ffôl.

YR ATHRO J. LLOYD JONES – Beiddiodd y beirniad hwn alw y gwaith yn gampwaith artistig ac ar yr un pryd fesur y gân wrth safonau rhifyddeg. Ebr ef: 'A rhoi llinyn mesur rhifyddeg noeth arni, mewn rhyw drigain llinell allan o dros dri chant a thrigain y trinnir, yma ac acw, ryw agweddau ar y testun.'

O'r gore. I gamddyfynnu'r Diarhebion, ateber y rhifyddwr yn ôl ei rifyddeg. Euthum innau ati i gyfrif llinellau a bu'n rhaid imi roi'r gore iddi wedi mynd dros y dau gant i geisio esbonio f'ynfydrwydd yn rhoddi'r fath linyn mesur ar 'gampwaith artistig'. Ond mi heriaf y beirniad rhifyddol hwn y gallaf ddangos iddo o leiaf ddeucant o linellau sy'n bendant ar y testun. A phe gwyddwn mai dyma'i linyn mesur, y mae amryw leoedd y gallwn fod wedi stwffio'r gair 'terfysg' i mewn yn lle'r gair priod.

Un gair arall am feirniadaeth yr Athro Lloyd Jones. Sut yn y byd y gallodd ysgolhaig o'i radd ef (a Gogleddwr hefyd) dybio oddi wrth un ffug-odl mai Deheuwr oedd awdur y gerdd pan oedd ynddi ymadroddion fel 'cae'r hogiau bach', etc.

YR ATHRO T. H. PARRY-WILLIAMS – Gyda phob parch i'r ddau feirniad arall, dyma'r ymennydd llywodraethol o'r tri ac er i'r tri efallai farnu'n annibynnol nad oedd fy mhryddest ar y testun y mae'n anodd gennyf gredu nad llais Parry-Williams a setlodd y cwestiwn yn derfynol rhyngddynt.

Ac o sôn am ei lais, dylwn ddywedyd mai un o wobrau sgrifennu'r gerdd ydoedd cael ei glywed yn adrodd soned ohoni yn y Babell Lên – er iddo ychwanegu anair at anaf trwy gamddyfynnu!

Ond at ei feirniadaeth. Soniais gynnau am ddidwylledd. Credaf mai dioddef gan glefyd gor-ddidwylledd yr oedd Parry-Williams pan farnodd nad oeddwn ar y testun.

Pan benodir bardd yn feirniad eisteddfodol, fe geir o'r cyfuniad y gŵr mwyaf cydwybodol dan haul. Caiff yr eisteddfodol feirniad y trechaf ar y bardd bob tro. Fe'i gormesir gymaint gan y gofal am FOD AR Y TESTUN nes peri ohono wrthod yn lân â darllen y testun i'r gerdd yn hytrach na darllen y gerdd i'r testun. A'r cydwybodolrwydd hwn, i'm tyb i, a barodd i fardd mor wych a beirniad mor graff wneuthur dyfarniad y bydd yn gywilydd ganddo amdano ryw ddydd os deil ei feddwl mor braff ag ydyw heddiw.

Gair i derfynu ar ddyfarniad y tri yn gyffredinol. Y mae gennyf brofiad fel cystadleuydd ac fel beirniad yn yr Eisteddfod Genedlaethol. Ac ni buaswn yn ddigon o ffŵl i wastraffu stamp ar anfon fy ngherdd i'r gystadleuaeth oni bai fy mod yn argyhoeddedig ei bod o fewn terfynau'r testun gweddol benagored.

Trwy wrthgyferbyniad y daw'r testun i mewn, ebe Parry-Williams. Ie, trwy wrthgyferbyniad ymennydd a llygad yr hunanleiddiad sydd, yn fwy nag un arall yn y byd, yn medru adleisio terfysgoedd daear.

Os nad yw terfysgoedd daear yn crynu trwy bob soned o'r bryddest, yna nid oes ias y Gaeaf yn awdl Lloyd Jones, na rhithyn o Atgof ym mhryddest Prosser Rhys, na sawr y Ddinas yn eiddo Parry-Williams.

Ac os oedd yn rhaid cadw at safonau rhifyddeg efallai y gall y tri beirniad ddywedyd wrthyf pa beth a ddisgwylient. Efallai mai proffwydoliaeth tywydd y Weinyddiaeth Awyr wedi ei dwbl-odli'n gywrain a atebai'r pwrpas. Fodd bynnag, nid oes gennyf ond gobeithio na wna beirniaid y fath gam dybryd â neb arall.

* * *

YMATEB YR ATHRO W. J. GRUFFYDD[4]

Yn rhifyn Hydref 1939 *Y Llenor* (Cyf. XVIII, RHIF 3, tt. 129-130), mae W. J. Gruffydd yn neilltuo rhan gyntaf 'Nodiadau'r Golygydd' i drafod Eisteddfod Genedlaethol Dinbych 1939 ac, yn bennaf, i ddadlau achos Caradog Prichard (gan roi 't' yn ei gyfenw bob tro) a mynegi ei farn ar ddyfarniad y tri beirniad ar bryddest Caradog:

Anodd dywedyd paham y mae mwy o sôn am Eisteddfod Dinbych nag am eisteddfodau eraill; efallai oherwydd na bu yno gadeirio na choroni, a phrofir unwaith eto nad rhagoriaeth mewn barddoniaeth sy'n ennyn diddordeb 'torf' yr Eisteddfod, ond pasiant y coroni neu'r cadeirio. Yn wir, gwelais lythyr i'r wasg gan un dyn athrylithgar yn awgrymu rheol newydd, – bod yn *rhaid* i'r beirniad enwi'r gorau, pa mor sâl bynnag fo'r gystadleuaeth, er mwyn sicrhau'r seremoni, a rhag difetha'r eisteddfod! Ar y pwnc hwn, y mae gennyf 'ddau feddwl', fel gwraig Teyrnon gynt. Un yw na buaswn i'n bersonol wedi gwrthod y goron i bryddest Mr Caradog Pritchard, a'r llall yw awydd i longyfarch beirniaid y Goron am beidio â gwobrwyo gwaith annheilwng y gweddill o'r gystadleuaeth, a beirniaid y Gadair am gadw'r safon yn yr un modd. Y mae llawer ohonom yn argyhoeddedig ers tro fod awdlau a phryddestau – yn enwedig bryddestau – wedi eu gwobrwyo lawer gwaith yn y ganrif hon a hwythau'n annheilwng; nid cynorthwyo barddoniaeth yng Nghymru y mae hynny ond ei llesteirio, a chan mai un o brif amcanion yr Eisteddfod yw rhoddi help i gynhyrchu rhagoriaeth, mae'n amlwg bod cydnabod cyffredinedd yn groes i'r amcan hwnnw. Bu rhai Cymry da yn y gorffennol – a Syr Owen Edwards yn eu plith – yn dal mai pwrpas yr Eisteddfod oedd calonogi beirdd a llenorion Cymraeg i ddal i ysgrifennu, ac nad oedd teilyngdod llenyddol yr hyn a ysgrifennid ond peth eilradd. Cafodd llenyddiaeth Cymru yn niwedd y ganrif ddiwethaf dalu'n ddrud am y camfarnu hwn; nid gormod yw dweud bod anniddordeb llawer o Gymry yn niwylliant eu gwlad a hyd yn oed eu gelyniaeth ato yn tarddu'n uniongyrchol o hyn. Pe na bai ond un bardd yn canu yng Nghymru, yr wyf yn credu bod cael un gwaith prydyddol a ddeil ei gymharu â gwaith gorau gwledydd eraill yn fwy o amddiffyniad i'r iaith Gymraeg na phe bai miloedd o sgriblwyr yn bwrw cynhyrchion iselradd ar y wlad. Yn wir, yr wyf yn meddwl ar ôl blynyddoedd o brofiad yn yr Eisteddfod a thu allan iddi fod llawer gormod o bobl yn ceisio 'ysgrifennu' yn y dyddiau hyn; o leiaf, fod llawer gormod yn cystadlu ac yn gosod eu gwaith mewn argraff.

Soniais gynneu am bryddest Mr Caradog Pritchard. Cafodd ganmoliaeth uchel gan y beirniaid, ac yr wyf yn llwyr gytuno â hwy yn hynny, ond yn fy myw ni allaf ddeall pam na roddwyd y Goron iddo. Ataliwyd hi am nad oedd y driniaeth yn ddigon agos i'r testun 'Terfysgoedd Daear', – ond holl bwynt y bryddest yw ymwneuthur ag *un* o derfysgoedd mwyaf enaid dyn, ac onid yw terfysgoedd mewnol yr enaid yn un o 'Derfysgoedd Daear', yna nid oes ond un ystyr i enwi testun i'r bryddest, sef yr ystyr a roir i destun traethawd. Yn sicr, pe gosodasid 'Y terfysg presennol yn Ewrop' yn destun i'r prif draethawd, ni ellid gwybrwyo gwaith hyd yn oed o'r gwychaf, a fyddai'n ymdrin â synfyfyrion dyn ar fin cyflawni hunanladdiad. Ond ai fel yna yr ydym i ddeall y bydd yn rhaid barnu barddoniaeth yn y dyfodol? Os ydym am gael cân *ar destun*, rhaid inni er mwyn tegwch â'r cystadleuwyr nodi rhywbeth hollol bendant a diriaethol fel *Dinistr Jerusalem* neu *Drylliad y Rothsay Castle*. Ni ellir cyfiawnhau gosod testun niwlog amhendant fel 'Terfysgoedd Daear', ac yna wrthod gwaith campus am nad yw'r bardd wedi ei ddeall yn yr un modd â'r beirniad. Onid wyf yn camgymryd, dyfyniad o un o ganeuon Parry-Williams yw'r geiriau 'Terfysgoedd Daear', ac mae'n amlwg y gellir eu dehongli mewn dwy ffordd, – yn ôl eu hystyr yn eu cyd-destun yn y gân neu yn ôl hynny o ystyr a deimla'r pryddestwr ynddynt. Am y gyntaf, nid teg cosbi cystadleuydd am na ŵyr o ba le y daeth y testun; nid arholiad mewn llenyddiaeth Gymraeg yw'r gystadleuaeth, a gallaf ddychmygu ei bod yn bosibl i ddyn fod yn fardd hyd yn oed o'r radd flaenaf ac yntau heb ddarllen gwaith Parry-Williams, – na W. J. Gruffydd. Am yr ail ffordd, beth yw *ystyr* 'terfysgoedd daear' ar wahân i'r *awgrym*? Ai terfysgoedd naturiol y belen hon, ai terfysgoedd bywyd yn gyffredinol? Os yr ail, beth sydd o'i le ar driniaeth Caradog Pritchard o'r testun? Clywais lawer o feio ar rai ohonom ein bod yn tarfu pobl o'r gystadleuaeth drwy fynnu safon rhy uchel; nid yw'r cyhuddiad yn wir, – yr oedd tua chwech ar hugain o bryddestau yn y gystadleuaeth ddiwethaf y bûm i yn ei barnu. Ond dyma, mae arnaf ofn, ffordd farwol effeithiol o ladd y gystadleuaeth, – sef drwy roi testun amhenodol a gwrthod y gwaith gorau am nad yw'n ddigon penodol.

A dyna W. J. Gruffydd yn traethu'i farn yn glir a diflewyn-ar-dafod, yn ôl ei arfer, gyda chefnogaeth y byddai Caradog Prichard wedi ei gwerthfawrogi'n fawr.

Tynnwyd llun Caradog a Mattie ar faes yr Eisteddfod yn Ninbych, gyda phabell y *Faner* y tu ôl iddyn nhw. Dyma eiriau Caradog yn *ADA* (t. 118) wrth iddo edrych wedyn ar y llun (a atgynhyrchir ar y dudalen nesaf):

Mae golwg llewyrchus arnom ein dau, ond o graffu ar y llun i gadarnhau'r hyn a sgrifennir yma, gwelaf lawer o arwyddion y gwendid a fu, ac ychydig, ar wahân i'r siwt drwsiadus, o'r glendid a fu. Yr wyneb yn llawn ond yn llwyd ac arno'r grechwen slei yn brawf o'r euogrwydd oedd yn pwyso arnaf. A rhwng y bysedd, yr hen dragwyddol sigarét. A chynnwys cyfnodau byrion o ymatal a derbyn cyfartaledd mor isel â deuswllt y dydd, mae swm frysiog yn dangos imi wario ymhell dros fil o bunnoedd ar smocio er y diwrnod hwnnw ar y maes yn Ninbych.

Mae'n werth nodi ar ddiwedd yr adran hon fod hanes, ar un wedd, wedi cael ei ailadrodd yn Eisteddfod Genedlaethol Ystradgynlais ym 1954. Unwaith eto, sathrwyd ar gyrn y bardd swil pan na phlesiwyd y beirniaid gan ei awdl, 'Yr Argae'. Ychydig iawn o le a roddwyd i'w chrybwyll ym meirniadaeth Gwenallt er iddi gael ychydig mwy o sylw gan y ddau feirniad arall, Meuryn ac Edgar Phillips. Aeth Caradog Prichard ati i'w chyhoeddi'n breifat a chynhwysodd gyflwyniad byr ar y tu mewn i glawr y llyfryn bychan 8 tudalen, gyda chwestiwn i'r darllenwyr ar y diwedd:

Dyma'r awdl gan 'Nant y Benglog' y methodd beirniaid y Gadair yn Eisteddfod Genedlaethol Ystradgynlais â'i deall. Dywedodd Gwenallt fod y weledigaeth wedi ei thagu gan ddiffyg techneg y canu caeth. Dywedodd Meuryn fod ei chrefftwaith yn gampus ond nad oedd ystyr i'w hymadroddion. A dywedodd Edgar Phillips fod ei darllen yn flinder i'r cnawd.

BETH DDYWEDWCH CHWI?

Caradog a Mattie ar faes yr Eisteddfod Genedlaethol yn Ninbych ym 1939

Mae'r Nodiadau y cyfeirir atynt yn yr adran hon i'w gweld ar dudalen 311

Y 'Professor of Poetry' yn Rhydychen

Trafodais hanes y fenter hon yn *BaBCP* (tt. 144-145) ond daeth copi o'r union gais a gyflwynodd Caradog Prichard am y swydd i'r fei'n ddiweddar ymhlith ei bapurau.

Gwyddai Caradog yn dda nad oedd llawer o obaith ganddo i gael ei ethol yn 'Professor of Poetry' ym Mhrifysgol Rhydychen ym mis Tachwedd 1968 a haerai i'r cyfan ddechrau fel 'tipyn o hwyl'. Serch hynny, o ddarllen ei gais, ceir yr argraff ei fod yn gwbl o ddifrif, er yr ambell gyfeiriad ysgafn, a'i fod yn eiddgar i gael ei ethol i'r swydd.

1) As I have not been generally translated, and I can hardly expect you to take me on trust, may I offer one or two quotations from 'A History of Welsh Literature', the late Sir Idris Bell's translation of the Welsh work[1] by Principal Thomas Parry of the University College of Wales, Aberystwyth:

   (a) 'The poem reveals imaginative power, originality and a highly individual conception, but its very originality entails some risk of obscurity, which the author has not always avoided. The verse, rather too rich in texture perhaps, is of excellent quality, easy and musical in its flow and varied in its rhythm, and the diction is forceful and free from triteness. Much of it is of singular beauty.'

   (b) 'In 1939 Caradog Prichard was a competitor for the Crown at the Denbigh Eisteddfod on the theme 'TERFYSGOEDD

DAEAR' ('Earth's Tumults') but no award was made because the adjudicators, while they agreed in pronouncing his pryddest indubitably the best ('without any doubt,' said one of them, 'this is the great poet of the competition and his pryddest so far surpasses the productions of his rivals in poetic passion, richness of fancy and splendour of expression as to make the best of them insignificant beside it') held that it was not on the theme set. Its real theme is not earth's tumults but the means to escape from them into the 'Tower of Tranquillity'. That means, it appears, suicide, of which the poem is in effect a Laudation.'

(c) 'He is a poet of marked originality, who, unlike many Welsh writers, has by preference shunned the trodden ways.'

2) Having committed literary suicide in that fateful year of 1939, I embarked on a period of indifferent (or was it different?) war service, and returned to take refuge on the Parliamentary desk of The Daily Telegraph. In this congenial if over industrious sanctuary I have over the past 20 years experienced spasmodic resurrections, one of which resulted in my winning the Bardic Chair in 1962 for a traditional ode described by one of the judges, Sir Thomas Parry-Williams, Honorary Fellow of Jesus College, Oxford, as 'a work of power and grace.'

3) I intend, if elected, to make a wide survey of 20th century Welsh language poetry and, in a series of lectures, present the best of it in translation, to those who have not yet been privileged to savour it.

4) Lastly, on the strength of the poetry I have showered like a benediction on all the English political parties, with fear but without favour, in newspaper headlines, I would ask for the sympathy and support of colleagues in Fleet Street, of whatever colour, creed or persuasion.

Ac fe gafodd Caradog gefnogaeth frwd gan ei gydweithwyr yn Stryd y Fflyd, a chan staff y *Daily Telegraph* yn arbennig. Yn wir, gŵr o'r enw Harold Atkins (1910-2002)[2], newyddiadurwr praff ac uchel ei barch ar y *Telegraph*, cydweithiwr a chyfaill i Garadog, oedd y tu cefn i'r ymgyrch i'w gael yn Athro Barddoniaeth yn Rhydychen.

Fodd bynnag, cafodd Caradog ei siomi gan y gefnogaeth lugoer a thila a gawsai o Gymru ac ystyriai mai hynny, ynghyd â'i ddiffyg hunan-hyder, a barodd iddo fethu cael 'digon o bleidleisiau i chwifio baner Cymru ar

Barnasws Athen Lloegr'. Yn wir, dim ond 29 o bleidleisiau a gafodd[3]. O'r 11 o ymgeiswyr, Roy Fuller a enillodd gyda 385 o bleidleisiau. Roedd Fuller, brodor o Sir Gaerhirfryn, yn fardd adnabyddus yn ogystal â bod yn nofelydd ac yn awdur sawl cyfrol o atgofion. Parhaodd yn Athro Barddoniaeth yn Rhydychen tan 1973.

DAU DYSTLYTHYR

Mae'r Nodiadau y cyfeirir atynt yn yr adran hon i'w gweld ar dudalen 311

Barn ei gyn-brifathro
a chydweithiwr

Ysgol y Sir, Bethesda, tua'r adeg yr oedd Caradog Prichard yn ddisgybl yno

Ym mis Mawrth 1922, ac yntau'n ddwy ar bymtheg oed, gadawodd Caradog yr Ysgol Sir[1] ym Methesda, dewis a orfodwyd arno, mewn gwirionedd, gan yr amgylchiadau trist yn ei gartref yn y Gerlan, Bethesda. Roedd gorffwylledd ei fam yn gwaethygu a'i thlodi'n dwysáu. Penderfynodd Caradog nad oedd dim amdani ond mynd ati i chwilio am waith i gynnal y cartref a bod yn gymaint o gefn ag y bo modd i'w fam weddw. Cafodd swydd yn brentis is-olygydd ar *Yr Herald Cymraeg* yng Nghaernarfon a chafodd groeso yno gan aelodau o'r staff, pobl fel R. J. Rowlands (Meuryn)[2], Gwilym R. Jones[3], Morris T. Williams[4], Jo Davies ac eraill. Er gwaethaf cydymdeimlad diffuant a chymorth ymarferol ei gydweithwyr, doedd blwyddyn gyntaf Caradog yng Nghaernarfon ddim yn gyfnod hapus yn ei hanes. Teimlai ei fod, yn ei eiriau ef ei hun, yn 'bustachu byw a chysgod adfeilion y cartref ym Methesda yn fy rheibio ddydd a nos'.

Pa ryfedd, felly, iddo ystyried newid gyrfa ym 1923 a throi ei olygon at geisio gwireddu breuddwyd fu ganddo er pan oedd yn ifanc iawn i fod yn offeiriad, fel ei annwyl Ganon (y Parchedig Richard Thomas Jones[5], Ficer Eglwys Glanogwen, Bethesda) sef, yng ngolwg Caradog, 'y Person mwyaf a welais erioed'. Aeth ati i drefnu cyfweliad gyda Warden Hostel yr Eglwys ym Mangor, gyda golwg ar gael ysgoloriaeth i fynd i'r Coleg. Caiff hyn ei gadarnhau mewn dau lythyr a ddaeth i'r golwg yn ddiweddar, y ddau'n amlwg yn ymateb i gais gan Garadog am dystlythyr i gefnogi ei gais.

Meuryn oedd un o'r bobl y gofynnodd Caradog iddo ysgrifennu tystlythyr ar ei ran ym 1923. Teipiwyd hwnnw ar ben-llythyr *Y Geninen*, y cylchgrawn Cymraeg cenedlaethol, a gyhoeddwyd yng Nghaernarfon gan W. Gwenlyn Evans a'i Fab, a Meuryn yn olygydd arno. Serch hynny, cyfeiriad ei gartref a roes Meuryn ar frig y llythyr, sef Garth Celyn, Caernarfon, a'r dyddiad Mehefin 8, 1923, o dano:

Y mae'n bleser o'r mwyaf gennyf gael dwyn tystiolaeth i Mr Caradog Pritchard. Yr wyf yn ei adnabod yn bur dda ers tro bellach, a chefais well cyfleustra nad odid neb i mi ymgydnabyddu ag ef. Nid oes ynof ronyn o betruster i ddywedyd bod ei gyraeddiadau meddwl yn uwch o lawer na'r cyffredin, ac y mae'n ddysgwr diguro. Fel golygydd 'Yr Herald Cymraeg', gallaf dystio bod ei waith ynglŷn â'r newyddiadur hwnnw yn rhagorol iawn. Daeth i weithio ataf yn syth o Ysgol Sir Bethesda, lle'r oedd wedi gwneuthur yn dda, a chanfûm ar unwaith fod ei wybodaeth o'r iaith Gymraeg yn eithriadol i fachgen o'i oed. Bu ei gynnydd er pan ddaeth i Swyddfa'r 'Herald' i weithio yn amlwg iawn. Dysgodd fanylion yr orgraff gydnabyddedig yn rhwydd ac yn dra chyflym; a mentraf ddywedyd nad oes yng Nghymru heddyw fachgen o'i oed a fedr ysgrifennu Cymraeg mor gywir ag ef.

Mae Mr Caradog Pritchard hefyd yn fardd ieuanc nodedig o addawol. Yr wyf yn synio'n uwch o'i allu a'i ragolygon na neb o fechgyn Cymru heddyw. Hefyd y mae'r rhagoriaethau hyn sy mor amlwg ynddo yn dangos cymhwyster arbennig ar gyfer y gwaith o bregethu a dysgu'r bobl. Os caiff y cyfle i fyned rhagddo i goleg i ddysgu bydd yn sicr o ddyfod yn ŵr o ddylanwad yn yr Eglwys yng Nghymru a bydd o wasanaeth mawr iddi. Mae ei uchelgais i'r cyfeiriad hwnnw, ac ni wn i am neb a fanteisiai'n well nag ef ar gwrs o addysg golegawl. Bûm yn siarad llawer ag ef a gallaf dystio ei fod yn fachgen egwyddorol ac o gymeriad pur. Byddai ei golli o'r swyddfa yn golled fawr iawn, yn wir, i mi, ond llawenhawn o'm calon ei weled yn llwyddo yn y maes y mae ei fryd arno. Yr wyf yn galonnog iawn yn ei gymeradwyo i sylw awdurdodau'r Eglwys.

R. J. Rowlands (Meuryn)

*　　*　　*

Y gŵr arall y troes ato i ofyn am dystlythyr oedd D. J. Williams[6], Prifathro'r Ysgol Sir ym Methesda. Mehefin 9, 1923, yw'r dyddiad ar ei lythyr ef:

Caradog Pritchard was a pupil at this school for five years and two terms. During that time he passed through the whole school and was in the top form when he left.

He passed the Senior Certificate in all the Welsh Matriculation subjects, and did two terms of Higher Certificate work.

His conduct and diligence while at this school were entirely satisfactory. He has plenty of ability and if circumstances had allowed him to continue the Higher work I believe he would have done very well.

He did brilliant work in Welsh both at school and in Local Eisteddfodau.

I can strongly recommend him for any help to enter the Church and am certain that he would do well.

D. J. Williams MA, Headmaster,
Late Senior Scholar | Worcester College, Oxford

Ond aflwyddiannus fu ei gais am ysgoloriaeth i fynd i'r Coleg a'i sylw cryno ar y profiad hwnnw oedd: 'Dyna ddiwedd ar fy mreuddwyd am Ei Ras y Parchedicaf Caradog Prichard, Archesgob Cymru.'

Byr fu arhosiad Caradog yng Nghaernarfon wedi hynny, gan i'w bennaeth, W. G. Williams[7], ei anfon 'i gynrychioli'r *Herald* yn Nyffryn Conwy gyda Llanrwst yn ganolfan.'

DYDDIADUR CARADOG PRICHARD

'Dyddiadur' (anghyflawn)
o Ionawr 1, 1963, tan Chwefror 6, 1980

Mae'r Nodiadau y cyfeirir atynt yn yr adran hon i'w gweld ar dudalen 312

'Dyddiadur' (anghyflawn)
Ionawr 1, 1963, tan Chwefror 6, 1980

M ae'n werth dyfynnu rhai o'r cofnodion a gadwyd ar ffurf dyddiadur gan Garadog Prichard, cofnodion sy'n dechrau ar Ionawr 1, 1963, ac yn dod i ben gyda chofnod ar ddydd Sadwrn, Chwefror 6, 1980 (er na chafodd pob blwyddyn na phob mis na phob diwrnod sylw!). Mae'r dyddiaduron hyn yn y casgliad o bapurau Caradog Prichard yn LLGC, 1-14.

Ceir cofnodi gweddol fanwl ar ddechrau pob blwyddyn ond yn llai manwl wrth i'r flwyddyn fynd rhagddi ac mae'r cofnodion yn ysbeidiol iawn erbyn diwedd pob blwyddyn.

1963

Ionawr 1 (Mawrth)
Tyngu llw i lwyrymwrthod weddill y flwyddyn, ac i wneud digon o arian i fyw'n ddiddyled.

Ionawr 3 (Iau)
Yn y gwely'n rhestio hyd ganol dydd, a'r annwyd beth yn well. Y gwaith yn ddiflas a di-hwyl yn yr offis. Mati a Mari'n fy nisgwyl adref yn serchog mewn ystafell gynnes, minnau fel surbwch heb ddim i'w ddweud wrthynt. Arwyddion cyntaf melancolia a manic depression? Cymer ofal yr hen gâr. Prynais botel o donic (Metatone) gan obeithio y bydd yn fy nghodi o'r pwll.

Ionawr 5 (Sul)
I'r gwaith yn y ST [*Sunday Telegraph*] yn y car, a'r car yn gloff er y
doctora a fu. Teimlo, fel erioed, fod y gwaith yn hollol ddibwrpas a
dyheu am waith a roddai ryw nod i fywyd. Nid yw hwn hyd yn oed
yn cyflawni ei unig amcan, sef talu'r rhent. Adref i ginio da a chwmni
serchus y merched …

Ionawr 9 (Mercher)
Dim arian o gwbl. Gorfod benthyca i gael swper.

Ionawr 10 (Iau)
Llythyr i Mati oddi wrth Gymdeithas Ryddfrydol Arfon yn gofyn am
gael rhoddi ei henw ymlaen fel Ymgeisydd Rhyddfrydol Arfon! Trafod
y mater yn ddwys ac annog Mati i gytuno.

Ionawr 14 (Llun)
Llythyr o'r MB [Midland Bank] Bethesda yn dweud bod arnaf £46 …
Sgrifennu colofn Teledu Cymru … Y car heb drwydded … Dim llawer o
hwyl ar gysgu.

Ionawr 15
Talu 7½ gini i'r banc. Prynu trwydded radio £4 … Mati'n derbyn gini
o'r Standard am stori Jean.

Ionawr 16 (Mercher)
Pen-blwydd Glyn, fy mrawd, a ymfudodd i Ganada, ac am hynny
a wn i, sydd wedi marw yno[1], gan na chlywais ddim o'i hynt ers
blynyddoedd. Buasai'n 61 heddiw, druan a fo. Torri llw dirwest a chael
tipyn o gwrw a whisgi i hybu'r galon. Ffonio Gwasg Gee … am freindal
ar 'Un Nos Ola Leuad'. Charman yn addo sgrifennu ac yn fy annog i
fynd ymlaen a'r 'Genod'[2]. Rhaid i mi ddal ati!

Ionawr 17
Llythyr gan Charman yn dweud bod rhyw £26 o freindal i ddod. Druan
o awdur o Gymro … Cael cyfrif o Fethesda, debit £47. Anfon £10 i
Rootes [taliad ar ei gar]. Dim ond £12 o ddyled eto ar y car.

Ionawr 30 (Mercher)
Ffrae ag E yn yr offis. Bydd yn rhaid gwneud rhywbeth ynghylch y
diawl. ['E' oedd Peter Eastwood[3], golygydd nos ar y *Daily Telegraph*,
pennaeth Caradog.]

Chwefror 4 (Llun)
Sgrifennu llith i'r 'Cymro'[4] (Mati Wyn) ar gyngerdd y myfyrwyr … Cur yn y pen – hel meddyliau am yr Angau!

Chwefror 8 (Gwener)
Llythyr gan y DT [*Daily Telegraph*] yn codi nghyflog i £1900 [tua £35,000 heddiw]. Ond nid yw'n hanner digon i fyw arno yn Llundain heddiw.

Mawrth 15 (Gwener)
Croeso Dinesig[5] ym Methesda. Pennawd y Cymro: Noson Fawr a'r Gwyrthiau'n Stôr o Dynymaes i Donnau'r Môr[6]. Aros yn y Victoria. Hwyl fawr yn y Capel Mawr[7] a chwrdd â llawer o hen gyfeillion. Wedyn drosodd i Glwb Darby a Joan a chael anrheg: 'oriawr Wil Wanderin'[8]. Y glaw'n dylifo erbyn hyn. Mynd â'r darlun o Bont Tŵr[9] yn ôl i'r Victoria. Ac i'r gwely'n hwyr wedi noson gofiadwy.

Mawrth 16 (Sadwrn)
Diwrnod mwy cofiadwy fyth! Ethol Mati'n Ymgeisydd Rhyddfrydol dros Arfon![10] Araith wych ganddi yn y Liberal Club. Te yn y Royal a Glenys Edwards[11] yn ein dreifio i bobman. Wedi galw ar WJ[12] yn Neiniolen a chlywed cwyno am ei 'heart attack'. I fyny i Danygarth[13] am de ac i Fangor am ginio gyda Mair ac Owie Thomas a Merfyn.

Mawrth 17 (Sul)
Cymuno yng Nglan Ogwen[14] gyda Mari. Clywed y Ficer yn dweud wrth y plant newydd eu conffyrmio i mi gael fy nghonffyrmio yn St Mair, Gelli [Eglwys ar gyrion Tregarth, ger Bethesda], Ebrill 6 1918, a chael fy Nghymun cyntaf yng Nglanogwen Mai 5, 1918.

Ebrill 28
Clirio a stau[15] papurau. Biliau rif y tywod mân!

*   *   *

Nid oes cofnod o gwbl ar gyfer 1964 na 1965.

*   *   *

1966

Chwefror 14 Llun
Marw William John[16].

Chwefror 18
Cyrraedd Bangor. Aros yn y Waverley [gwesty dros y ffordd i'r orsaf reilffordd ym Mangor]. Noson weddol o gysgu. Cyngor Mari: 'Nac edrychwch ar y corff'.

Chwefror 19 (Sad)
Angladd William John. Diwrnod galarus, glawog a chymylog. Ond cododd yn braf dros awr yr angladd.

Chwefror 20 (Sul)
Siwrnai adre. Cwmni Howell i Gaer.

Mawrth 6 (Sul)
Communion Llandinorwig 10am. Walked up to Bwlch Uchaf[17]. Lunch with Mrs Thomas [sef Mrs Mary Thomas, a edrychasai ar ôl William John Brown yn ystod dwy flynedd olaf ei oes]. Went through WJ's diaries, &c. Memorial Service 6pm. Rev. Glyndwr Williams officiating. Swper yn y Vicarage. Took WJ's watch & lighter.

Mawrth 31
General Election Day. Voted Liberal!

Mai 23
Posted Howell £500. Llythyr siom Mrs Thomas. [Roedd Mrs Thomas dan gamargraff fod William John Brown wedi gadael mil o bunnau iddi yn ei ewyllys.]

* * *

1967

Ar ddechrau 'dyddiadur' y flwyddyn hon, ceir rhestr o enwau 'hen gydnabod' yr oedd Caradog yn awyddus i fynd i'w gweld yn ystod y flwyddyn. Ni chynhwysaf yr enwau hynny yma gan eu bod eisoes wedi eu cofnodi yn *BaBCP*, t. 143.

Ionawr 23
Dr Geraint Jones called to take Mattie to Royal Northern Hospital,
Holloway, for breast diagnosis.

Ionawr 29 (Sul)
Took Mattie to Hospital ...

Ionawr 30 (Llun)
Mattie's operation 8.30 am.

Chwefror 15 (Merch.)
Anna & I collected Mattie from hospital at 2pm. Great berserk welcome
from Benjy.

[*Au pair* oedd Anna a gyflogwyd gan Garadog (heb gyfrif y gost) i helpu ar
achlysur llawdriniaeth Mattie. Gall y cyfeiriad bach ysgafn 'na at groeso'r
ci fod yn cuddio'r boen a'r pryder a deimlai Caradog a'r ofn oedd ganddo o
golli Mattie.]

*   *   *

1968

Ymhlith y cyfeiriadau a restrwyd ganddo yn ei gofnodion ar gyfer y flwyddyn
hon, ceir:

> Ewart a Myf[18], Fron, 3 Bank Llugwy, Betws y Coed. Phone: 285.
> Awen Jones[19], 50 Bryn Meurig, Pensarn, Caerfyrddin.

Awst 6 (Mawrth)
Crowning of the bard – Haydn Lewis[20], who sang about his dead
daughter, Carol, 23. I dressed up for the Gorsedd in the a.m. and for
the Crowning. It was so pleasant. M & M want me to be Archdruid. Not
bloody likely!

Awst 8 (Iau)
Perfformiad o 'Tan y Wenallt'. Awen (sut ma'i ers 40 mlynedd![21]).
Cymaint i'w ddweud ond rhaid claearu ac ymatal.

Awst 10 (Sadwrn)
Met Miss Frances Rees[22], Mattie's head. Marvellous woman at 79.
Made my week.

Awst 11
Mari is 21 today.

Awst 12
Howell is 68 today. Sent him a card.

*   *   *

1970

Medi 13
Gave up smoking.

*   *   *

1971

Chwefror 11 (Iau)
24 mlynedd i heddiw y dechreuais weithio ar y DT.

Mawrth 11 (Iau)
Darlith Bethesda[23] yn Festri Jerusalem. 7pm. Symud o'r festri i stafell
fwy gan gymaint y cynulliad. Ond darlith dila iawn.

Mawrth 12 (Gwener)
Ymweld â Llwyn Onn[24] a Thanyfoel. A chwrdd â llawer o hen
gyfeillion. Ymweld â Laura[25] yn St David's Hospital. Richard Hughes
yn ein dreifio i Lanfachraeth.

Mawrth 13 (Sadwrn)
Trip rownd Sir Fôn hefo Richard Hughes. Gweld bedd Cynan ar Ynys
Tysilio. Cinio yn Llangefni a the ym Mangor.

Ebrill 9 (Gwener)
Marw Laura yn 75. Yr angladd yn Edern. Anfon blodau.

Ebrill 11 (Sul)
Rhoddi heibio smygu'n derfynol. Pa ddydd gwell i ddod o'r rhwymau hyn yn rhydd? …

Ailddechrau smygu'n derfynol! [A 'smygu a wnaeth tan ei flwyddyn olaf un ar y ddaear.]

Awst 5 (Iau)
Darlith i'r Cymmrodorion 'Coronau a Chadeiriau'. Fy ngorau hyd yma!

*   *   *

1972

Ionawr 13
Ivor Griffith[26] 4.30pm. Wants me to go to Hammersmith Hospital for throat op in six weeks. My doubts. Get it done in the next three weeks.

Chwefror 6
Penderfynu tyfu barf.

Chwefror 7
Siafio!

Chwefror 24
Ivor Griffith 3.30pm. Op postponed again. Advised to seek sun. Malta proposed.

Mawrth 22
Clywed ar y ffôn fy mod i gael tenantiaeth Bryn Awel [Y tŷ a gawsai dan rent yn Llanllechid, ger Bethesda]. Ardderchog! Chwarae teg iddyn nhw.

Mai 11
Enter London Clinic.

Mai 12 (Gwener)
Operation[27].

Medi 9
Marw Howell [ei frawd] 12.30am.

Medi 13 (Mercher)
Angladd Howell.

*   *   *

1973

Mawrth 31
Mari's Glorious Wedding to Humphrey.

*   *   *

1975

Mai 20 (Mawrth)
Willie [y pwdl] born.

Gorff 15
Wili's worm tablet.

Gorff 22
Willie 9 weeks old.

Gorff 29
Wili's worm pill.

*   *   *

1978 (nodiadau a gadwyd mewn llyfryn gyda 'Cash Book' ar y clawr).

2 July (Sun)
Gardening! Took down forsythia by mistake. Drank 2 pints of lager.
Ych!

Sept 27
Mari's baby girl born. 6lb 2oz. Both doing well.

Oct 2
Went to Oxford to have first sight of Mari & Humph's Clare Nia. Lovely baby.

*   *   *

1979

Ionawr 9 (Mawrth)
Went to Bart's Hospital as outpatient. After being examined, was asked to stay in. Admitted to Waring Ward on ground floor.
    Trafferthion ariannol dwys yn parhau.

Ebrill 4 (Iau)
Anniversary of my father's death (74th). Killed in quarry on rock face when I was 5 months old. Our house in Pen y Bryn went on fire and my father's coffin had to be dragged out from the flames. Someone disfigured his gravestone, presumably because he returned to work in the quarry too early for the strikers[28]. When I went to see his grave after winning Eisteddfod Crown the tar marks had been erased. Must go to tidy the grave and paint the railings around it white.

Ebrill 6 (Gwener)
Mattie's birthday. Gave her all my love and £25.

Hydref 16 (Mawrth)
Alan, my brother Howell's son, phoned to say that Mary, Howell's widow (he died in 1972, being the same age as the century) died last Friday. She had trouble with her leg and had had it amputated. Burial is on Friday, leaving the house at 12.30pm. We decided, after some consideration, that we could not go, and ordered a wreath from Harrods. We had thought of a trip to Grassington to see Harker[29], calling in Sheffield on the way, but as it is an extra 50 miles we decided we couldn't make it. Mattie promised to tell William Emyr, the late cousin Laura's son, in case he might want to go. He lives in Bangor.

Hydref 17 (Iau)
Elwyn & his family called. We went in Elwyn's car to show them Hampstead, where Mattie seemed to know where everybody lived, Richard Burton, Peter O'Toole, etc., etc. We went to show the boys, Garmon & Gwyndaf, the Spaniards and Jack Straw's Castle & then

went to Kenwood, where we played ball with Willie and had tea. Willie was disturbed and bit Mattie's foot[30] till it bled. We came home via Swiss Cottage and had a fine supper prepared by Mattie.

* * *

1980

Chwefror 6
Entered Barts 12 noon driven by James (next door). James drove M home. M came back all the way to give lady doctor case history.

Chwefror 7 (Iau)
Doctor's second call. On his first, when he asked me why I was here, I gave him a silly answer: 'Because of weakness'. This time I said nobody seemed to know and they were making tests trying to find out. Gave urine sample. Coughing very badly. Emergency doctor who called at home (before I came to Barts) said I had bronchitis. James drove me to Barts after Dr Libby had got Linford[31]'s registrar (? Dr) to get me into Rahere Ward. Usually an 'injuries ward' but all medical patients at present …

Chwefror 8 (Gwener)
9.30 am. Taken from ward … for X-ray. Wheeled by elderly orderly through corridor and across yard. Frontal chest X-ray and then sideways. Wheeled back to ward & sat in chair by bed, next to Rot Veg, who has been such a bane of my life. Trying to practise patience & tolerance, like nurse, who said she was sorry for him as he was old. Struggled with boiled egg for breakfast. Managed half of it. Awake 6 am. Agonising wait for cup of tea at 8.30 am. Rot V moved to another ward & gentler neighbour installed. Blood extracted from weak vein. Minimum requirement secured. Fish & chips & apple crumble supper. Must shave. Had good wash & shave. Pleasant surprise. Visit by Mattie. Clare better. 7.30 pm: Had Friars Balsam to relieve bad fit of coughing.

Chwefror 9 (Sadwrn)
Wales v England at Twickers. Late last night they brought in a Mr Winter, a rough diamond picked up in Holborn collapsed. In next bed to me. He died about midnight when I was dozing. Hillbilly Boys in high spirits for most of night – loud & clear! Trying to get Cortisole but none available, being week-end. 'We'll get you physiotherapist on

Monday,' said Nurse, 'to get rid of that sputum.' Throat slightly swollen and there is flatulence. Coffee at 8 am.

[Yr uchod yw'r cofnod olaf yn y 'dyddiadur']

*   *   *

Lai na phythefnos wedyn, ar ddydd Llun, Chwefror 25, 1980, bu farw Caradog Prichard yn Ward Rahere, Ysbyty Bartholomew, Smithfield, Llundain, yng nghwmni Mattie a Mari.

DEUNYDD AMRYWIOL

Mae'r Nodiadau y cyfeirir atynt yn yr adran hon i'w gweld ar dudalen 315

Amryw Bytiau o blith Papurau Caradog Prichard

Yn llawysgrifen Caradog Prichard, ar ddalen rydd o bapur, ceir y canlynol, gyda'r teitl 'Cerdd gan Garadog Prichard', a'r ychwanegiad uwchben y parodi yn dangos lle a phryd y gwelodd olau dydd:

Yr Herald Cymraeg, Gorffennaf 28, 1931.

Bugeilio'r Gynau Gwyn
(oddi ar y Maen Llog yn Aberafan)

Mi sydd fachgen ifanc ffôl
Yn caru'n ôl fy ffansi
Ddoe'n gweld yr Orsedd yn ddi-lun
A heddiw'n un ohoni;
A thra bo dŵr y môr yn hallt,
A thra bo 'ngwallt yn tyfu,
Caf roddi'r esgus hwn ar goedd –
Mai 'nghlefyd oedd – Prydyddu.

Mi godais heddiw gyda'r wawr,
Gan frysio'n fawr fy lludded,
I uno â byddin fach y beirdd
Diarfog, heirdd yn cerdded;
A dyma fi'n y rhengoedd blaen
Ar ben y Maen am ennyd,
A chan nad wyf ond hanner cam
O Fargam, dyma f'ergyd.

Er myned rhwysg, arhosed rhith
Y Twmpath Di-wlith acw,
A chynganedder crawc y Frân
Ag acen cân y Gwcw,
Cawn ninnau gwrdd pan ddelo'r dydd
Yn deulu diddan, diddan,
Dan heulwen dirion canol haf
Ym Mhrifwyl Aberafan.

*   *   *

Cawn, hefyd, ymhlith ei bapurau, yn ei lawysgrifen glir a thaclus, ysgrif na chafodd erioed ei chyhoeddi yn unman, hyd y gwn i.

Y Sgwrs

Fuoch chi mewn cariad? Do wrth gwrs. Pwy ohonom ni na chafodd y clefyd hwnnw yntefe? Mi fûm i dros fy mhen a 'nghlustiau amryw o weithiau nes imi o'r diwedd fagu tipyn o sens a phenderfynu mai'r bywyd delfrydol yw bywyd hen lanc. Wel, falle 'mod i'n eithriad i rediad cyffredinol a normal dynolryw, ac wrth gwrs y peth naturiol i'r rhan fwyaf ohonom yw rhoi'r het ar yr hoel a phriodi a dechrau byw. Dyna wnaeth Rhys a Meirion, ta beth.

Ond dyma fi'n rhoi'r cart o flaen y ceffyl. Am gariad a phriodi 'roeddem ni'n sôn yntefe? Ac yn y cyfnod cythryblus, anwadal hwnnw rhwng, dywedwch, gadael ysgol neu goleg, a throi allan i'r byd, mae ambell un ohonom ni'n cael profiad o fath arall ar gariad. Ie, cariad rhwng dyn a dyn.

Ond peidiwch â 'nghamddeall i. Dydw i ddim wedi dod yma i amddiffyn gwryw-gydwyr. Eisiau sôn rydw i am gyfathrach glòs, gynnes, gariadus fu rhwng tri ohonom pan oeddwn i yn y coleg.

Dydw i ddim yn cofio'n iawn sut y digwyddodd hi. Ond fe'n cawsom ein hunain yn aros yn yr un llety yn ein blwyddyn gyntaf, a rhywsut fe ddaethom yn ffrindiau closiach nag arfer. Roeddym yn cytuno ar bopeth, yn astudio'r un pynciau, ac yn ymddiddori yn yr un pethau. Ac yn wir ni bu bywyd erioed yn rhedeg mor llyfn i mi ag yn ystod y tair blynedd hynny efo Rhys a Meirion yn y coleg. Roeddem ni mor glòs erbyn yr ail flwyddyn fel na fedrem ni oddef bod ar wahân hyd yn oed dros y gwyliau.

Roedd gan rieni Meirion fyngalo yn Ninas Dinlle – ar lan y môr, ac fe ddaeth hwnnw'n rhyw fath o eiddo cyffredinol i'r tri ohonom, i fod yno pryd y mynnem. Llawer i fwrw'r Sul a gawsom yno.

Yr oedd nid yn unig yn Ddinas Dinlle ond, i ni beth bynnag, yn Ddinas Noddfa i ffoi iddi pan fyddai bywyd y Coleg a gorthrwm darlithiau ac arholiadau'n troi'n fwrn ac yn ddiflastod.

O! diar annwyl, mae'r atgof am y dyddiau Paradwysaidd hynny'n torri drosta i'n amal, fel rhyw bersawr hyfryd sy'n llethu'r synhwyrau ac yn gyrru dyn i fro hud a lledrith.

Sut medra i gyfleu hyfrydwch y dyddiau hynny? Wel, fedra i ddim, mae'n debyg. Digon yw dweud y byddem weithiau'n cyrraedd yno yn y pnawn, tynnu ein dillad a rhuthro allan i ganol y tonnau. Yna'n ôl, a phawb at y peth y bo tan amser swper. Sgwrsio wedyn. Sgwrsio a sgwrsio a sgwrsio. Sôn am osod y byd yn ei le! Pe bai'r filfed ran o'r cynllunio a'r breuddwydio a fu rhwng Meirion a Rhys a minnau yn y cwt hwnnw yn Ninas Dinlle wedi eu dwyn i ben, fe fyddai'r hen fyd yma'n lle brafiach i fyw ynddo fo heddiw.

Breuddwydion! Hawdd iawn i rai fel fi, sydd wedi cyrraedd pen ola'r daith, grychu fy nhrwyn wrth yngan y gair. Ond mae'n debyg gen i fod y bobol ifanc yma heddiw'n breuddwydio ac yn cynllunio'r un mor wyllt ac mor frwd ag roeddym ninnau'r adeg honno. Ac yn dweud y drefn am fywyd fel y mae, – am ei ragrith a'i anghyfiawnder.

Ond at hyn roeddwn i'n dod. Fe glywsoch am gariadon newydd briodi'n bwrw'u swildod, on'd do? Wel, rhyw fwrw ein swildod, yn feddyliol ac ysbrydol fel pe tai, ddaru ninnau yn yr hen gwt hwnnw – enw rhieni Meirion arno oedd byngalo – un noswaith.

Rydw i'n cofio'r noson fel pe tai neithiwr. Ar ôl swper oedd hi, a Meirion wedi gofalu am stoc o gwrw i mewn. A dyna lle'r oeddem ni, rhyw dipyn bach yn feddw hwyrach, ond yn ddigon sobor i fod o gwmpas ein pethau. Roedd ein tymor olaf yn y Coleg wedi dod i ben, yr arholiadau drosodd, a rhyw awyrgylch o ollyngdod braf yn ysgafnder ein calonnau.

Roedd y sgwrs wedi troi at y dyfodol, a'r gwahanu oedd i ddod pan fyddai pob un ohonom yn troi allan i'r byd ac i'w alwedigaeth. Meirion ddaru agor y pwnc pan ofynnodd:

'Pryd gawn ni eto gwrdd ein tri?'

A Rhys, â'i feddwl bywiog wedi ei sbardynnu gan ddiod, yn ateb mewn chwinc: 'Mewn mellt, neu d'rannau, neu law yn lli.'

A synnwn i ddim na buasai rhywun a ddigwyddai edrych i mewn trwy ffenest y cwt yn ein gweld yn ddigon tebyg i dair gwrach Macbeth – yn eistedd yno yn gylch wrth y bwrdd – a'r gwydrau yn ein dwylo, a bataliwn o boteli o'n cwmpas, a'r awyr yn drwm ac yn drwch gan fwg baco.

Ond i dorri'r stori'n fyr, fe dyngwyd llw rhyngom y noswaith honno – llw oedd ar y pryd mor 'jonnach' – os ca i arfer gair Sir Gaernarfon am 'genuine' – ag unrhyw lw priodasol a dyngwyd erioed.

A dyma ichi be oedd yr adduned a wnaethpwyd rhwng tri hogyn gwirion, ifanc, hanner sobor, yn y cwt ar lan y môr yn Ninas Dinlle y noson honno. Sef ein bod ill tri yn sgrifennu dau lythyr yn gyson bob wythnos am y gweddill o'n hoes, waeth beth ddôi i'n rhan; bod y llythyrau i'w sgrifennu bob dydd Gwener, gan ddechrau ddydd Gwener yr wythnos ddilynol. Hynny yw, roedd Meirion i sgrifennu i Rhys a minnau; Rhys i sgrifennu i Meirion a minnau; ac 'yours truly' i sgrifennu i Meirion a Rhys. Roedd y llythyrau yma i fod yn ddolennau mewn cadwyn a'n rhwymai mewn cyfeillgarwch a chariad tragwyddol.

Y Drindod berffaith, ontefe? Wel, mi gedwais i rai o'r llythyrau hynny, ac mi fydda i'n cael llawer pwl o chwerthin wrth ddarllen ambell un ohonyn nhw heddiw.

Do'n wir ichi, fe gadwyd yr adduned – dros dro. A thros dro go hir, erbyn meddwl hefyd. A phwy fyth ond tri o lanciau gwirion, hanner meddw, fyddai'n disgwyl gweld cadw'r fath adduned rhamantus yn gyflawn hyd ddiwedd oes, yntê?

Pwy, o ran hynny, a freuddwydiai'r adeg honno y byddai storm fawr y Rhyfel Byd wedi torri dros ein gorwelion ymhen llai na thair blynedd.

Erbyn hynny roedd Meirion a Rhys wedi priodi a minnau, a 'nhraed yn gwbwl rydd, wedi cael swydd yn y Dwyrain Pell, ac wedi hwylio dros y môr i fyd newydd yn llawn o ryfeddodau.

*   *   *

Mae'r cyfeiriad ar ddiwedd y stori at yr awdur yn cael ei draed 'yn gwbl rydd, wedi cael swydd yn y Dwyrain Pell ...' yn awgrymu'n gryf mai cyfeiriad ydi hwn at Garadog ei hun yn 'hwylio dros y môr i fyd newydd yn llawn o ryfeddodau', fel y gwnaeth, wrth gwrs, i'r India ym 1944. Ai tua'r adeg honno yr ysgrifennwyd 'Y Sgwrs', tybed? Ac wrth i ni gofio mai Prosser Rhys a Morris Williams oedd dau o gyfeillion agosaf y Caradog ifanc , efallai ei bod yn deg i ni synio, felly, mai nhw eu dau oedd y tu ôl i Rys a Meirion y stori.

*   *   *

Ar ôl dychwelyd o'r India

Fel y dynesai'r amser iddo gael dychwelyd o'r India i Lundain, roedd chwilio am swydd yn un o'i brif flaenoriaethau. Yn wir, hyd yn oed cyn gadael yr India, roedd wedi cysylltu ag ambell un ym maes newyddiaduraeth i holi am swydd ac wedi rhoi Mattie ar waith hefyd i chwilio ar ei ran.

Ar ôl treulio dwy flynedd yn ystod yr Ail Ryfel Byd yn gweithio yn Delhi Newydd yn yr India – cawn ragor am hynny isod – dychwelodd Caradog i'w gartref yn 81 Highfield Avenue, Golders Green, Llundain, ym mis Mawrth 1946.

Ond er cased ganddo'r 'Fleet Street lot' a'r syniad o ddychwelyd 'to that sordid Fleet Street life', at y *News Chronicle* y trodd i gael swydd pan ddychwelodd i Lundain. Fodd bynnag, buan y diflasodd ar weithio mewn awyrgylch digroeso a phan dderbyniodd lythyr, dyddiedig Rhagfyr 31, 1946, oddi wrth E. F. Stowell, o'r *Daily Telegraph*, yn cynnig swydd iddo ar y papur hwnnw, am £1,000 y flwyddyn, derbyniodd yn llawen. Cafodd air o Adran Olygyddol y *Daily Telegraph* yn nodi y byddai'n cael dechrau ar Chwefror 10, 1947, a'r oriau gwaith fel a ganlyn:

> Your hours of work shall consist of:
> Night work – 35 hours per week, on the basis of five nights of seven hours
> Day work – 40 hours per week, on the basis of five days of eight hours. These hours to include meal times.
> … annual holiday of four weeks, plus Bank Holidays, etc.

Roedd Caradog uwchben ei ddigon a neidiodd at y cynnig hwn yn llawen. Chwe mis yn ddiweddarach, ganed Mari Christina ar Awst 11, 1947. Yn fuan iawn wedyn, symudodd y teulu bach i 2 Cavendish Avenue ryw dair milltir i ffwrdd a dyna pryd y bedyddiwyd Mari yn y Tabernacl, capel yr Annibynwyr yn Pentonville.

Mattie a Mari

Talu rhent yr oedden nhw yn Cavendish Avenue fel yn eu cartref blaenorol ond pan godwyd y rhent ym 1958, doedd dim amdani ym marn Mattie ond symud i dŷ arall, yn St John's Wood, tŷ ar les o saith mlynedd y tro hwn. Ar y dechrau, £400 y flwyddyn oedd rhent y Tŷ Gwyn (fel y bedyddiwyd ef gan y tenantiaid newydd). Erbyn 1972, pan oedd angen adnewyddu'r les, codwyd y rhent i £1,000 y flwyddyn. Ond yno y bu Caradog yn byw tan y diwedd ac felly Mattie nes ei marw hithau ym 1994.

Tra oedd Caradog Prichard yn yr India rhwng 1944 a misoedd cyntaf 1946, mae prinder arian yn un o'r themâu cyson yn ei lythyrau at Mattie (fel y cawn weld ymhellach ymlaen). Mae Mari'n cofio bod y geiniog yn brin yn y Tŷ Gwyn drwy gydol ei phlentyndod a chyfnod ei harddegau a bod byw'r 'bywyd Cymraeg' yn Llundain yn gostus. Er nad oedd unrhyw wasgu ar ymborth i'r teulu, roedd Mari bob amser yn ymwybodol fod yr esgid yn gwasgu mewn cyfeiriadau eraill, fel y ffioedd y byddai'n rhaid eu talu am ei haddysg. (Ond, o edrych yn ôl, mae hi'n meddwl bod sigarennau ei thad wedi costio mwy na dwywaith y ffioedd!) Byddai'i thad o hyd yn ceisio clirio mân orddrafftiau; ei mam, ar y llaw arall, oedd â llwyr feistrolaeth ar reoli'r pwrs a llunio'r wadn yn ôl maint y droed. Ymhyfrydai yn y ffaith ei bod wedi bod ar ei phen ei hun yn Llundain yn ystod y rhyfel heb erioed fod mewn dyled ac eto'n byw'n dda a gallu prynu'r bwthyn ym Methesda (y cawn glywed mwy amdano yn y man) – bwthyn a werthwyd gan ei thad tua 1955 i glirio dyledion. Cofia Mari un achlysur, tua 1955/56, pan ddygwyd amlen yn cynnwys ei gyflog o boced ei thad ar ei ffordd adref o'i waith ychydig cyn y Nadolig. Yr hyn a wnaeth Mattie'n syth bin oedd cael gwaith-dros-dro mewn siop ddillad yn Oxford Street, a dyna achub sefyllfa a allai fod wedi bod yn un ddyrys iawn. Byddai Mattie hefyd yn cadw lletywyr bob amser a hynny, wrth gwrs, yn chwyddo ychydig ar bwrs y Tŷ Gwyn. Rhaid dweud mor flin y byddai

Caradog a hithau pan dybiai pobl yng Nghymru eu bod yn graig o arian am eu bod yn byw yn Llundain!

Ac yntau wedi bod ar staff y *Telegraph* ers rhai blynyddoedd, derbyniodd Caradog lythyr diddorol, dyddiedig Tachwedd 21, 1956, oddi wrth Mr Stevens, Secretary, *The Daily Telegraph* Ltd:

> I have been instructed by the Management to send you the enclosed cheque for Ten Pounds as a recognition of your exceptionally meritorious work during the Suez Crisis.

Ac mewn llythyr arall, dyddiedig Ionawr 31, 1957, oddi wrth yr un aelod o staff y *Daily Telegraph*:

> I have much pleasure in advising you that your salary has been increased to £1300 per annum as from 1st January 1957 ...

Ysgrifennwyd y llythyr uchod ryw ddeng mlynedd ar ôl i Garadog ddechrau ar y *Daily Telegraph* ar gyflog o £1,000 y flwyddyn. Mae'n anodd credu iddi gymryd cymaint o amser i'w gyflog gyrraedd £1,300!

Cadwodd Caradog, hefyd, lythyr wedi'i lofnodi gan Brian Roberts, 'Chief Assistant Editor, *The Daily Telegraph*', ar Orffennaf 30, 1958:

> I am glad to tell you that your salary is being increased to £1400 a year as from July 1st.

Yna llythyr, dyddiedig Chwefror 7, 1963, oddi wrth S. R. Pawley, eto'r 'Chief Assistant Editor' ar y *Daily Telegraph*:

> I am glad to inform you that your salary has been increased to £1900 per annum, with effect from 1st January 1963.

Ryw ddwy flynedd cyn hynny, cawsai Caradog lythyr, dyddiedig Mai 2, 1961, oddi wrth Desmond Albrow, 'Chief Sub-Editor' ar y *Sunday Telegraph*.

> Many thanks for all your efforts and extra work on the nuclear disarmers story on Saturday. Would you care to leave at 5 p.m. on Saturday instead of 7 p.m.?
> Yours sincerely | Desmond.

Roedd gwaith Caradog yn amlwg yn plesio! A chawn brawf o hynny eto yn y llythyr a ganlyn oddi wrth yr un gŵr ar Chwefror 19, 1963:

> Thank you for all your efforts on Saturday with the Young Tories – a very professional job. I have arranged for you to be paid double.
> Yours sincerely | Desmond.

Ac mae'n debyg fod Caradog wedi cael modd i fyw wrth ddarllen y nodyn a adawodd Desmond Albrow ar ei ddesg ar Fehefin 27, 1963:

> Would you mind coming in on Saturday at 11 am to handle the Ward hearing? It should be over by 5 and I will see you get away as soon as it is tidied up. Sorry to muck you about like this but you are one of the few subs I've got who understands the real mechanics of court procedure and *Telegraph* style …
> Yours sincerely | Desmond.

Mae angen egluro'r cyfeiriad a geir uchod at 'Ward'. Meddyg esgyrn oedd Stephen Ward ac aelod o gylch o bobl yn Llundain yn y 1960au a fu'n destun un o sgandalau mwyaf y cyfnod yn ymwneud â John Profumo, Ysgrifennydd Gwladol yn Llywodraeth Harold Macmillan, a'i berthynas â model 19 oed o'r enw Christine Keeler. Ymddangosodd Profumo, Ward ac eraill, mewn achos llys nid anenwog a ddisgrifiwyd yn y *Daily Telegraph* fel 'the most lurid cause célèbre since Oscar Wilde'.

*   *   *

Tro Rhyfeddol o Dda

Yng ngholofn lythyrau'r *Sunday Express*, Ionawr 14, 1973, cyhoeddwyd y llythyr a ganlyn:

> Many Welsh readers were delighted to read Graham Lord's review of 'The Full Moon' by Caradog Prichard (*Page Six last week*). There is an episode in Caradog Prichard's life which is not known to many people.
> Many years ago during the Depression a friend of mine, who is now dead, was trying to sell vacuum cleaners. He had no car and travelling

up and down the hilly slopes of Wales carrying a vacuum cleaner was not an easy occupation.

Caradog Prichard happened to be visiting Wales on business and one morning he asked my friend to accompany him to the station. On arrival at the station, just before the London train was due to steam out, Caradog Prichard handed my friend the car keys and said: 'Here is my car as a gift, to make your job easier.'

He may have been bewitched by that old devil moon, but how many people are there as generous as that?

'(Mrs) Olwen Carey Evans, Perllan Caradoc, Conway, N. Wales'

Mae'n rhaid nodi mai Olwen *Caradoc* Evans oedd yn byw yn y cyfeiriad a nodir. Fe'i ganed hi yng Nghricieth ym 1918. Bu'n berchen ar Gaffi Tu-Hwnt-i'r-Bont yn Llanrwst a hefyd ym mhen Bwlch Sychnant ar yr hen ffordd rhwng Conwy a Dwygyfylchi. Roedd yn adnabyddus am brynu a gwerthu arluniadau, mapiau a llyfrau prin. Mae'n bur debygol ei bod wedi clywed llawer am Garadog Prichard yn ystod y cyfnod a dreuliasai'n gweithio yn Nyffryn Conwy yn y 1920au ac ni synnem nad un o'i gyfeillion pennaf yr adeg honno, sef Ewart Roberts[2] (y sonnir amdano mewn man arall yn y gyfrol hon) oedd y gŵr y rhoes Caradog ei gar iddo! Os gwir hynny, gallwn ddychmygu bod gweithred Caradog yn gyfrwng i'r Prifardd dalu'n ôl i Ewart a Myf am yr holl garedigrwydd a gawsai ganddynt ar eu haelwyd. Gweler rhagor o hanes Ewart a'i wraig yn *BGIUNOL*, tt. 296-299.

Bu Olwen Caradoc Evans farw yn Ysbyty Llandudno ym 1998.

Ymddengys fod rhywun neu'i gilydd yn y wasg wedi cymysgu wrth nodi enw cywir awdur y llythyr hwn ac wedi cymryd mai'r Fonesig Olwen Elizabeth Carey Evans (Carey-Evans hefyd), merch David Lloyd George, oedd yr awdur. Fe'i ganed hi yng Nghricieth ym 1892 ac yng Nghricieth, hefyd, y bu farw ym 1990.

*   *   *

Owen Picton Davies

Credaf fod y deyrnged a ganlyn gan Garadog Prichard i ŵr a chanddo gymaint o edmygedd tuag ato yn haeddu ei lle yn y gyfrol hon. Ymddangosodd yn y *North Wales Weekly News*, 15/11/73, ond fe'i cadwyd gan Garadog ar ffurf toriad papur-newydd ymhlith ei bapurau.

Owen Picton Davies

Ar hyd y daith o grud i fedd, gall y rhan fwyaf ohonom, rwy'n siŵr, gyfeirio at ryw gyfaill neu gydnabod y gallwn ddweud amdano: 'Pe cawn i fod yn rhywun arall, hwn-a-hwn fyddwn i'n hoffi bod.' Soniais, yn fy llyfr, am Puleston, y pregethwr dall, a dweud, ar ôl darllen cofiant iddo, y byddwn yn fodlon bod yn ddall pe cawn fyw bywyd Puleston[2]. Ac mi fûm yn teimlo'r un fath lawer gwaith wrth fyfyrio uwch bywyd a chymeriad y cyfaill yr hoffwn i sôn amdano heddiw, fel rhyw iawn bychan am ei anwybyddu yn fy hunangofiant. Owen Picton Davies oedd hwnnw, un o'r newyddiadurwyr Cymraeg mwyaf crefftus a fagodd Cymru erioed. Yr oedd hefyd o'r addfwyn yr addfwynaf ac o'r gwylaidd y gwyleiddiaf. At hyn, yr oedd yn gwmnïwr llon, yn siaradwr diddorol ac yn wrandäwr astud ac amyneddgar. Un o'r rheini fydd yn gwneud i chwi deimlo'n fwy o ddyn nag ydych mewn gwirionedd ar ôl bod yn ei gwmni.

Ganwyd Picton Davies yn Sir Gaerfyrddin ac wedi bwrw prentisiaeth galed yno fel newyddiadurwr aeth yn ohebydd i'r *Western Mail* yng Nghaerdydd a Merthyr. Wedyn fe ddaeth yn Olygydd y *Weekly Mail* yng Nghaerdydd. Rhoes inni hanes ei yrfa mewn hunangofiant sy'n batrwm perffaith o'r math yma o lyfr. Ei deitl yw *Atgofion Dyn Papur Newydd* ac mae'n un o'r llyfrau hynny y gellwch droi iddo a chael blas newydd ar ei ailddarllen.

Yr oedd wedi troi'n ôl i'r De ymhell cyn i mi fynd yn brentis is-olygydd yn Swyddfa'r *Herald* yng Nghaernarfon, ac yno y deuthum i wybod amdano gyntaf. Anfonai lith Gymraeg i'r *Herald* yn gyson dan yr enw 'Hen Ffarmwr', os iawn y cofiaf. A byddai honno mewn Cymraeg coeth a glân wedi ei theipio'n ddestlus ac yn bleser i'r prentis bach yn y swyddfa i'w darllen.

Yna, pan symudais i Gaerdydd i weithio ar y *Western Mail*, buan iawn y daethom yn ffrindiau. Byddwn nid yn unig yn cael ei gwmni diddan yn y swyddfa ond hefyd yn mwynhau croeso cynnes a chariadus ar ei aelwyd gartref yn Heath Park. Yn ei gartref y gorffennais sgrifennu un o'm pryddestau coronog ac mae ganddo ddisgrifiad diddan a digrif o'r noson ryfedd honno yn ei Atgofion.

Gan i mi fod yn gweithio yng Nghaernarfon, byddai'n hoff iawn o adrodd rhai o'i atgofion am fywyd diddorol yr hen dref yn ei gyfnod ef a'r cymeriadau od oedd ymhlith ei gydnabod ef a minnau. Byddem ill dau hefyd yn hoff o ryw fân-siarad am bobl a phethau ond ni chlywais erioed air drwg o'i enau am yr un creadur byw.

Am gyfnod cefais y fraint o eistedd wrth ei ochr ar fwrdd is-olygyddol y *Western Mail*. Oherwydd amgylchiadau arbennig na raid imi fynd iddyn nhw yma, gadawyd bwlch ar y bwrdd a chytunodd Picton â chais y Golygydd i lenwi'r bwlch dros dro. Fel newyddian ifanc, synnwn at ei gyflymder a'i fedrusrwydd yn trin y cawodydd o newyddion a orlifai ar y bwrdd.

Byddem yn gweithio'r adeg honno hyd tua dau o'r gloch y bore a byddem yn cydgerdded yn yr oriau mân trwy strydoedd distaw'r ddinas. A'r arfer fyddai i mi fynd gydag ef cyn belled â'i gartref a throi i mewn am gwpanaid cyn ei gwneud hi am fy llety. Erys un noswaith (neu'n hytrach fore) felly ar y cof. Diwrnod ei ben blwydd yn hanner cant, a minnau ar y pryd yn bump ar hugain, union hanner ei oed. A bu cryn athronyddu rhyngom ar oedran y naill a'r llall.

Cafodd oes faith a gofal tyner ei ferch Enid a'i phriod Dr Thomas Parry amdano yn ei hen ddyddiau. Roedd sbel dros ei ddeg a phedwar ugain pan adawodd y fuchedd hon mor dawel a di-stŵr ag y bu fyw, yng nghanol trybestod y byd a'r bywyd a'i hamgylchynai.

Un o'm trysorau gwerthfawr i yw'r cof amdano ac am y fraint a gefais o'i adnabod a blasu ei gyfeillgarwch.

*   *   *

Caradog a'i hunangofiant

Wrth gloi'r adran hon, dyfynnaf isod o'r *North Wales Weekly News*, Mehefin 21, 1973, ychydig sylwadau gan Garadog Prichard ar ei hunangofiant *ADA* (heb anghofio'r isbennawd a roes dan y prif deitl, sef *Hunangofiant Methiant*), a gyhoeddwyd gan Wasg Gee, Dinbych, ym 1973:

Cefais syndod a phleser pan welais y siaced lwch, a wnaed gan un Stuart Neesham. Ni chefais y fraint o adnabod Mr Neesham ... ond mae'n amlwg ei fod yn artist o'r radd flaenaf, ac wedi cael syniad da am naws ac awyrgylch y gwaith ... Ar yr olwg gyntaf yr hyn a welir yn y llun yw'r hen Chwarel (Penrhyn) ac aderyn mawr asgellog yn hofran uwch ei phen ac yn taflu ei gysgod drosti. Gallai'r esgyll gynrychioli copaon y bryniau y chwythwyd yr hen Chwarel o'u perfeddion creigiog. Ac yn y blaendir y mae clawdd cerrig a weiran bigog y gellid rhoddi mwy nag un dehongliad ohoni.

Clawr *Afal Drwg Adda* (Dyluniwyd gan Stuart Neesham)

O graffu'n fanylach ar y llun, efallai i mi, fel awdur cynnwys y gyfrol, weld mwy ynddo nag a fwriadodd yr artist ei gyfleu. Byddai hynny'n beth digon naturiol. Er enghraifft, yn y cefndir cymylau sy'n gor-doi pennau'r bryniau; mi welaf i wyneb, un llygad yn agored a'r llall ynghau, yn edrych i lawr yn fyfyriol ar yr hen Chwarel dywyll. A'm hwyneb i ydyw!

Mae yna hefyd ben sarff fel pe'n ymgordeddu amdanaf ac yn paratoi i'm colynnu. Tybed mai fi sy'n trethu gormod ar fy nychymyg? …

Gair bach … am gynnwys y gyfrol a'i tharddiad a'i theitl, gan obeithio y bydd o ddiddordeb i'r sawl a'i darlleno … Ceir esboniad ar darddiad y gyfrol yn y cyflwyniad. I Lorraine Davies o'r BBC y mae imi ddiolch am gychwyn rhai o'r atgofion hyn pan anogodd fi i gyfrannu i'r gyfres boblogaidd 'Y Llwybrau Gynt'. Ac wedi cychwyn, cefais yr atgofion yn ymchwyddo'n orlif. Roedd Lorraine wedi agor y fflodiart.

Y teitl cyntaf a ddaeth i'm meddwl oedd 'Yr Afal Drwg', gan gymryd yr afal y sonnir amdano yn y bennod gyntaf, sef presant Anti Jên, fel symbol o'r dirywiad a'r pydredd a welwn yn fy nghymeriad. Yna, pan ar ganol sgrifennu'r llyfr, daeth anhwylder ar y gwddw a mynnodd rhyw bryfyn bach ystumddrwg a maleisus dan fy nghroen imi ei alw yn 'Afal Drwg Adda'. Hynt y bererindod, fel y dadlennid hi wrth fynd ymlaen o ddalen i ddalen, heb wybod yn siŵr beth fyddai'r cwrs terfynol na diwedd y daith, a barodd imi roddi i'r gyfrol yr is-deitl 'Hunangofiant Methiant'.

Beth, ynteu, am y cynnwys? Fe'i sgrifennwyd mewn cyfnod o waeledd pan nad oedd cyflwr y meddwl, hwyrach, mor normal ag arfer. Ac, o'r herwydd, efallai imi ddwyn i olau dydd bethau na byddwn wedi eu dadlennu mewn cyflwr iechyd corff a meddwl. Cais at esboniad yn hytrach nag ymddiheuriad yw hwn. O ailddarllen y gwaith teimlwn yn eitha bodlon arno fel cyfanwaith.

Y rhan hyfrytaf o'r gyfrol gennyf fi yw'r atgofion am y cyfnod a dreuliais yn Nyffryn Conwy. Cyfeiriais at fy arhosiad yn Llanrwst, er byrred ydoedd, fel 'y cyfnod dedwyddaf a thruenusaf yn fy hanes.'

Pan oeddwn yn sgrifennu'r llyfr, ymddangosai Dyffryn Conwy, a'm bywyd yno, hanner can mlynedd yn ôl bellach, fel rhyw chwedl o oes bell a diflanedig …

Fel y croeso a gafodd *ADA* pan ddaeth gyntaf o'r wasg, mae'n sicr i'r ychydig sylwadau uchod gan yr awdur ei hun gael croeso a gwerthfawrogiad gan ddarllenwyr ei hunangofiant.

RHAN II

GOHEBIAETH GYFFREDINOL

1927-33

Cardiau, Telegramau a Llythyrau

Mae'r Nodiadau y cyfeirir atynt yn yr adran hon i'w gweld ar dudalen 315

Gohebiaeth Gyffredinol at Garadog Prichard, 1927-33

Fel y gellid disgwyl, efallai, gohebiaeth 'unffordd' sydd, unwaith eto, yn y casgliad diweddaraf hwn o lythyrau o blith 'trysorau coll' Caradog Prichard.

Mae natur yr ohebiaeth yn amrywio'n arw, o'r arwyddocaol a'r diddorol i'r cyffredin a chymharol ddibwys, a chan mor lluosog y llythyrau ac mor amrywiol y deunydd drwodd a thro, penderfynwyd cyflwyno yma ddetholiad yn unig, gan gynnwys ambell Nodyn lle'r oedd modd, ac angen, gwneud hynny.

Trown i ddechrau at ohebiaeth oddi wrth Ewart a Myf[1], gŵr a gwraig a fu'n hynod garedig wrth Garadog Prichard tra bu'n ohebydd yn Nyffryn Conwy. Dim ond ar un llythyr y rhoddwyd dyddiad ac ni allwn ond dyfalu i'r lleill gael eu hysgrifennu tua diwedd y 1920au neu ddechrau'r '30au. Cadwyd orgraff y gwreiddiol.

> Penllythyr: CRAIG Y DON, Residential & Commercial, BETTWS Y COED, N. Wales, Telephone No. 35. Mrs W. E. Roberts, Proprietress.
>
> Tuesday
>
> My dear Pritchard
>
> This is to wish you a Happy & Prosperous New Year, thanking you kindly for your wishes.

I hope you are in good health, as we are all here. We passed a very peaceful Xmas – Cyfarfod pregethu drwy y dydd!

Aeth Mr Jose Hughes ag Ewart a mina i Llandudno Boxing Day. We went to see two Good Pictures. Bess & Nell are still with us & business is about the same its quiet everywhere. I hear that there is much suffering down South Wales. We are collecting old clothing & money every week to send away.

When are you coming to see us again, you are welcome to come any time. Write us a letter soon & give us some hanes. Accept our united regards a cofia yrru gair Pritch.

Cofion filoedd. | Yn bur, Myf.

Anfonwyd y llythyr a ganlyn, eto'n ddiddyddiad, yn llawysgrifen Ewart y tro hwn, o'r un cyfeiriad:

Annwyl Caradog
… Gobeithiaf eich bod wedi cael derbyniad iawn ac wedi cael daith hapus. Mae Mrs Roberts wedi myned am dro'n Llandudno y prydnawn yma. Mae pethau yn debig yma digon prysur. Yr oedd yn wir ddrwg gennym nas gallem rhoi mwy o groeso i chwi ond mae y galon yn ei lle bob amser ich groesawi. Brysia yma eto pan y fynot ag adeg fynot. Hwyl orau i chwi.

Cofion Cu | W Ewart Roberts

Roedd cyfeiriad gwahanol ar frig y llythyr a ganlyn, sef 'Ty Arfon, Bettws y Coed', a chyda dyddiad arno, sef Hydref 31, 1927. Dyma'r cyfeiriad y soniodd Caradog Prichard amdano fel ei 'ail gartref … [ac ni] bu erioed gartref lle bûm yn teimlo'n gymaint rhan ohono nag Arfon House'.

Annwyl Caradog
Diolch i chwi am eich llythyr caredig ar ol hir ddisgwyl. Da gennym oll ddeall eich bod yn lecio eich gwaith.

Byddwn yn sôn llawer am Pritch yma, ag yn meddwl syt y mae yn dod yn mlaen mae y cartre yma yn bur wag hebddoch chwi er dy fod ar brydiau bron tori fy nghalon, hyderaf dy fod yn cael nerth i orchfygu y temptasiynau enbyd sydd mewn tre fawr fel Caerdydd.

Mae Bess wedi ein gadael am dymor etto. Nel sydd yma gyda mi, ag mae hi yn gweithio yn iawn hefyd ag yn cofio at Pritch yn enbyd.

Yr ydym wedi cyfarfod y bachgen sydd yn eich lle. Mae yn edrych yn fachgen dymunol dros ben. Mae wedi bod yma droeon. Hefyd bydd Wms Herald yn rhedeg yma weithiau. Pryd cawn i weld Pritch yn dod drwy y drws tybed? …

Cofiwch yrru gair yn fuan – byddwn yn disgwyl. Paid â bod mor hir. Ein cofion cynes a charedig attoch.

Yn bur, Myf ag Ewart

Gwilym Williams oedd y bachgen 'dymunol dros ben' a olynodd Garadog yn gynrychiolydd yr *Herald Cymraeg* yn Nyffryn Conwy a cheir rhagor amdano ef yn Adran 8e isod (tt. 226-8).

*   *   *

Manylaf yn awr ar ohebiaeth y tair blynedd rhwng 1927 a 1929, blynyddoedd nodedig yn hanes y Caradog Prichard ifanc.

Ym mis Awst 1927, ac yntau o fewn tri mis i fod yn 23 oed, enillodd y Goron yn Eisteddfod Genedlaethol Caergybi, am ei bryddest, 'Y Briodas', a chan mai ef oedd y bardd ieuengaf erioed i gyflawni'r gamp, mae'n debyg ei fod wedi derbyn llawer o gardiau, telegramau a llythyrau o bob man.

Gwaetha'r modd, am ba bynnag reswm, nid oedd unrhyw ohebiaeth o 1927 ymhlith ei bapurau, ac eithrio un llythyr o Swyddfa'r *Rhedegydd* ym Mlaenau Ffestiniog yn llaw John D. Davies, yr argraffydd a'r cyhoeddwr:

Coron Eisteddfod Genedlaethol Caergybi 1927

Hydref 25, 1927

Annwyl Gyfaill,

… Yr oeddwn yn falch o gael gair o'ch llaw o wlad yr hwntws, a deall oddiwrtho fod pethau yn 'dyfod ymlaen yn eithaf' yna. Nid drwg gennyf chwaith oedd deall am y don 'fechan fach' o hiraeth – mi ddaw'r lli mawr rywbryd. Dymunaf bob llwydd ichwi. Yr ydych i'ch llongyfarch am gael lle ar staff anrhydeddus y *Western Mail*, a chredaf y byddwch chwithau'n gaffaeliad i'r papur.

Cofion cywir iawn | John D. Davies

Cofiwn Caradog Prichard yn sôn yn *ADA* iddo dalu dwybunt i John Davies, 'perchennog mwyn a rhadlon' *Y Rhedegydd*, am roi gwedd 'addurnol' ar 'Y Briodas' cyn iddo'i hanfon i'r gystadleuaeth.

*   *   *

Neidiwn yn awr at y cyntaf o ddau lythyr a anfonasai Bardd yr Haf at Garadog Prichard o'i gartref yn 18 Ffordd Ffrydlas, Bethesda. Mai 20, 1928, ydi'r dyddiad ar hwn:

F'annwyl Gyfaill,

Yr ydych wedi dewis yr unig wythnos o'r flwyddyn hon na fedraf eich cwrdd yn ei hystod. Bob Sulgwyn ers blynyddoedd bellach, bydd ewythr a modryb i'r wraig o Lanarmon yn Iâl yn dyfod i aros gyda ni, – yn fwyaf neilltuol i gael oedfaon y Sul a'r Llun! Sieryd hynny gyfrolau!

Ond y mae'n dda gennyf fod gennych bythefnos. Y mae'r ewythr yn sicr o fynd yn ol y Llungwyn – ac odid nad aiff y fodryb ymhen diwrnod neu ddau. Felly, gadewch imi wybod (yn ddi-ffael) ymhle y byddwch yn ystod 8nos y Sulgwyn, h.y. o Fai 28 i Fehefin 2. Byddaf yn siwr o fedru hebgor diwrnod o'r chwech.

Cofion cynnes, | R. W. Parry

*   *   *

Dyfynnaf isod ambell un o'r telegramau a'r llythyrau a dderbyniodd ym 1928, yn dilyn ei lwyddiant yn Eisteddfod Genedlaethol Treorci pan enillodd ei ail Goron am ei bryddest, 'Penyd'. Mae nifer o'r rhain wedi'u cyfeirio ato mewn amrywiol ffurfiau a'u hanfon i wahanol lefydd: Press Reporter Eisteddfod; Western Mail Stand, Eisteddfod Pavilion; Press Table, Eisteddfod Pavilion; Editorial Department, 'Western Mail', Cardiff; c/o Mail, Cardiff, a chyda'r amrywiadau arferol ar ei enw: Caradog a Caradoc, ac ar ei gyfenw: Prichard a Pritchard.

Coron Eisteddfod
Genedlaethol Treorci 1928

Awst 7, 1928: Telegram

Warmest congratulations on your continued success in again winning the Crown.

From William Davies[2] and all your colleagues on Western Mail, Evening Express and Weekly Mail.

*　　*　　*

Awst 7, 1928: Telegram

Cei rin glwys yn y corn gwlad anfarwol. Dewi a Prosser[3].

*　　*　　*

Awst 7, 1928: Telegram a anfonwyd o Dreorci oddi wrth 'Bassett' (yn amlwg yn un o gydweithwyr Caradog ar y *Western Mail*).

> Warmest congratulations upon your brilliant success. Colleagues from Sir William down to messenger boy are very proud of you.

*   *   *

Anfonwyd y neges a ganlyn, dyddiedig Awst 9, 1928, ar ben-llythyr 'Thos. Cook & Son, Ltd., 28 High Street, CARDIFF'. Gwaetha'r modd, ni wn i ddim am 'Nellie Thomas'.

> Well you modest young person, will you accept my best congratulations on your very fine success at the Eisteddfod. I was very pleased to read of it in the newspapers and to learn that it was not the first success you have attained. My advice is carry on.
>   Yours very sincerely, | Nellie Thomas

*   *   *

Cardyn post nad oes arno ddyddiad, gyda'r manylion a ganlyn wedi'u hargaffu ar hyd ei dop: 'Rev. R. W. Roberts, St Mary's Vicarage, Bute Road, Cardiff'.

> Llongyfarchiadau fyrdd a phob dymuniad da i chwi oddi wrth eich cyd-ogleddwr. Mae'n sicr yn peri fod hyd yn oed hen greigiau Eryri yn ymfalchio yn eich campwaith ac yn clodfori eich enw nes peri i frigau'r grug ar lechweddau Carnedd Llewelyn ddawnsio gan lawenydd yn eich gorchestwaith dihafal.

*   *   *

Awst 8, 1928: Telegram

> Ti wyddost beth ddywed fy nghalon. Wil John Parry

Er mwyn taflu goleuni ar bwy oedd Willi(am) John Parry, dyfynnaf eiriau Caradog yn *ADA*:

> Yr oedd byd a bywyd Caerdydd yn hollol aliwn i mi. Ni allwn ddygymod â rhuthr y tramiau a'r bysiau, y palmentydd poblog ac arogleuon y ddinas ar ôl glendid a llonyddwch Llanrwst. Ni allwn ddygymod â Saesneg ar y stryd a Saesneg yn y swyddfa. Ac roedd gorfod sgwennu yn Saesneg i'r papur yn boen ac yn flinder imi. Methais yn lan a chymryd at y bywyd newydd ac roeddwn yn druenus o ddibrofiad yn y gwaith o riportio mewn dinas ... ac mi ddechreuais edrych o 'nghwmpas yn wyllt am ddihangfa. Yn ffodus roeddwn wedi cael llety o fewn drws neu ddau i Sam Jones, cydweithiwr ar y *Western Mail* ar y pryd [a'r BBC wedi hynny][4], a byddai cael troi i mewn i'w gwmni o a'i gydletywr, William John Parry o'r Bwrdd Iechyd, bachgen ffraeth a llawn chwerthin, o Benygroes, Arfon, yn fendith ac yn ysgafnhad ...

Roedd William John Parry yn un o gyfeillion Thomas Parry hefyd a chawn fanylion difyr amdano yn Adran 8d isod (tt. 198-218) lle dyfynnir gohebiaeth oddi wrth Tom Parry at Garadog Prichard.

*   *   *

Ar ben-llythyr yn dwyn enwau'r papurau-newydd a ganlyn: *Y Werin a'r Eco*, *Y Genedl*, a'r *North Wales Observer*, derbyniodd y llythyr diddyddiad hwn:

> A. Gyfaill,
> Llongyfarchiadau o eigion calon ar eich llwydd anarferol yn ennill yr ail anrhydedd, gyda chlod mor fawr.
>   Yn wladgar, | O. Llew Owain[5]

*   *   *

Ymhlith eraill a anfonodd ato yn ei longyfarch yr oedd Hywel Cefni (H. E. Jones), Gwilym, Webber[6], a Tarleton Winchester, Director United States Lines (trueni na fyddem yn gwybod mwy amdano ef a'i berthynas â Charadog!).

*   *   *

Llythyr, dyddiedig Medi 8, 1928, ar bapur swyddogol y National Eisteddfod Association, 64 Chancery Lane, London, W.C.2., yn llaw Ysgrifennydd Mygedol y Gymdeithas, Syr E. Vincent Evans. Casglaf oddi wrth ei gynnwys mai ymateb ydyw i gais gan Garadog i gael caniatâd y Gymdeithas i gyhoeddi ei ddwy bryddest fuddugol, 'Y Briodas' a 'Penyd'.

> Annwyl Caradog Prichard.
> Nid wyf yn sicr (ar hyn o bryd) faint o 'hawl' sydd gennym ar Bryddest Treorci, ond mor belled ag y mae a fynnom ni a'r mater bydd pleser i chwi gyhoeddi honno yn gystal a Phryddest Caergybi, ond i chwi
> 1.   Gydnabod eich bod yn eu cyhoeddi 'gyda chaniatâd Cymdeithas yr Eisteddfod'
> 2.   Eich bod yn anfon copi o'r gyfrol i ni pan ymddengys.
>   Cofion caredig | Yn ffyddlon iawn | Vincent Evans

Cadarnheir bwriad tybiedig Caradog i gyhoeddi'r pryddestau hyn (gydag ambell gerdd arall, hefyd, efallai) mewn llythyr, dyddiedig dydd Llun, Mawrth 4, 1929, ar ben-llythyr swyddogol y *Western Mail*:

> Dear Sir,
> We have pleasure in quoting herewith for your requirements and hope to be favoured with your esteemed order.
>   Yours faithfully, | Western Mail Ltd. | Glanmor Lewis

> 1000 copies demy 8vo Book of Poems 48 printed pages on Antique Laid Paper, with board cover ¼ bound, paper back and sides, printed title on side and with paper wrapper printed title for thirty eight pounds nett ...   . £38.0.0 nett.

Hyd y gwn i, ni ddaeth dim o'r syniad hwn a bu'n rhaid aros tan 1937 i weld cyhoeddi *Canu Cynnar* Caradog Prichard, a chofiwn ei gyflwyniad ingol deimladwy i'r gyfrol honno a'i atgof trist am ei fam yn gwisgo'r Goron a enillasai yn Eisteddfod 1927 heb ddeall na sylweddoli ei harwyddocâd:

> *Cyflwynir y gyfrol hon i holl ddeiliaid Ysbyty'r*
> *Meddyliau Claf yn Ninbych, ac yn arbennig i*
> *un ohonynt a roes goron fach arian Eisteddfod*
> *Caergybi ar ei phen, a chanu:*

'Yn berl yng nghoron Iesu
Dymunwn fyth gael bod,
Yn seinio Iddo foliant,
Yn canu iddo glod.'

Agorir y gyfrol honno o 92 o dudalennau gyda'i bryddestau buddugol yng Nghaergybi a Threorci. Daw adran wedyn rhwng tudalennau 43 a 67 dan y pennawd 'Ysbeidiau (1920-1930)' yn cynnwys amrywiaeth o gerddi. Ar dudalen 68, heb unrhyw awgrym o adran newydd, cawn ei drydedd bryddest fuddugol, sef 'Y Gân ni Chanwyd' (Lerpwl, 1929), a daw'r gyfrol i ben gyda 'Dychweliad Arthur', y gerdd honno, meddai Caradog yn ei Ragair 'fuasai Awdl Cadair Eisteddfod Castell Nedd ond bod yr awdur a'r beirniaid wedi anghytuno!'

*   *   *

Llythyr, dyddiedig Hydref 17, 1928, oddi wrth Cassie Davies (1898-1988), darlithydd yng Ngholeg Hyfforddi'r Barri, a ddaeth wedyn yn Brif Arolygydd Ysgolion Cynradd Cymru. Roedd yn enedigol o Flaen Caron, Ceredigion.

Annwyl Mr Pritchard,
Blin gennyf i chwi wangalonni cyn dod yma heddiw – a minnau wedi paratoi tê hyfryd i chwi.
Sut amser sydd arnoch chi ddydd Sadwrn? Y mae'r merched yma yn ceisio perfformio Candida (Shaw) yn yr hwyr. Byddai'n dda gennyf pe deuech chwi a Tom Parry i dê'r prynhawn hwnnw ac aros i'r ddrama, os mynnwch ac os medrwch. Gyrraf ato yntau heddiw. Y mae'r Sadwrn ar ol pryd cinio yn rhydd gennym ni, felly, gallech ddod cyn gynted ag yr hoffech yn y prynhawn.
Felly, y mae arnoch ofn W. J. G.[7]! Dylech yrru llythyr bach caredig ato. Y mae'r arfer o ateb adolygydd yn dod i fri, onid yw?
Gyda chofion, | Yr eiddoch yn bur, | Cassie Davies

*   *   *

Ar ben-llythyr Coleg Prifysgol Abertawe, a'r isbennawd 'Editorial Board', derbyniodd Caradog lythyr mewn llawysgrifen, dyddiedig Hyd 30, 1928, oddi wrth T. J. Morgan[8].

> Annwyl Mr Pritchard,
> A fyddwch chi mor garedig â sgrifennu rhywbeth i gylchgrawn Coleg Abertawe? Bu yn fy mwriad gofyn i Mr Saunders Lewis fod yn gyfrwng i geisio arnoch i wneuthur hyn, ond fe'm sicrhaodd y byddech yn fodlon, er sylweddoli ohonom ein dau eich bod yn brysur wrth eich gwaith. Cefnogwyd y sicrwydd yma gan Miss Huana Rees a'm cyfaill Gwenallt – dau yn eich adnabod yn well na myfi. Cefais y fraint o gyfarfod a chi pan fuoch yn y Coleg y llynedd ond teimlwn na chaniatâi hynny o gydnabyddiaeth i mi ofyn i chi yn ddigyfrwng. Ar waethaf hynny, ceisiaf arnoch yn awr. Gobeithiaf na'm siomwch, oherwydd yr wyf eisoes wedi cynllunio llinellau newydd i gylchgrawn y Coleg a chredaf y byddech yn cyfiawnhau fy nghynllun, gyda chodi urddas a safon 'Dawn'. Ni wn a ddylwn roddi testun i chi, ond meddyliaswn am rywbeth personol fel 'Pe bawn mewn Coleg' neu genedlaethol dros y Blaid, neu feirniadol ar yr Orsedd neu feirniaid yr Eisteddfod.
> Teimlaf yn sicr y gwnewch rywbeth drosom, a hynny mewn wythnos neu bythefnos. Achubaf y blaen i ddiolch i chi am eich erthygl.
> Yr eiddoch yn edmygydd a dyledwr, | T. J. Morgan, Gol.

*   *   *

Edrychwn yn awr ar yr hyn a gadwodd Caradog Prichard o'r ohebiaeth a dderbyniasai ym 1929.

Mewn llythyr, dyddiedig Awst 3, 1929, o 'Swyddfa'r Eisteddfod, 43 Renshaw Street, Liverpool', â'r gair 'Cyfrinachol' mewn llythrennau breision ar y top, cafodd Caradog y genadwri a ganlyn:

> Annwyl Mr Pritchard,
> Bydd yn dda gan Swyddogion yr Eisteddfod, a chan myfi fy hun, os y gwnewch hi'n gyfleus i fod yn bresennol ym Mhabell yr Eisteddfod, Sefton Park, prynhawn ddydd Mawrth nesaf.
> A gaf i ddibynnu arnoch gadw'r gair hwn yn gyfrinach hollol? Gwyddoch bod gollwng allan gyfrinachau'r Eisteddfod yn gyn- amserol yn niweidiol i'r Ŵyl ei hun. Mantais ymhob ystyr ydyw cadw'r

chwilfrydedd yn fyw hyd y funud olaf. Pedwar yn unig, o Bwyllgor Lerpwl, sy'n gwybod y gyfrinach, a'r pedwar wedi ymdynghedu na byddant yn euog o fradychu'r gyfrinach. Dibynnwn ar eich anrhydedd chwithau.

Cofion caredig, gyda chyfarchion calonnog,
Yn ffyddlon, W. A. Lewis. Ysg. Pwyllgor Llên

A chyda'r llythyr uchod, amgaewyd dau docyn, gwerth 7/6d yr un, ar gyfer seddau 163 a 164 yn Adran C y Pafiliwn ar gyfer seremoni'r Coroni.

Oedd, roedd Caradog Prichard wedi ennill ei drydedd Goron yn olynol, camp na lwyddodd neb i'w chyflawni cyn nac ar ôl hynny, a gwnaeth un cartwnydd yn fawr o'r achlysur: cyhoeddodd y *Western Mail* gartŵn o waith J. C. Walker a chadwodd Caradog y copi a ganlyn:

Cartŵn y Tair Coron

Fodd bynnag, ym 1948, wedi i Dewi Emrys ennill ei bedwaredd Gadair yn Eisteddfod Genedlaethol Pen-y-bont ar Ogwr, cyflwynwyd rheol yn pennu na châi unrhyw un ennill yr un o brif wobrau'r Eisteddfod Genedlaethol fwy na dwywaith. A dyna record Caradog yn ddiogel – am y tro! Fodd bynnag, yn 2013, diddymwyd y rheol honno ac agorodd yr Eisteddfod ei drysau led y pen unwaith eto, gan roi bythol heol i gystadleuwyr ennill unrhyw un o'r prif wobrau gynifer o weithiau ag y gallent. Pwy a ŵyr, felly, na chaiff camp Caradog ei hefelychu, ac efallai'i threchu, yn y blynyddoedd sydd i ddod?

*   *   *

Dylifodd telegramau a llythyrau llongyfarch i swyddfa a chartref Caradog yng Nghaerdydd. Roedd y telegram hwn, dyddiedig Awst 6, 1929, oddi wrth William Davies, golygydd y *Western Mail*, ymhlith y rhai cyntaf:

> Warmest congratulations from all your colleagues on Staff of Western Mail, Evening Express, Echo, and Weekly Mail and Cardiff Times on your wonderful success in winning Crown Prize for third time. We are all very delighted.

*   *   *

Roedd pob un o'r telegramau a'r llythyrau a ganlyn â'r dyddiad (neu farc post) Awst 7, 1929, arnyn nhw:

Llythyr o Swyddfa'r *Genedl*, Caernarfon, oddi wrth Llew Owain[9]:

> Annwyl Gyfaill,
> Llongyfarchiadau cynhesaf ar eich buddugoliaeth odidog. Yr oeddwn yn falch iawn o ddeall am eich llwydd – gorchest fawr. Pob hwyl yn y dyfodol.

*   *   *

Telegram oddi wrth 'Enid a Tom' (sef Thomas ac Enid Parry), wedi'i anfon o Gaernarfon:

> Llond gwlad o gyfarchiadau a hwyl fawr – ni lefara geiriau lawenydd ein calonnau a dwfn orfoledd ein dau.

*   *   *

Telegram eto, wedi'i anfon o Lanrwst, oddi wrth 'Gwilym'[10]:

> Ti wyddost beth ddywed fy nghalon.

*   *   *

Telegram, wedi'i anfon o Sheffield, ac arno un gair o gyfarchiad, sef 'Congratulations', oddi wrth Howell, brawd Caradog,

*   *   *

Llythyr, diddyddiad ond Awst 7, 1929, sydd ar y marc post ar yr amlen, a dderbyniodd Caradog oddi wrth Ior, ei gyfaill yng Nghaernarfon gynt, yn ysgrifennu o 'St Martin's Cres., Caerphilly',

> Anwyl Caradog,
> Rhwyf yn dy longyfarch am enill y goron eto eleni. Beth am y Gadair tybed? Mae pawb ffordd yma yn amae dy fod am y gadair hefyd. Paid cadw mor ddiather hen ogun felna ydwyf fi yn lecio gofun. Cofia alw. O ie! gyra y Gan ni Chanwyd imi os na fydd cyfle iti ddod yma yn fuan iawn.
>> Pob lwc. Ior

*   *   *

Derbyniodd nodyn byr o longyfarch hefyd oddi wrth 'Cousins Maggie and Will, Deiniolen', sef ei gyfnither a'i gefnder, Margaret a William John Brown, y cyfeirir atynt mewn man arall yn y gwaith hwn.

*   *   *

Llythyr, eto'n ddyddiedig Awst 7, 1929, oddi wrth 'Marie Lewis, 31 High Street, Bangor (na lwyddais i ganfod pwy'n union oedd hi):

> Dear Caradoc.
> I was very glad to hear about your wonderful success in the Welsh National Eisteddfod. I really wish to congratulate you.

I have torn your photo from the Liverpool Post and I am going to keep it until I come down to Cardiff again for a better one. It is a very good one of you indeed but worst luck it is from a news paper. There is a great talk about you here, because you have had the crown for the third time now. It must be that you are very clever.

Well, as you will see from the above address, that we have moved from Tynewydd, Pentir, and are living down at Bangor. Much better you know, little more life.

When passing through Bangor next time, remember to call and see me. I would be so pleased you know, because I would make you some nice lunch as I had from you when I was down at Cardiff last. I won't forget you know.

I think that I am coming down to Cardiff with my brother in a month's time. I'll write and tell you definitely again when I am coming. Well I have no news particularly to tell you now but hope to see you soon.

With kind regards | yours | Marie Lewis.

*   *   *

Mwy diddorol fyth oedd y llythyr, dyddiedig dydd Mercher, Awst 7, 1929, oddi wrth Lewis Jones, Min Ogwen, Bethesda.

Anwyl Gyfaill,
Llongyfarchiadau calonog ar eich llwyddiant eithriadol yn Lerpwl. Yr ydych wedi gwneud yn ardderchog ac mae pawb yma yn falch ohonoch. Byddaf yn anfon ychydig i'r 'Faner' oddi yma. Yn anffodus allan ohoni yr wyf er ceisio gwaith ymhob man ac wedi cael profiad chwerw iawn dyddiau diweddaf yma, sef colli'r wraig. Buasai yn bleser gennyf gael rhoddi iechyd da i chwi ond yr arian ar ôl, buasai rhyw 1/- neu ddau yn wir dderbyniol gennyf os gwelwch yn dda, gan ymddiried ynoch yn gyfrinachol. Diolchgar iawn fyddaf – pwy a ŵyr na chaf dalu yn ôl.
    Cofion cu, | Lewis Jones.

[Ar ochr chwith y ddalen] Adgofion dymunol am Pentrefoelas pan yno.
[Ar ochr dde'r ddalen] A oes modd cael anfon i'r 'Mail' oddi yma?

Un o ferched Lewis Jones oedd Gwyneth, a briododd ŵr o'r enw Buller Evans, blaenor yng Nghapel Bethesda (A) ac Ysgrifennydd Eisteddfod Dyffryn Ogwen am flynyddoedd lawer. Merch arall oedd Emily, a ddaeth yn wraig i Ernest Roberts, awdur, hanesydd lleol, Cadeirydd Mainc yr Ynadon ym Mangor ac Ysgrifennydd yr Eisteddfod Genedlaethol dros gyfnod hir.

Merch Lewis Jones, hefyd, oedd Gwladys Williams (a aned ym 1900). Cyhoeddodd ddwy gyfrol o'i hatgofion, sef *Dest Rhyw Air* (Y Llyfrfa, Caernarfon 1971) a *Gynt* (Y Llyfrfa, Caernarfon, 1974). Traddododd ddarlith yng Nghapel Jerusalem, Bethesda, Mawrth 16, 1977, y ddarlith olaf ond un yn y gyfres o Ddarlithoedd Blynyddol Llyfrgell Bethesda. Cyhoeddwyd y ddarlith honno dan y teitl *Swyn Cofio* (Gwasanaeth Llyfrgell Gwynedd, Caernarfon, 1977). Dyma a ddywedodd am ei thad:

> Hoffwn dalu teyrnged i'm tad, Lewis Jones, am y rhan a gymerodd
> fel arolygwr Ysgol Sul y Plant am dros ugain mlynedd. Roedd o'n
> ymfalchïo yn ei swydd, yn hoff iawn o'r plant a hwythau'n hoff ohono
> yntau … Diau fod fy nhad yn cael mwy o bleser yng nghwmpeini plant
> nag a gâi ymysg oedolion y Capel. Dyna'r rheswm pam na chymerodd
> o ran amlwg yn yr oedfaon ar y Sul … Roedd yn gyfaill i bawb ac yn
> barod iawn i rannu ei damaid a hynny heb chwenychu cael ei weld …

Soniodd, hefyd, am ei mam, gyda chyfeiriad cynnil at ei thad:

> Bu hi farw yn y flwyddyn 1929 yn ddim ond pedair blynedd dros
> ei hanner cant … Nid oedd fy mam yn ddynes capel ond rwy'n
> siŵr ei bod yn Gristion cywir … Fe gafodd hithau, fel pob mam, ei
> phrofedigaethau a'i siomedigaethau mewn bywyd … Collodd fy mrawd
> Evan Gwilym[11] yn y Rhyfel Byd Cyntaf yn bedair ar hugain oed; colli fy
> chwaer fach Myfanwy yn ddeuddeg oed. Bu raid iddi hefyd ymdrechu i
> gyd-ymddwyn â salwch alcoholaidd fy nhad, ac fe ŵyr pawb croes mor
> fawr yw hon.

A dyna daflu rhyw gymaint o oleuni ar gyflwr ac amgylchiadau Lewis Jones pan ysgrifennodd at Garadog ym 1929. Bu farw yn ei gartref ym Methesda ddechrau mis Mawrth, 1955, yn 83 oed.

*   *   *

Dydd Mercher, Awst 8, 1929, cardyn post o 25 Roath Court Place, Caerdydd, oddi wrth [Mrs] J. Picton Davies, sef priod un o gydweithwyr Caradog ar y

Western Mail (y soniwyd amdano eisoes ac y sonnir amdano eto ymhellach ymlaen):

> Llongyfarchiadau eiriasboeth. Yr oedd llawenydd mawr yma pan
> ddaeth y newydd. Mae'r gŵr wedi anfon ei ddymuniadau gyda pobl
> yr offis ond gan nad wyf fi ar staff y W. M. rhaid i mi gael anfon gair
> drosof fy hun. Rhagorol yn wir.

*   *   *

Awst 9, 1929, ar ben-llythyr *Y Tyst* ('Newyddiadur yr Annibynwyr, Caerfyrddin'), ysgrifennodd y golygydd, J. Dyfnallt Owen:

> Annwyl Gymrawd,
> Llongyfarchion fil a mwy ar eich camp odidog. Yr wyf wedi mentro heb
> eich caniatâd i roi pennill neu ddau o'ch pryddest ar dudalen gyntaf Y
> Tyst yr wythnos hon. Boed yr awel yn hir dan adain eich awen.
>   Cofion caredig, Dyfnallt.

*   *   *

Ni lwyddais i ganfod pwy oedd Rachel Williams a ysgrifennodd ato o 14 Stryd Fawr, Blaenau Ffestiniog, ar Awst 12, 1929, ond mae'n amlwg ei bod yn ei adnabod yn dda a hefyd yn gwybod am ei frodyr:

> Pardon my liberty in writing like this but I feel I must congratulate you
> on your success this year again.
>   We were over at Liverpool on Thursday but failed to see you
> anywhere on the field after hunting high and low. There were heaps of
> Bethesda people there, I wonder if you saw any of them. Hope you are
> keeping well, also Howell and Glyn.
>   By the way do you know that Fred Llewellyn has gone out to the
> Malay Estate – had a good post under the Government. When are you
> coming this way again. Don't forget to call.
>   Please excuse scrawl & haste. Cofion cu, Rachel Williams

*   *   *

Gair, hefyd, oddi wrth y twrnai, Salisbury Jones, Clerc Cyngor Dinesig Llanrwst, mewn llythyr, dyddiedig Awst 12, 1929:

> Dear Mr. Pritchard,
> At the monthly meeting of my Council held on Friday evening last I was directed to write to warmly congratulate you on winning the Crown at the National Eisteddfod for the third time in succession.
>   The Council were delighted to hear of your success and I desire to be associated with them in extending to you very hearty congratulations. It was altogether a brilliant achievement.
>   With kind regards, | Yours faithfully, | Salisbury Jones.

Rai dyddiau'n ddiweddarach, derbyniodd lythyr, dyddiedig Awst 19, 1929, oddi wrth dwrnai arall, sef Clerc Cyngor Dinesig Bethesda y tro hwn:

> Annwyl Syr,
> Dymunir arnaf ar ran y Cyngor uchod eich llongyfarch ar eich llwyddiant eithriadol yn ennill y Goron am y drydedd waith yn yr Eisteddfod Genedlaethol.
>   Yr eiddoch yn ffyddlawn, | Roger Evans[12]

Sylwais, gyda diddordeb, mai rhif ffôn y Cyngor yr adeg honno oedd Bethesda 2.

*   *   *

Roedd y llythyrau llongyfarch yn dal i gyrraedd ato ddyddiau lawer ar ôl ei fuddugoliaeth, megis y rhai oddi wrth H. R. Jones[13] (Tai Caradog, Deiniolen) a Mrs Evelyn Lewis (Eithinfa, Cliff Terrace, Aberystwyth). Un llythyr a fyddai wedi cael croeso arbennig ganddo, mae'n debyg, yw'r un a ysgrifennwyd ato o 9 The Grove, Y Barri (â'r marc post Awst 15, 1929 ar yr amlen), gan gyfaill, cyn gyd-ddisgybl ac un o'i gymdogion ym more'i oes:

> Annwyl Gyfaill
> Llongyfarchiadau filoedd – well done un o Pesda!
>   Buaswn wedi ysgrifennu i ti yn gynt ond fy mod yn gwybod dy fod i ffwrdd a gwelaf yn ol y papur dy fod yn derbyn yr anrhydedd fwyaf ellith Caerdydd roi iti heno.

Yr wyf yn aros yma tan ddiwedd Awst gan fy mod yn dilyn cwrs yn ysgol yr haf ac yr wyf yn hyderu yn fawr y caf dy weled cyn mynd yn ol.

Os byddi yn rhydd prynhawn a nos Sadwrn, carwn yn fawr ddod i Gaerdydd i dy gyfarfod ac i gael treulio ychydig oriau â'n gilydd, Os bydd hyn yn bosib i ti, gwn y gwnei anfon gair erbyn boreu Sadwrn i mi gan arwyddo'r lle a'r amser cyfarfod. Buasai unrhyw amser ar ol 3 yn gyfleus i mi.

Wel Caradog teimlaf hi yn fraint fawr cael dweyd wrth fy nghyfeillion fy mod o le enedigol y Bardd Coronog ac hefyd wedi bod yn yr ysgol gyda'g ef.

Yr oeddwn yn meddwl mai ti gai'r Goron y tro yma eto cyn i'r feirniadaeth gael ei chyhoeddi. Wyrach mai'n brwdfrydedd fi fy hunan oedd yn peri i mi feddwl hynny.

Hyn fyr ac yn fler | Oddiwrth Dick Pritchard (Penbryn)

A chan mai yn Llwyn Onn ar Allt Pen-y-bryn y cafodd Caradog ei eni, mae'n bur debygol i'r ddau fod yn cydchwarae'n blant ar 'Allt Bryn', ys galwodd Caradog Prichard hi yn *UNOL*.

*　　*　　*

Awst 16, 1929, yw'r dyddiad ar lythyr arall a fyddai wedi plesio Caradog er nad adwaenai'r llythyrwr:

Annwyl Mr Pritchard,
Er na chefais mo'r fraint o'ch cyfarfod yn bersonol hyd yn hyn, yr wyf, mi goeliaf, yn hen gyfarwydd â chwi drwy eich gwaith llenyddol. Derbyniwch fy llongyfarchiadau gwresocaf ar eich llwyddiant yn yr Eisteddfod. Darllenais y bryddest drosodd a thro, ac nid oes ond y gair 'meistrolgar' a all ddangos fy ngwerthfawrogiad ohoni. Hyderaf y cewch nerth ac iechyd i gyfoethogi ein llên yn y dyfodol.

Yr oeddwn yn gyfaill calon i J. T. Jones (Gwaed ...)[14] ... hwyrach y câf y cyfle i fwynhau eich cwmni ar fyr.

Llongyfarchiadau, a phob hwyl yn y dyfodol.
Yr Eiddoch yn Gywir, | T. O. Phillips

*　　*　　*

Tua chanol Awst 1929, daeth gohebiaeth wahanol iawn iddo, ar ffurf cerdd dan y teitl: 'Bardd y Tair Coron Genedlaethol', oddi wrth 'Dy Gyfaill, W. R. Williams, Cefnmeusydd, Tanygrisiau, Blaenau Festiniog'. Dyfynnaf heb ymyrryd dim â'r orgraff:

> Rwy'n anfon o Festiniog
> I'th anerch ar dy lwydd
> Mae canu lond dy enaid
> Addefwn hyn yn rhwydd;
> Roedd enill yn Caergybi
> Yn orchest heb ei hail
> Treorchi wedyn gefaist
> I'w gwisgo ar yn ail.
>
> Wel chwareu teg i Gradog
> Y drydedd waith yw'r coel
> Fe gurodd gewri eto
> A'i ben nid yw yn foel!
> Beth wnei ar cyfan gyfaill
> Un pen sydd gennyt Frawd
> Rho un i Will Cefnmeusydd
> Na chafodd wenau ffawd.
>
> Ti genaist gan ni chanwyd
> A chan ac arni raen.
> A hono'n syth or galon
> A hi oedd ar y blaen;
> Wel maddeu'r rhigwm tila
> Ddaw o Festiniog bell,
> Rhyw dro y gallaf innau
> Dy anerch di yn well.

Mae'r llythyr yn cloi gyda'r frawddeg a ganlyn: 'Maddeu y rhigwm tila gyda Llongyfarchiadau am dy lwyddiant gan ddymuno dy lwyddiant eto ymlaen'.

* * *

Mae'r llythyr nesaf, hefyd yn ddiddyddiad ond â marc post Awst 19, 1929, oddi wrth Gwen Williams, 'Glan Aber', Raymond St., Caer. Amgaewyd llun yn yr amlen.

> Annwyl Mr Prichard,
> Yr wyf yn amgau y llun a dynwyd o honoch chwi a'r bardd cadeiriol ar gae yr Eisteddfod. Yn anffodus ni ddaeth yr un a dynwyd ohonoch ar ben eich hun allan, ond efallai y caf y fraint o'ch tynu eto y flwyddyn nesaf fel 'Bardd Coronog Llanelli'.
> Hyn gyda dymuniadau goreu, | Yn gywir, | Gwen Williams

Enillydd y Gadair yn Lerpwl, ar y testun 'Dafydd ap Gwilym', oedd D. Emrys James (Dewi Emrys), Aberystwyth. Ef, hefyd, oedd yn fuddugol yng nghystadleuaeth y soned, 'Castell Dinas Brân', a daeth yn gydradd gyntaf ar 'Y Dair Delyneg: Aredig, Hau, Medi'. Gwnaeth Gwen Williams gymwynas â ni yn tynnu'r llun isod o Garadog a Dewi Emrys ar faes yr Eisteddfod:

Dewi Emrys (enillydd y Gadair) a Charadog Prichard (enillydd y Goron) yn Eisteddfod Genedlaethol Lerpwl, 1929

*   *   *

Llythyr arall a haedda ein sylw ydi'r un a anfonwyd gan D. M. o Aberystwyth, Awst 22, 1929, ar ben-llythyr *Amserau Cymru*. Un o gyn-gydweithwyr Caradog, a chyfaill agos iddo, oedd D. M., sef Dewi Morgan[15].

Y Caradog Annwyl,
Nid wyf yn meddwl y medraf fi ddywedyd dim nas clywaist yn ddiweddar iawn, ond eto mae'n rhaid i mi gael son mor dda gennyf oedd clywed am dy lwydd yn Lerpwl. Wel, wel, y mae rhyw ddyfnderau di-sôn ynot tithau hefyd! Ni wyddwn fod gennyt ddim i mewn o gwbl. Ni chlywais ond dy fod wedi amcanu cynnig a'th fod yn rhy hwyr yn anfon i mewn. Beth bynnag am hynny, y mae dy le ar y Western Front yn ddiogel bellach. Gelli fforddio i fod yn 'dawel' am hynny.

Darllenais y gan wrth gwrs. Ni allaf gredu y dylai hi fod lawn mor dywyll ag ydyw, yn enwedig tua'r diwedd. Yr wyf yn hoffi'r cysondeb meddwl sydd ynddi, a gwnaethost ddefnydd gwych o'r llyn hwnnw a'r coed. Ar ryw olwg y mae'n od gweled un mor ieuanc yn son am feddyliau hen wr â'r fath sicrwydd a chywirdeb. Yr wyt yn un o'r rheiny y mae eu dychymyg yn dywedyd y gwir noeth wrthynt. Petaet ti'n mynd i ddarllen athroniaeth braidd na thybiwn y byddet yn dy gyfrif dy hun 'am y pared' â gwirionedd. Hwyrach mai dyna'r eithaf peth y gall dyn ei ddymuno.

Clywais dy fod yn dyfod y ffordd hon. Cofia ddod. Mi garwn gael cwmni ynghyd a thorri bara hefo'n gilydd, a newid meddwl a'n gilydd. Beth ddywed y bobl ddiawen sy'n yr offis yna? Yr wyt yn feistr corn arnynt. A fyddi di'n ysgrifennu rhyw bytiau bychain weithiau? Gwelais y cywydd hwnnw. Go dda'n wir! Wyddost ti, Caradog, wrth gynganeddu y bydd dyn yn cael blas ar brydyddu wedi'r cwbl. Ni chefais i erioed hwyl ar bryddest o fath yn y byd. Clywais lawer son am danat. Dy fod yn caru rhywun o Gaerdydd yna. Moes un i minnau'r hen ddyn …
Yn bur, D. M.

Cawn ychydig o fanylion am gefndir y berthynas a'r cyfeillgarwch rhwng Caradog Prichard a Dewi Morgan gan Nerys Ann Jones ar dudalennau 87-88 yn ei chyfrol ddiddorol, *Dewi Morgan – Cofiant*, Y Lolfa, 1987:

Bu Caradog Prichard yn lletya yng nghartref Dewi am gyfnod, ond yn wahanol i'r lletywyr eraill, newyddiadurwr oedd ef, nid myfyriwr. Bu'n gweithio ar y *Cambrian News* a'r *Faner* yn Aberystwyth ar ddechrau

ei yrfa. 'Dyna pryd y cefais am gyfnod byr gyfathrach agos â Dewi
Morgan a chael maethu f'ysbryd â'i feddwl coeth ac â dewiniaeth ei
leferydd doeth.' Manteisiodd ar ddarllen eang Dewi ac yn enwedig ar
ei ddiddordeb yng ngwaith y cywyddwyr: 'Gan Ddewi ac i gyfeiliant y
tonnau trystfawr ar y Prom y cefais i ddod i adnabyddiaeth am y tro
cyntaf â meistri'r gynghanedd fel Siôn Cent, Tudur Aled ac eraill. Yn
ôl ei weddw, Mattie Prichard, roedd gan Caradog feddwl uchel iawn o
Ddewi a dangosai ei waith iddo cyn ei anfon i wahanol eisteddfodau.
'Ar ôl rhoi'r gerdd wrth ei gilydd, byddwn yn cael pleser digymysg yn ei
darllen i Prosser a Dewi,' meddai wrth sôn am ei bryddest 'Y Briodas' …

*   *   *

Medi 26, '29, ydi'r dyddiad ar yr ail lythyr a dderbyniasai Caradog Prichard
oddi wrth R. Williams Parry a'r 'R. W. Parry' ffurfiol oedd yn y llythyr
blaenorol wedi troi'n 'Bob Parry' cynhesach! At Thomas Parry y cyfeirir yn
llinell gyntaf y llythyr (isod) a chofiwn fod Caradog Prichard ac yntau'n
gyfeillion agos iawn yn ystod cyfnod Caradog yng Nghaerdydd, mor agos
nes i Tom Parry dderbyn gwahoddiad i fod yn was priodas i Garadog a
Mattie ym 1933. Soniwn ragor am Syr Thomas Parry mewn pennod ar
wahân isod. Ar ddiwedd y trydydd paragraff, cawn y cyfeiriad direidus at yr
'Awstin Sant', sef car Austin 7 R. Williams Parry. Dyma'r llythyr:

Annwyl Gyfaill,
Roeddwn wedi deall gan Dom eich bod yn cwyno, ac wedi bod mewn
ysbyty. Mawr hyderaf eich bod yn teimlo'n llawer gwell.
    Wel, am ddydd Sadwrn. Mae Pwyllgor o'r Blaid (y Pwyllgor Sir)
yn cwrdd yng Ngwesty Pendref am 3 y pnawn. (Chwi gofiwch beth
a ddigwyddodd y tro hwnnw yn Mettws y Coed, pan gofiais am y
Pwyllgor!! Ni wiw i hynny ddigwydd eilwaith). Felly yno y byddaf
o 3 hyd beth bynnag 5, os na bydd yn fyrrach nag arfer. Fe rown
wahoddiad ichwi i'r Pwyllgor, ond fod rhai ohonynt wedi 'cicio row'
rhyw dri pwyllgor yn ôl oherwydd fod rhai heb fod yn aelodau o'r Blaid
wedi crwydro iddo y tro blaenorol.
    Fodd bynnag, byddaf yng ngwesty Pendref oddeutu'r pump, – yn
pwyllgora neu'n yfed te. Os deuwch yno at yr adeg honno, cawn
benderfynu i ble i fynd. Mae'r Awstin Sant yn gêm i fynd i rywle, cyn
belled ag y caiff lond ei fol o betrol! Llanwnda, Llanberis, Llandudno,
Llanrwst, neu unrhyw lan arall!

Byddwch wych hyd hynny. | Cofion cynnes iawn. | Bob Parry,

P. S. Peidiwch ag ateb hwn, waeth gyda'r post pnawn y cyrhaedda llythyrau o G'dydd a byddaf wedi gadael am G'fon cyn hynny.

Gobeithiaf y bydd eich gwddwg wedi dyfod i'w gynefin hwyl erbyn hynny. 'Rwyf finnau wedi bod yn cwyno efo 'ngwddw'n ddiweddar ond yr wyf yn well weithion.

*   *   *

Trown yn awr i gael cipolwg ar ddetholiad o'r ohebiaeth a dderbyniodd Caradog yn y 1930au.

Wedi iddo ennill gradd B.A. mewn Cymraeg a Hanes yng Ngholeg Prifysgol, Caerdydd, derbyniodd Caradog Prichard y llythyr a ganlyn o 'Fron Oleu, East Twthill, Caernarvon', ac arno'r dyddiad Gorff 12, '32:

Annwyl Caradog,
Gair byr o longyfarchiad ar eich llwyddiant yn ennill y radd o B.A., ac i ddymuno i chwi lwyddiant mwy eto yn y dyfodol. Tipyn o gamp oedd ennill gradd tra'n dilyn galwedigaeth. Canmil gwell yw ennill gradd na chael gradd 'anrhydeddus' yr hon a roddir yn aml heb deilyngdod digonol. Nid yw ond megis doe er pan oeddych yn fachgen yn swyddfa'r 'Herald' yn cyfieithu o'r Saesneg i'r Gymraeg. Hyderaf y cewch yrfa ddisglair a llwyddiannus.
Yr eiddoch yn gywir
J. Jones [?]

*   *   *

Llythyr, dyddiedig Awst 3, 1932, wedi'i anfon at Garadog ar ran Cymdeithas Gymraeg Ystrad Mynach a'r Cylch gan y Parchedig Stanley Rees-Tyrer, 9 Lewis Street, Ystrad Mynach. Roedd Stanley a Charadog, yn amlwg, yn gyd-ddisgyblion yn Ysgol y Sir, Bethesda, rhwng Medi 1916 a dechrau Mawrth 1922, a byddai Caradog wedi adnabod pob un o'r athrawon oddi wrth yr enwau a grybwyllir gan Stan. Yr unig un y clywais Caradog yn sôn amdani oedd Miss Ruth Lake ('Anti Lêc' gan Stan), Saesnes o Morpeth, Northumberland, a bechodd yn anfaddeuol yn erbyn Caradog pan amheuodd ai ef oedd wedi ysgrifennu rhyw waith neu'i gilydd yn Saesneg!

F'annwyl Gyfaill,

Smai ers llawer dydd? Mae lot o amser ers pan oeddit yn smocio stwmps yng nghwt p - - o Cownti Pesda ac yn bryfocio Meri Dora ag Anti Lêc a Tomi Neis. Tebig fod y dyddiau hynny megis breuddwyd pell iti rwan a'r hen gyfeillion megis ysbrydion – rhai ohonynt yn ysbrydion amheus hefyd.

Sut hwyl sy ar bethau? Byddaf yn darllen dy waith yn y Mail ac yn ceisio cysoni Caradog Pritchard of the Western Mail a'r Caradog hwnnw a chwareuai Shyf hepni yn Lab Pesda o dan drwyn Lei bach dwd dwd. Yma y ceisiaf weinidogaethu ar hyn o bryd a rhyfedd fel y mae'r bobl yn dal i fyw. Ond – a ddioddefws a orfu – a dyna hi.

A fedri di sut yn y byd ddod i ddarlithio i'n Cymdeithas Gymraeg ni yn Ystrad ar nos Fawrth y chweched (6) o Ragfyr? Cei ddewis unrhyw destun dan haul a chei bunt a chweigian (30/-) a'r treuliau am dy drafferth. Carwn yn fawr pe medret ddod. Mae yma Gymdeithas dda iawn.

Rho wybod imi mor fuan ag sydd bosibl. Congrats ar ennill dy ddî grî eleni.

Bob hwyl a bendith, | Yn rhwymau'r atgofion i gyd, | Stanley

*   *   *

Derbyniodd lythyr, dyddiedig Awst 19, 1932, o Gaernarfon, oddi wrth Gwynfor[17], un y daethai i'w adnabod pan weithiai yn y dref:

F'anwyl Gyfaill,

Wel, dyna dro trybeilig. Diolch na fyrddiwyd ti ar ffordd anghysbell gan y carnladron[18]. Hen dro mên oedd o, Caradog. Mae'n debyg i'r lladrad droi'n siom iddyn nhw, diau fod gen ti screpan go olygus a'u bod wedi tybio fod cryn swm o arian ynddo. Ymhle y digwyddodd hyn? Ai yng Nghaerdydd? Roedd yn ddrwg gen i rhen gyfaill. Buaswn wedi anfon copi o'r erthygl yn gynt, ond roeddwn wedi mynd o Harlech, ac yma y diwrnod wedyn y cefais y teligram. Anfonais y diwplicet cyn deg yn y bore gan ddisgwyl y caet ef cyn hanner nos. Gwelais heddiw yn y Mail fod ysgrif Berry[19] wedi cyrraedd. Mae hwyl dda hyd yn hyn ar yr erthyglau. Fe fydd eisiau nifer go fawr i'w cadw i fynd bob dydd. Gan obeithio y delir y lladron diawl. | Ydwyf yn bur iawn, | Gwynfor

*   *   *

W. Ll. Davies[20] oedd awdur y llythyr a ganlyn, dyddiedig Hydref 14, 1932:

Annwyl Mr. Prichard,
Synnais yn fawr weled yn y Weekly Mail ychydig yn ol eich sylwadau, mewn erthygl ar Geiriog, am y Llyfrgell Genedlaethol a'r 'cyhoeddusrwydd' a roddwyd i un o lythyrau'r bardd.

Nid wyf am son dim am 'ein hagwedd fel cenedl tuag at ein beirdd a'n llenorion', ac am y 'wanc afiach' am ddyfod a'u llythyrau preifat i'r amlwg. Mater o farn bersonol yw hynny, a rhydd i bob un ei farn. Ond carwn bwysleisio ein bod ni yn y Llyfrgell Genedlaethol bob amser yn dra gofalus rhag dangos yn yr Arddangosfa neu mewn unrhyw fan cyhoeddus arall unrhyw beth y byddai'n annoeth neu'n anweddus ei ddangos. Nid ystyriwyd fod y llythyr dan sylw felly, oblegid nid yw ond enghraifft o'r hiwmor iach hwnnw oedd yn un o brif nodweddion Ceiriog. Gosodwyd ef, os darfu i chwi sylwi, wrth ochr llythyr arall sydd yn taro'r nodyn lleddf ym mywyd y bardd, gan ddangos fod y ddwy elfen i'w canfod yn ei fywyd personol fel yn ei weithiau.

Gan eich bod yn teimlo mor gryf yn erbyn rhoddi cyhoeddusrwydd i'r llythyr, ni allaf ymatal rhag galw eich sylw yn garedig at y ffaith eich bod chwi eich hun, trwy ei argraffu air am air yn y *Weekly Mail* gyda'i gylchrediad helaeth, wedi rhoddi llawer mwy o gyhoeddusrwydd iddo nag a gaiff o dan ei glawr gwydr yma, oblegid er fod miloedd yn ymweled a'r Arddangosfa bob haf, nid lluosog yw nifer y rhai a fedr ac a gymer y drafferth i ddarllen pob un o'r llawysgrifau a ddangosir.

Dewisais ysgrifennu fel hyn atoch yn bersonol gan y byddai ateb yr achwyniad yn y Wasg yn rhoddi i'r llythyr fwy fyth o'r cyhoeddusrwydd a gondemniwyd, ond a roddwyd iddo er hynny yn eich erthygl.

Ydwyf, yn bur iawn, | W. Ll. Davies

*   *   *

Mae'n amlwg ei bod yn fain ei fyd ar Tom Macdonald[21] pan ysgrifennodd y llythyr a ganlyn at Garadog Prichard ym 1932 o '26 Earls Court Gardens, London. S.W. 5' ar Ragfyr 5, 1932. Byddai'n dda pe bai modd gwybod beth oedd ymateb Caradog.

My dear Caradog,

How are you? I suppose were we to pass in the street we wouldn't know one another. But I can assure you that while abroad, at least, I followed your spectacular Crown successes with pleasure.

Mr Read[22] of the Cambrian News mentioned me to you the other day & I was hoping against Hope that something might turn up on the Western Mail.

But the object of this note is to ask you if you know of anybody connected with the proposed new evening paper to be launched in Swansea – a director, proprietor or anybody to whom I can send an application for a job.

It occurred to me that Cardiff would know more about the paper than London. I have tried to find out something more than appears in the World's Press News, but nobody knows anything.

I have been in London six months doing fairly well at freelancing until recently, when blank followed blank, until I have even considered the preposterous idea of returning to Australia. You see, throughout the five years I was in Australia, I always longed to come Home. I never anticipated that things were so 'diawledig' in our profession, although I had considerable success as a special writer in Australia, it isn't that I am demeaning any job anywhere without a trial. As a matter of fact, I have applied for more trifling jobs than I had at the Cambrian News years ago. But I can't even pick up a job at a couple of pounds a week.

If you ever hear of anything, however small, please let me know.

If you can give me the information I want regarding a Swansea paper, I should like it as soon as you are able to write, because I am between Devil and Deep Sea.

Cofion cynnes, | Yr eiddoch, | Tom Macdonald

*   *   *

Ar ben-llythyr y *News Chronicle* (9/22, Bouverie Street, Llundain), cafodd Caradog Prichard ateb, dyddiedig Ionawr 11, 1933, i ymholiad a wnaethai, yn amlwg, am swydd ar staff y papur-newydd hwn yn Llundain.

Annwyl Mr Pritchard,

Byddaf yn falch iawn i'ch gweled unrhyw bryd y byddwch yn y brif-ddinas.

Ynglyn a'ch cais am sefyllfa yma cadwaf eich enw mewn côf : yn bresennol nid oes dim i'w gynnig.
Yn ffyddlawn | W. Anthony Davies[23]

*   *   *

Mae'r llythyr, dyddiedig Mehefin 29, 1932 (llithriad amlwg am 1933), a anfonwyd i'w gartref yn un hynod – am fwy nag un rheswm. Anfonwyd ef ar ran 'Eglwys Seion, Roath Court Place, Caerdydd' a chynhwysir llofnodion y pum anfonydd ar waelod y llythyr (sydd, gyda llaw, wedi'i deipio ar bapur ffwlsgap glas go dywyll ei liw a hynny'n amlwg ar deipiadur a oedd wedi hen haeddu rhuban newydd!).

Fodd bynnag, ni ellir peidio â gweld bod yn y llythyr gryn glyfrwch ac elfen gref o ffurfioldeb tafod-yn-y-boch a thynnu coes, a 'synnwn i ddim nad Thomas Parry (ei gyfaill) oedd y tu ôl i'r cyfan!

Prif ddiben y llythyr ydi llongyfarch Caradog ar ennill ei radd (B.A.). Mae'n wir dweud iddo ennill ei radd ym 1932 ond ym 1933 y derbyniodd hi'n swyddogol yn ôl yr wybodaeth a ganlyn a dderbyniais oddi wrth Lucie Murell, Cofrestrfa Prifysgol Cymru, Caerdydd: 'Admitted to Award: 20 July, 1933'. Manteisir, yr un pryd, ar y cyfle i ddymuno'n dda yn y llythyr i'w briod ac yntau ar eu priodas ar Fehefin 7, 1933, Caradog yn 28 oed a Mattie'n 25.

Cafodd Owen Picton Davies newid gyrfa yn y llythyr o fod yn ddyn papur-newydd i fod yn weinidog Eglwys Seion, Roath Court Place – a dyna gyd-ddigwyddiad gan mai yn 25 Roath Court Place yr oedd teulu Picton Davies yn byw! A chredaf hefyd mai Thomas Parry oedd wedi'i benodi'i hun yn Ysgrifennydd capel dychmygol Seion[24]. Ar waelod y rhestr o enwau diaconesau, ceir Enid Picton Davies, B.A., sef merch Owen a Jane Picton Davies, a darpar wraig Thomas Parry. Gwyddom, fodd bynnag, mai yng Nghapel Ebeneser (A) yr addolai teulu Picton Davies. O gofio Caradog, bron na chlywaf y chwerthiniad gyddfol afieithus 'na oedd ganddo pan gâi hwyl ar gorn rhywun neu rywbeth ac mi fyddai wedi cael modd i fyw a phleser digymysg wrth ddarllen y llythyr rhyfeddol hwn.

Dyma'r llythyr (a chadwaf y prif lythrennau gwreiddiol):

YR HYBARCH GARADOG PRICHARD

Annwyl Frawd a Chyfaill,

Dymunwn ni sydd â'n henwau isod ddatgan ein llawenydd diledryw o wybod ddarfod i chwi, Caradog Prichard, trwy ddyfalbarhad a diwydrwydd ynghyswllt â'ch galluoedd cynhenid, lwyddo i lygad-dynnu arholwyr Prifysgol Cymru i'ch cynysgaeddu â gradd HEN LANC YN Y CELFYDDYDAU. Carem yma roi ar gof a chadw ein llwyr werthfawrogiad o'ch llafur diflino a chyson yn ein mysg, yr hwn a fu yn esiampl i ieuenctid amrwd yr Eglwys, ac yn ysbrydoliaeth i'r hynafgwyr a'r hynafwragedd. Teimlwn un ac oll fod yr anrhydedd hwn yn goron addas (at y tair sydd gennych eisoes) i fywyd hir o wasanaeth anhunanol i'r achos mwyaf a phwysicaf.

Eiddunwn i chwi a'ch hawddgar briod hwyrddydd einioes tawel a heddychol, a balchter yng ngweithredoedd cyffelyb eich plant.

GRAS FYDDO GYDA CHWI EICH DAU.

Yr eiddoch ar ran yr Eglwys.

Picton Davies	Gweinidog
Thomas Parry, M.A.	Ysgrifennydd
Jane Jones	
Jennie Davies	
Enid Picton Davies, B.A.	Diaconesau

*   *   *

Tua chwe mis yn ddiweddarach, mae'n amlwg fod Caradog Prichard yn dal i swnian am swydd ar un o bapurau-newydd Llundain ac wedi ysgrifennu eto at W. Anthony Davies. Dyma'r ateb a gawsai'r tro hwn, yn Saesneg, mewn llythyr dyddiedig 'July 16th, 1933' o'r cyfeiriad a ganlyn, '39 Norfolk House Road, Streatham. S.W. 16':

Dear Mr Prichard,

Thank you for your letter. I am filing it for future reference. I will not conceal the fact that I would like you very much on my staff. When a vacancy does arise you stand a good chance.

You will see from the 'N.C' every day the kind of work done by our sub-editors, speed and accuracy are the essentials, but you would find the work – as I did – much more pleasant than the heavy drudgery of a provincial newspaper.

No one shall know you have written to me. If you care to send me an occasional article (in Welsh or English) that, also, will be treated confidentially.

Very sincerely yours and with the best wishes of all the family to 'Mattie fach'

W. A. Davies

*   *   *

Dyma lythyr arall ar thema-chwilio-am-swydd, y tro hwn o 11 Penylan Place, Caerdydd, dyddiedig Awst 22, 1933, yn ymateb i lythyr a anfonasai Caradog ynghylch swydd ar *The Schoolmaster*. Mae'n amlwg i Garadog wneud rhyw gais 'drws-cefn' i gael rhywun i ddweud gair drosto, fel petai, gan obeithio yr hwylusid y ffordd iddo sicrhau'r swydd!

Dear Mr. Pritchard,

Yours was re-addressed to me at Buxton, where I was then staying.

I made it my business to return from my holidays via London in order to pay a call at Hamilton House. I did so and was fortunate enough to have a chat about your matter with a high placed official who is a close friend of mine, and of the present Editor of the 'Schoolmaster', who will have much to do with the appointment.

My presentation of the case for you will be laid before that gentleman this week by my friend who evinced much sympathy with your candidature.

When I hear further progress I shall report to you. I gather that the Directors will not meet until about Sept. 9th.

With all wishes for your success, | Yours sincerely, | E. Phillips.

*   *   *

Ond cloch rybudd a seinir yn y llythyr a dderbyniodd ryw bythefnos yn ddiweddarach. Cyfeiriwyd y llythyr hwnnw, dyddiedig Medi 7, 1933, at Caradog Prichard, 21 Heathwood Rd., Cardiff. Y llythyrwr y tro hwn eto ydi W. A. Davies o 39 Norfolk House Road, Streatham. S.W.16.

Dear Mr Prichard,

If I were you I would hesitate long before taking up a post on the

'Schoolmaster'. It is, of course, a sound periodical but your withdrawal into this quiet back-water of journalism would definitely hinder your return to daily newspaper work. I do not know you sufficiently well to judge your trend of mind, your attitude towards life. Your great abilities would fit you admirably for the chair of any scholarly journal and if you prefer the leisurely life of the study the post now almost within your grasp may lead to greater things for you in that line. If, however, you are out for the thrill and adventure of journalism and all the possibilities of advancement that are within the reach of an able and quick young man, then I say keep to daily paper work.

I wish, after saying all that, I could offer you something on the N.C. Nothing is available so far. When something does come you stand a good chance. I cannot go further than that at present.

I will see that you get proofs of the 'Welshman [… ?]' for correcting. I am not printing till I return from holiday at the end of the month …

With kind regards to both yourself and Mrs Prichard.

Yours very sincerely, | Wm A. Davies

[Ar ochr chwith y dudalen, yn rhedeg o'r gwaelod at i fyny: 'Yes, please come to see me on Friday evening.']

GOHEBIAETH HEN GARIADON

1927-29

Llythyrau Awen ac Eleanor

Mae'r Nodiadau y cyfeirir atynt yn yr adran hon i'w gweld ar dudalen 317

Gohebiaeth Hen Gariadon 1927-29

Roedd Caradog Prichard yn dal i fyw yn Llanrwst, ac yn gweithio ar *Baner ac Amserau Cymru*, pan enillodd Goron yr Eisteddfod Genedlaethol ym 1927 ond tua diwedd y flwyddyn honno, cafodd waith ar y *Western Mail* yng Nghaerdydd. Doedd o ond newydd ddechrau yn ei swydd newydd pan ddechreuodd ganlyn Mattie ond tra oedd eu perthynas hwy'n datblygu yn niwedd y 1920au, roedd dwy o gyn-gariadon Caradog yn dal i gysylltu ag ef.

Mae'n bur debyg mai Awen Williams[1] 'o bentref Bethel', ryw dair milltir o Gaernarfon, oedd gwir gariad gyntaf Caradog Prichard. Cyfarfu'r ddau yng Nghaernarfon, Caradog heb fod eto'n 18 oed ac yn brentis is-olygydd ar bapurau'r *Herald*, a hithau ryw 17 oed, yn ddisgybl yn yr Ysgol Sir (Ysgol Syr Hugh Owen wedyn). Pan aeth Awen i'r Coleg Normal ym Mangor, anfonai lythyrau ato ond daeth y garwriaeth fer i ben pan gafodd Awen wybod bod Caradog wedi dechrau hel diod.

Nid oes tystiolaeth o unrhyw gyfathrebu rhyngddynt yn ystod y blynyddoedd yn dilyn hynny ond, yn ddiddorol iawn, cadwodd Caradog ddau lythyr a anfonasai Awen ato ym 1927 a 1928, pan oedd yn gweithio ar y *Western Mail* yng Nghaerdydd.

Ysgrifennodd ato ar Hydref 29, 1927, o'i chartref yn Rhyd y Galen, Ffordd Bethel, ger Caernarfon, ac mae'r frawddeg gyntaf yn awgrymu y gallai'r ddau, ryw dro yn y gorffennol, ar ôl iddynt wahanu, fod wedi cytuno ar fath o her ynghylch pa un o'r ddau fyddai'n cysylltu gyntaf â'r llall.

Awen Williams (1906-75)
© Bryn Gwyndaf Jones

Tra bo'r cerydd yn y trydydd paragraff yn adleisio'r 'Cyngor a Cherydd a Ffarwel' yn y llythyr hwnnw oddi wrth Awen a ddaeth â'r berthynas i ben flynyddoedd ynghynt, mae ambell awgrym cynnil yn y llythyr hwn y gallai Awen fod yn ddigon parod i ailgynnau fflam eu perthynas. Dyma'r llythyr a'i res o gwestiynau (a'r 'chi' parchus yn ein taro braidd yn chwithig, rywsut):

Annwyl Caradog,
'Y cyntaf i gael ei gynhyrfu', ynte! Ond nid cynhyrfiad mo hwn ond rhyw awydd gwybod be ar y ddaear sydd yn dyfod o honoch yng ngwlad yr hwntw! Sut ydych yn hoffi dinas Caerdydd ac ardaloedd y mwnau? A oes hiraeth weithiau am awelon Llanrwst a Sir Gaernarfon ynteu mwy hoff ydyw dwndwr masnach y de na distawrwydd Dyffryn Conwy?

Sut y mae'r gwaith yn mynd i lawr yna? Y mae'n siwr nad ydych hanner mor brysur ag yn Llanrwst! Be fyddwch yn wneud a'ch hun yn eich hamdden? A ydych yn adnabod tipyn o'r lle? A ydych wedi cyfarfod Picton Davies a'r teulu eto? Ni chlywais oddi yno ers tro a heno rwyf yn sgwennu – dyna pam y meddyliais am sgwennu i chitha!

Ydach chi'n bihafio yn hogyn da yna ynteu dal i gael eich ysu gan eich rhaib ydych[2]?! For heaven's sake Caradog try & control your desires, its pitiful to see you going like that – ond fel yna y mae'r beirdd yma – creatures of strong desires & impulses!

A ydyw'r awen wedi ei chynhyrfu tua'r De yna? A ydych am geisio yn Steddfod y flwyddyn nesa? Ynte ydach chi wedi cyflawni eich master-stroke? Gyda llaw, nid wyf wedi darllen dim o'ch gwaith heblaw y Bryddest [cyfeiriad at 'Y Briodas, wrth gwrs] – anghofiais am y penillion rheiny[3] dderbyniais fy hun flwyddi yn ôl! Ydi copi o'r rheiny

gynoch chi? Buaswn yn licio'i gael. Os oes gynnoch chi rhywbeth arall
o'ch gwaith, yna ga i weld o?

Mi ddeudais wrthych yn do fy mod wedi cael fy uncertif yn
Rhosgadfan[4] yn do! Pen draw'r byd yn wir ydyw. Ni wn beth i wneud
a mi fy hun yno drwy hirnos y gaeaf yno. Yr wyf wedi dechrau mynd i
Ddosbarth Economeg yno! Ac ar nos Fercher deuaf i lawr i ddosbarth
ffidlau i G'fon. Y mae hyna yn helpu i leihau'r amser yno! Deuaf adre
bob nos Wener tan nos Sadwrn. Pe buasech o gwmpas C'fon nos
Fercher dwytha buaswn wedi mynd a chi am spri iawn – ar gorn result
Certif. Oherwydd diffyg cwmpeini i fynd am gyfeddach, dathlu digon
distaw fu!

Y mae hanner tymor wedi pasio! Edrych ymlaen at y Dolig fydd y
peth nesa. A fyddwch yn aros yna i fwrw'r Dolig? A fyddwch yn clywed
dipyn o newyddion y North yma? ...

Y mae'r corwynt yn aruthrol heno ac y mae eisoes wedi chwythu
rhai coed i lawr a'm hoff fan ar noson mor stormus yw'r lle braf
hwnnw. Gyrrwch air o'ch hanes pan deimlwch ar eich calon, i un yng
nghanol anghyfanedd mynyddoedd Eryri.

Pob lwc i chwi yna a hwyl anfarwol a keep steady.

Cofion anfarwol ac atgofion am a fu. Awen.

Mae'r ail lythyr wedi'i anfon o'r un cyfeiriad a hynny ar nos Fawrth ond heb
nodi'r union ddyddiad er, yn amlwg, rywdro ar ôl Eisteddfod Genedlaethol
Treorci 1928. (A chyda llaw, mae'n rhyfedd gweld y cymysgu yn y llythyr hwn
rhwng yr ail berson unigol a'r ail berson lluosog!) Ni wyddys a fu unrhyw
ohebiaeth oddi wrth Awen yn y cyfnod rhwng y ddau lythyr a gadwyd gan
Garadog ond yr hyn sydd yn glir ydi fod Caradog yn ysgrifennu ati hithau
ac yn rhoi iddi fanylion am ei hanes yng Nghaerdydd. Mae'n amlwg hefyd ei
fod wedi sôn wrthi am Mattie a'u dyweddïad, a'i bod hefyd yn gwybod am
Eleanor, y ferch o Dal-y-sarn, y bu Caradog yn ei chanlyn ar ôl i'w berthynas
efo hi (Awen) ddod i ben.

F'annwyl Caradog,
Wel fachgen, llongyfarchiadau calon am y fath gampwaith yr eildro.
Roeddwn yn falch ryfeddol o'th lwyddiant a hoffwn yn fawr pe bawn
yn nes i gael ysgwyd llaw yn galonog. Y creadur diymhongar yn dweud
yn ei lythyr – a chyda llaw can diolch am dano – mai 'fel dyn papur
newydd yn gwibio'n ol ac ymlaen' y byddai yn Nhreorci. Cefaist gryn
sylw yng Nghaergybi y llynedd oherwydd y stwr fu ynglyn a'r seremoni

ond yn wir cefaist fwy eleni oherwydd y gamp wyrthiol bron – ddihafal beth bynnag o ennill dwy goron yn ddilynol. Does dim 'os' yrwan nad ydych yn fardd o fri y mae'n debyg. Rwyf wedi tremio drwy'r bryddest ond heb gael amser i fyfyrio yn fanwl uwch ei phen. Sut ar wyneb y ddaear y medraist ei sgrifennu? Y mae rhyw fawredd ynddi a thrwyddi ar wahan i bob celfyddyd a rhyw arswyd yn gymhleth – i mi fodd bynnag – wrth feddwl gymaint a gostiodd i'w hysgrifennu. Ni wiriwyd erioed cystal imi y llinellau 'The sweetest songs are those that tell of saddest thoughts'. Gwelais yn y W.M. mai ar y gwyliau yn y Gogledd y cyfansoddwyd dipyn ohoni. Nid rhyfedd fuaswn i'n meddwl nad oes awydd am ddyfod i'r Gogledd am ysbaid eto. Rhaid imi gael amser i edrych drwyddi yn fwy manwl.

Wel dyma fi wedi'ch llongyfarch ar ennill yr ail goron yn yr Eisteddfod ac heb son am amgylchiad llawer mwy pwysig. Fy llaw'n dy law ar y dyweddiad – gobeithio ei fod wedi ei orffen erbyn hyn – 'hanner dyweddio' oedd yn dy lythyr. Wel, daw'r ugain punt[5] i brynnu'r fodrwy! ac erbyn hyn gobeithiaf ei bod yn ffitio a boed pob hapusrwydd i chwi eich dau! Ond yr wyt yn un glas[6] – son am ddyweddio a dim gair o son pwy ydyw'r fun. Ai o'r De ynte un o'r Gogledd – ai y ferch o'r Groeslon ydyw – Elinor os wyf yn cofio'i henw yw hi? Wel pwy bynnag yw, fy nymuniadau gorau i chwi eich dau. Gad i mi wybod ychwaneg o'r manylion rhywdro.

Roedd yn dda odiaeth gennyf ddeall fod Caerdydd yn dygymod yn well na Llanrwst a chwi. Y piti yw na fuasech wedi symud ynghynt. Ond felna y mae hi ac felna roedd hi i fod. Wel y mae gennych ddiddordeb newydd mewn bywyd a gobeithio y daw a hapusrwydd a chysur i fywyd un sydd wedi cael digon o boen ac heb wybod llawer am gysur cartre. Cei edrych ymlaen at gartre dy hun rhyw dro ond cadwa o rai o'th hen ffyrdd Caradog er mwyn dy gysur dy hun a hithau! Rwyf yn sgwennu mewn 'strain' ddigon sentimental mi wn ond felna rwyf yn teimlo heno.

Ar ddisberod yn Rhosgadfan? Ni fuasai'n bosib i gythraul fynd yno, y mae mor ddigyffro yno. Bywyd hollol dawel nes byddaf bron a mynd yn wallco weithiau a blino arnaf fi fy hun a'r un rhai. Ond daw cysur wrth droedio'r mynydd gyda rhyw un neilltuol! Nid i ddim y bum yno flwyddyn gron fe weli! Fesul dipyn y mae surni blynyddoedd ysgol yn cilio o'm bywyd.

Buaswn yn hoffi pe bawn wedi dy weld i gael sgwrs pan yn y Groeslon. Cofia nad yw Rh'gadfan ymhell – ond nid wiw son os oedd y fun gyda thi.

Y mae fy modryb o Gaerdydd yma'n aros yrwan. Y mae wedi` bod yn son am danoch – yn dweud y byddwch yn galw yno weithiau.

Dyna ben arni am heno. Paid meddwl mai oherwydd prinder dymuniadau da y mae hwn cyhyd cyn dyfod ond yr oeddwn yn meddwl y buasai'n fwy derbyniol ar ol twrw a mwstwr Treorci. Carwn gael llythyr a dipyn o hanes rhyw dro.

Fy nymuniadau goreu ar y ddau achlysur pwysig diweddar yma ac hefyd am lwyddiant yn y dyfodol.

Cofion anfarwol | Awen

Go dda Dic Ior onide?

Cymerir mai'r 'Dic Ior' a grybwyllir ydi Iorwerth, cydletywr Caradog yn 7 Margaret Street, Caernarfon, pan oedd Caradog newydd ddechrau gweithio gyda phapurau'r *Herald* ar y Maes ac Iorwerth yn ddisgybl yn Ysgol y Sir. Iorwerth a ganfu pwy oedd y ferch ifanc, sef Awen, a welai Caradog bob bore wrth fynd at ei waith. Gwaetha'r modd, nid oes modd dehongli union ystyr y cyfeiriad ato ar ddiwedd llythyr Awen.

A'r Iorwerth hwn a anfonodd gardyn post at Garadog, ac arno lun 'New Quay, Cards, from Penrhiw' gyda marc post 'New Quay, 13 Mar 1933' arno, a'r neges a ganlyn ar ei gefn:

Barclays Bank, | New Quay, Cards.

Anwyl Garadog.

Wel, dyma ni wedi dechreu dod i drefn yma or diwedd. Y peth nesaf ydi yr Haf ac i chwithau ddod yma i'n gweled a chael dipin o ddwr y mor. Yr wyf wrth fy modd yma, lecio yr office ar bobl, ac mae Eluned ar plant wedi cartrefu yn iawn yma. Cofia di a Miss Evans ddod yma yn y car bach, ond os yn bosibl anfon air pan yn dod.

Dy gyfaill, Ior.

Nodwn, hefyd, fel y cyfeddyf Awen, ei bod hithau wedi cael cymar newydd – y 'rhyw un neilltuol' y sonia amdano yn ei llythyr. Mae'n debyg mai Dafydd Gwyndaf Jones o Rosgadfan oedd hwnnw a ddaethai'n ŵr iddi ymhen ychydig wedyn. Cyfarfu'r ddau pan oedd Awen yn athrawes yn ysgol gynradd Rhosgadfan. Ar ôl priodi, gadawsant Gymru ddechrau'r tri degau. Ganed iddynt ddau o blant: Bryn Gwyndaf (a ymgartrefodd yn Welwyn Garden City, Llundain) ac Eryl Mai (a ymfudodd i Durban, De

Affrica). Collodd Awen ei gŵr yn 47 oed ym 1953 a bu hithau farw Mai 25, 1975, yn 68 oed.

Gohebiaeth Eleanor (1928-29)

Ac yntau'n byw yn 56 Tewkesbury Street, Cathays, Caerdydd, derbyniodd Caradog Prichard gardyn post oddi wrth Eleanor (y buasai'n ei chanlyn ganol y 1920au yn ystod ei ddyddiau yng Nghaernarfon), wedi'i bostio yn Llandudno ar Orffennaf 28, 1928, a llun y 'Pier Entrance and Cenotaph, Llandudno' ar y tu blaen. Neges fer sydd ar y cefn:

> Dyma lle yr wyf heddiw wedi dod hefo'r boat, ysgrifennaf dechreu'r wythnos i ddweud yr hanes – wedi wythnos reit brysur – Toes gen i fawr o amser yma felly cofion ar frys. Eleanor.

Er nad oes tystiolaeth o du Caradog, ac er nad oes na chardyn na llythyr oddi wrth Eleanor wedi'u cadw ar ôl i'w perthynas ddod i ben, gallwn fod yn eithaf sicr eu bod yn cadw cysylltiad drwy gydol yr amser, fel sy'n amlwg o ddarllen y ddau lythyr a ysgrifennodd Eleanor ato ym mis Awst, 1929.

Awst 12 yw'r dyddiad ar amlen y llythyr cyntaf a ddaeth i'r fei ymhlith y 'trysorau coll', wedi'i bostio yng Nghaernarfon, a'i gyfeirio at Garadog yn Tewkesbury Street, Caerdydd. Cyfeiriad Eleanor ar frig y llythyr ydi 16 Station Road, Tal-y-sarn.

My Dear Caradog,
Perhaps you would prefer I did not write you but really Caradog I could not let this pass without sending you once more my warmest congratulations, or congrats as I said the first time. It doesn't seem so very long ago since I gave you my first congrats which led to those wonderful verses Ysgwyd Llaw[7] and also seven

Eleanor Jones (1907-2000)
© David Roberts

years of what shall I say, perhaps you could describe it better than I could. …

Have you had your holidays yet? I thought from your photo that you have gone very thin but Gwilym told me yesterday that you are very fat so night duty must agree with you. I suppose you are still on nights. How you can stand it for so long I don't know.

I was very disappointed that day when I received your wire to say you could not come, but we can't have everything we want once we start to fight our way through in this world.

I suppose you've been to Denbigh now while you were up in Liverpool, so there's no hope of me seeing you. But don't forget to come and see me if you come this way unless you would prefer not seeing me. …

Hoping that you are not annoyed with me for writing you but of all the letters of congratulations you will have received and will receive after this I am sure there is no one who wishes you better than I do.

Trusting that you are O.K. and in the best of health after your very busy week.

With my very best wishes and all my best thoughts, | Yours as before. | Eleanor.

Yn y paragraff cyntaf, gall fod yn cyfeirio at anfon ato ei llongyfarchiadau wedi iddo ennill Cadair Eisteddfod Gŵyl Ddewi yn Nhal-y-sarn ym 1923, a'i hennill hithau'n gariad iddo'r un pryd (pan oedd y ddau bron yn ddeunaw oed). Mae'r cyfeiriad wedyn at y 'seven years' yn ddirgelwch braidd, bron fel pe bai Eleanor yn awgrymu bod y berthynas rhyngddi hi a Charadog wedi parhau am saith mlynedd o'r adeg y daethant at ei gilydd ym mis Mawrth 1923 hyd at Awst 1929 (os hynny, ni lwyddodd Eleanor i gyfrifo'r nifer blynyddoedd yn *hollol* gywir). Mae'n debyg mai'r Gwilym a fu'n sôn wrthi am Garadog oedd Gwilym Williams o Gwm y Glo, cyfaill a chydweithiwr i Garadog yn Nyffryn Conwy ac wedyn yn Llundain. Wrth gloi'i llythyr, mae Eleanor yn ei gwneud yn glir gymaint o feddwl oedd ganddi o Garadog ond os oedd unrhyw gysylltiad rhyngddynt bellach, ymddengys mai rhyw berthynas ysbeidiol ac o bell oedd honno.

Bedwar diwrnod yn ddiweddarach, ar ddydd Gwener, Awst 16, 1929, postiodd Eleanor lythyr arall at Garadog, eto o'i chartref ym Mhenygroes – llythyr ac ynddo gymysgedd o siom, diflastod a thristwch.

F'annwyl Caradog,

Mae'n debig na ddisgwyliwch lythyr oddiyma eto, ond wir mae'n rhaid imi anfon i ddweud mor ddrwg oedd gennyf imi fod oddicartref dydd Llun. Roeddwn wedi mynd at y deintydd i Gaernarfon … yr wyf wedi blino yn fy nghalon yma. Toes yma ddim na neb yma. Clywais taid yn dweud iddo eich gweld yn Gricieth. Disgwyliais chwi yma drwy'r dydd Mawrth a dydd Mercher tan ddaeth taid adref. Os gwn i ydyw eich gwyliau chwi wedi pasio; os ydynt mae'n bur debig na chaf siawns ich cyfarfod am amser maith, ac erbyn hynny byddaf wedi dechreu ar fy ngwaith unwaith eto. Rwyf am ysgrifennu i Gaer heno i weld beth sydd yno. Waeth i un heb a byw mewn lle fel hyn. Rwyf wedi treulio agos i fis yma rwan, a tywydd digon anifyr.

Rwyf wedi blino sgwennu Cymraeg rwan, mae'n waeth na fy Saesneg ond ta waeth. I was sorry I wrote that letter on Monday but Gwilym told me on Sunday that you had returned home – well, to Cardiff – on Saturday morning, so I thought I could easily write you on Monday. I posted it in Caernarvon. I went down to sit by the sea and nearly forgot all about my letters. I was also writing to Parry; she came over to spend the day with me yesterday. She'd never been to Tal-y-sarn before. She wanted me to give you her congratulations if I was going to write to you. [Ni lwyddais i ganfod pwy oedd 'Parry'.]

Well, I don't think I'll trouble you with any more now, and very sorry I did not see you on Monday, wishing, but all in vain now, I suppose, I could see you before going away once more.

With my very best wishes | Cofion cynnes | Eleanor

Soniaf eto am Eleanor yn Adran 8f isod (tt. 231-4) wrth drafod Morris T. Williams.

GOHEBIAETH

CYFEILLION A CHYDNABOD

1928-46

W. J. Gruffydd

W. Roger Hughes

Albert Evans Jones (Cynan)

John Tudor Jones (John Eilian)

Thomas Parry

Edward Prosser Rhys

Gwilym D. Williams

Morris T. Williams

Kate Roberts

Mae'r Nodiadau y cyfeirir atynt yn yr adran hon i'w gweld ar dudalen 317

Gohebiaeth W. J. Gruffydd[1], 1928

Cyn dod at ohebiaeth a fu rhwng Caradog a W. J. Gruffydd, hoffwn gyfeirio at adolygiad a gyhoeddwyd gan Gruffydd yn *Y Llenor*, Cyf. VII, Rhif 3, Hydref 1928 (tt. 189-192), yn cloriannu *Cyfansoddiadau a Beirniadaethau Eisteddfod Genedlaethol Treorci, 1928*. Yn y dyfyniad a ganlyn o'r adolygiad hwnnw, mae Gruffydd yn trafod 'Penyd', pryddest fuddugol Caradog am y Goron.

> ... euthum ati'n bur hyderus y cawn yma o leiaf rywbeth gwerth ei ddarllen. Gwyddwn am ddawn Mr. Caradog Pritchard; cawswn beth prawf ohono yn y gerdd a enillodd y Goron yng Nghaergybi llynedd, er nad oeddwn y pryd hynny heb weled rhai diffygion amlwg yn y gwaith. Er bod rhai darnau amrwd ynddi, ac er bod ffansi'r awdur yn llawer cryfach na'i farn, tybiwn weled addewid am waith penigamp yn y dyfodol, pan fyddai ei brofiad wedi aeddfedu a'i gydymdeimlad wedi ehangu. Yn awr, ymhen blwyddyn, dyma bryddest arall, *Penyd*, yn canlyn ymlaen ar yr un testun. Y mae'n wir mai byr o ysbaid ydyw un flwyddyn i ddangos llawer o dyfiant, ond wrth ganu'r ail bryddest am yr un person â'r gyntaf, y mae'r awdur yn gwneuthur mesur y tyfiant yn beth hawdd.
>
> Rhaid i mi gyfaddef mai siomiant chwerw i mi fu darllen drwy *Penyd*. Ym mhob peth y mae'n dangos nid tyfiant ond dirywiad amlwg. Yn ffodus, nid dawn brydyddol Mr. Pritchard sydd wedi dirywio, – buasai peth felly yn amhosibl mewn gŵr ifanc fel ef, – ond rhywbeth sydd yma y gellir ei wella, os ydyw Mr. Pritchard yn ddigon

o ddyn i dderbyn cyngor, fel y credaf yn sicr ei fod. Yn fyr, achos cwymp y bardd yma yw diffyg difrifoldeb, diffyg sylweddoli peth mor anfesuradwy anodd yw canu cerdd. Efallai y cafodd ormod o ganmol am ei bryddest gyntaf; yr wyf i yn tueddu i feddwl y dylsai beirniad o safle Mr. Saunders Lewis fod wedi pwyso ei eiriau ychydig yn fwy gofalus pan yn ysgrifennu arni yn y *Llenor*. A thybiodd Mr. Pritchard y gallai ganu cerdd debyg, heb ddim trafferth; anghofiodd mai mesur mawredd gwir fardd ydyw'r drafferth a gymer gyda'i waith; mewn geiriau eraill, a myned yn ôl at ddeffiniad ysbrydoledig Carlyle, wêl neb ond yr athrylithgar angen am drafferth.

Y mae gan Mr. Pritchard allu anarferol i gydymdeimlo ag ysbryd dyn; hynny yw, y mae ganddo ddychymyg sy'n ddigon byw i dreiddio i mewn i eneidiau pobl eraill a deall y pwerau cudd sydd yn eu hysgogi yn y dyfnder. Y mae digon o brofion o hynny yn y bryddest hon, fel ym mhryddest Caergybi, er nad oes yma ddim arwydd bod cynnydd ar ei ddealltwriaeth. Ond nid yw'r gallu i ddeall ac i dreiddio ond efydd yn seinio, oni all y bardd gyfleu ei ddeall mewn geiriau sydd ag ystyr ynddynt i'r darllenydd, mewn geiriau sydd yn rhoddi urddas i'r meddwl, ac yn ei osod mewn ffurf sy'n dangos ei bwysigrwydd. Oni wneir hyn, cyll y bardd y berthynas hanfodol honno sydd rhwng yr ystyr a'r gair; â'n glustrwm, a thuedda i gymryd yr annelwig yn lle'r dwfn. Digwyddodd hynny lawer gwaith yn y gân hon; cymaint oedd y diffyg cyd berthynas rhwng y meddwl a'i fynegiant fel y mae'n rhaid i ni ddarllen pennill drosodd a throsodd cyn gweled ei ystyr. Achos hyn oll, fel y dywedais, ydyw cymryd y swydd brydyddol yn rhy ysgafn.

Dywedais fod Mr. Pritchard yn glustrwm. Ni wn ai peidio â bod yn effro sydd yn cyfrif am hyn, ai ynteu rhyw ddiffyg hanfodol ynddo ef ei hunan. Os yr ail, ni ellir ei wella, ond tueddir i feddwl mai diofalwch ydyw'r achos. Dymunwn alw sylw hefyd at enghraifft neu ddwy o ddrygsain anfad yn ei bryddest:

Eco rhyw guro dwylo cudd
(o u u o u o u)
(Ymofyniad – tybed ei fod yn gwneuthur hyn o bwrpas)

A chaffael gwanu'r pridd i'w stafell gudd
(a e a u i i a e u)

Enghreifftiau o ddrygsain llafarog ydyw'r rhai yna, a nodais ugeiniau o rai tebyg. Y mae mwy na hynny o'r hyn a ellid ei alw yn ddrygsain mydryddol; dyma un:

Ei hafod yw Bryn Dioddefaint
  A'i rhandir lle'i methrir dan draed, –
Yr hil sydd yn cerdded y ddaear
  A gwenwyn y Groes yn ei gwaed;
Cynefin ei phlant â phob dolur
  Newynant lle porthir pum mil;
Ac wylant i gân eu telynau.
  Dan freichiau tragwyddol yr hil.

Yn awr, mae hir hanes i'r mesur hwn yn y Gymraeg ddiweddar, gan ddechrau gydag emynau fel 'O fryniau Caersalem', ac os bu mesur erioed a burwyd, a ysgafnhawyd ac a ystwythwyd dan ddylanwad llenyddiaeth ddiweddar Lloegr, dyma fo. Eto yn y bryddest hon, yn y pedwar pennill ar dudalen 17 [yn y *Cyfansoddiadau a Beirniadaethau*], fe'i cenir yn llawer mwy trwsgl nag y canwyd ef erioed yn yr un o'r emynau cynnar. Os oedd Mr. Pritchard yn teimlo bod yr hyn a geir yn y pennill hwn yn werth ei ddywedyd ar gân, nid yn y mesur hwn y dylai geisio gwneuthur hynny:

A phan ddelo'r dydd ar eu gwarthaf
  Cyfarthant ac udant fel cŵn,
A chiliant i'w dyfnder eu hunain,
  I'r dyfnder lle boddir pob sŵn.

Wrth son am fydrau, carwn alw sylw arbennig at y pum pennill ar dudalen 6 [yn y *Cyfansoddiadau a Beirniadaethau*]. Cyn belled ag y gallaf eu deall o gwbl, ymgais ydyw i efelychu penillion campus Gwynn Jones yn *Madog* a rhai o'i ganeuon eraill gan un nad ydyw wedi cael y llygedyn lleiaf o olau ar ddull y mydr. Sylfaen mydr *Madog* ydyw cyfaddasiad o'r hexameter a'r pentameter clasurol a mesur yr englyn unodl union. Y mae i'r cyfaddasiad hwn reolau caethion sydd yn ei wneuthur yn arbennig o anodd; cafodd Mr. Pritchard ryw argraff annelwig ohono ar ei glust a cheisiodd ei ganu'n ddidrafferth a heb wybodaeth o'i wir hanfodion; yn union fel dyn hollol ddi-fiwsig yn clywed math anodd o gynghanedd gerddorol ac yn ei hefelychu heb wybod bod rheolau caethion yn cyfyngu y gynghanedd honno.

    Y mae yn y gerdd hon hefyd rai triciau annymunol. Ni sylwaf ar ystrydebau fel 'seren dlos', 'ymachlud tlws', oherwydd y mae gennyf ddigon o edmygedd o Mr. Pritchard fel bardd i wybod bod arno gywilydd ohonynt erbyn hyn. Ond y mae pethau eraill mwy ymwybodol

yma (eto yn efelychu Gwynn Jones) ynghanol ei benillion. Nid wyf ar
un cyfrif yn condemnio hyn, ond nid yw Mr. Pritchard yn gwybod pa
bryd na sut i'w harfer; tybed bod ei glust mor ddiffygiol â derbyn 'Lle
cyll yr ellyll calla' fel rhediad boddhaol? Yr ail dric ydyw'r hyn a geir
dro ar ôl tro fel hyn: gweddi ddi-eiriau | nos ddi-addewidion | cleifion
di-eneidiau | prynwr di-waed. Y mae hyn yn burion unwaith neu ddwy,
ond y mae'n myned yn orthrwm anoddef pan geir ef yn amlach.

Prin, efallai, y buasai neb heb ddarllen y bryddest hon yn cyhuddo
gwaith Mr. Pritchard o gyffredinedd. Gall ganu ar ei orau am bethau
anghyffredin ac mewn dull anghyffredin, ond ni buaswn yn petruso
dywedyd mai un o brif feiau *Penyd* ydyw'r hyn a elwir gennym yn
gyffredinedd, – rhywbeth nad oedd yn werth ei ddywedyd wedi ei ganu
mewn dull nad oedd dim crefft arno. Dyma un enghraifft:

> O'th freuddwyd ieuanc clyw, fy merch
>   Fy llais uwch lleisiau'r hwyr;
> Anrheithiwr creulon ydyw serch
>   Ac nid oes frâd nas gŵyr;
> Ymgêl rhag ei hudoliaeth erch
>   Cyn dy garcharu'n llwyr.

Yn wir, prin y buasem yn disgwyl cael hyn yma ym mhryddest y Goron.

Yr wyf wedi bod yn hallt yn fy meirniadaeth, ond ceisiais fod yn
deg. Y mae'n ddigon naturiol y bydd Mr. Pritchard yn teimlo'n chwerw
ar ôl ei ddarllen, ac y mae'n wir ddrwg gennyf am hynny. Ond dymunwn
ddywedyd wrtho cyn terfynu na buaswn yn ymdrafferthu gyda'r gân
onibai fy mod yn gwybod bod yna awen wir ynddo, ac yn gobeithio y
bydd ychydig feirniadaeth gan un o'i edmygwyr yn ei rybuddio rhag
gollwng o'i law waith di-drafferth a di-ofal …

A dyna Gruffydd mor blaen ei dafod ag yr arferai fod ond drwy'r cyfan o'r
1,262 o eiriau, ni ellir peidio â sylwi ar y meistr yn cynnig cynghorion a gwersi
i'r disgybl 24 oed ac yn ffyddiog y bydd y bardd ifanc yn derbyn y sylwadau
yn yr un ysbryd ag y gwnaed hwy ac yn elwa arnynt yn y dyfodol. Mae'n
amlwg na thramgwyddwyd Caradog gan lymder rhai o sylwadau beirniadol
miniog Gruffydd, a byddai'r elfennau canmoliaethus ym meirniadaeth W. J.
Gruffydd, a diffuantrwydd ei ymddiheuriad yn ei baragraff olaf, yn sicr o
fod wedi rhoi digon o hyder i Garadog fynd ati i ysgrifennu at Gruffydd ac
ymateb i'w sylwadau, a dyna a wnaeth mewn llythyr, dyddiedig Hydref 10,
1928[2]:

Annwyl Mr. Gruffydd,

O ganol rhuthr gwylio buddiannau Cymru o ddydd i ddydd, cymeraf y cyfle hwn i ddiolch yn gywir ac yn gynnes i chwi am ymdrafferthu â'm pryddest. Yr oeddwn wedi hen anobeithio clywed dim ond pethau clên yn cael eu dweyd amdani hi a'r llall, ac yn dechreu credu nad oedd dim mwy na rhyw ystyriaeth dosturiol y tu ôl i'r sylwadau 'clên' hynny.

Ni fynnwn wneud dim mwy na diolch ichwi am fy helpu, er bod chwant arnaf ar y dechreu ddadlau ar gwestiynau fel diffyg honedig y llinell 'Lle cyll yr ellyll callaf': eich annhegwch yn difynnu'r samplau oedd ar gael o driciau fel 'Nos ddi-addewidion' i ddangos eu bod yn cael eu harfer 'dro ar ôl tro': yn tynnu pennill o'u cysylltiadau i ddangos ei gyffredinedd: ac yn mynd i'r gwrthwyneb i'r hyn y bu Mr Saunders Lewis yn euog ohono yn ei 'ddehongliad' megis pan soniwch am un mesur wedi ei ganu 'yn fwy trwsgwl nag y canwyd ef erioed yn yr un o'r emynau cynnar'. Gallwn, meddaf, ddadlau ar bwyntiau o'r fath, ond pa les ychwanegol a ddeilliai?

Gan hynny, ni fynnaf ond dweyd wrthych, mor falch wyf o feirniadaeth sy'n anwybyddu popeth ond y gerdd ei hun ac yn rhoddi arweiniad i un a fynn ddal gafael yn yr ychydig fiwsig a glywodd mewn llawer o sŵn crio.

Yr eiddoch yn ddiolchgar, | Caradog Prichard.

Roedd Caradog Prichard wedi cadw, ymhlith ei bapurau, yr ateb a dderbyniodd, gyda'r troad, oddi wrth W. J. Gruffydd. Llythyr, dyddiedig Hydref 11, 1928, ydyw, wedi'i deipio ar ben-llythyr 'Coleg Prifathrofaol Deheudir Cymru a Mynwy | University College of South Wales and Monmouthshire, Cathays Park, Cardiff', ac wedi'i gyfeirio at 'Caradoc Pritchard, Esq., Western Mail, Cardiff'.

Annwyl Mr. Pritchard,

Yr wyf yn ddiolchgar iawn i chi am eich llythyr, oherwydd fy mod mewn cryn bryder yng nghylch y modd y buasech yn derbyn y feirniadaeth. Mi welaf yn awr na fuasai raid i mi bryderu dim. Fy unig amcan oedd eich rhwystro os gallwn rhag gadael gwaith didrafferth o'ch llaw. Fy ngofid mwyaf i ydyw na chefais neb pan oeddwn yn eich oed chwi i wneuthur yr un gymwynas â mi. Gwyddoch yn iawn na buaswn yn trafferthu i sôn am bryddestau naw deg ac un o bob cant yng Nghymru.

Gyda golwg ar y pethau yr ydych chwi, yn naturiol ddigon, yn anghydweld â hwy, efallai y dylwn ddywedyd mai braidd yn annheg oedd dyfynnu yr holl esiamplau o'r 'tric'; ni wyddwn fod y cwbl gennyf pan yn gwneuthur hynny. Am y gynghanedd sain, mater o chwaeth ydyw, ac mae'n llawn mor debyg, o leiaf eich bod chwi yn iawn. Ond yr wyf yn barnu nad oes gan bennill ar ei ben ei hun, (hynny yw, hyd yn oed pan dynner ef allan o'i gysylltiadau) hawl i fod yn gyffredin pan nad yw meddwl y bardd yn feddwl cyffredin. Wrth gwrs, buasai hyd yn oed y pennill hwn yn frenin mewn ambell gerdd.

Gwn, bellach, y bydd eich cân nesaf yn well na dim a wnaethoch, a phan ddigwydd hynny, ni byddaf yn ôl o'i ddywedyd.

Y tro yma, efallai mai ar yr Eisteddfod oedd y bai. Y mae mor hawdd i chwi ac un neu ddau arall ennill y goron pan fynnoch fel y mae temtasiwn ym mhawb i iselhau ei waith at safon yr Eisteddfod.

Cofion gorau, | Yr eiddoch byth. | W. J. Gruffydd

Mae'r Nodiadau y cyfeirir atynt yn yr adran hon i'w gweld ar dudalen 317

Gohebiaeth
W. Roger Hughes, 1932

Brodor o Langristiolus, Ynys Môn, oedd y Parchedig William Roger Hughes (1898-1958), offeiriad a bardd, a golygydd *Yr Haul* am gyfnod yn y 1930au. Derbyniodd Caradog lythyr oddi wrtho, mewn llawysgrifen, dyddiedig Hydref 31, 1932, o'r 'Ficerdy, Llwydiarth, Welshpool'.

Annwyl Mr Caradog Prichard,
Heddiw cefais air oddiwrth Mr J. T. Jones[1], Wrecsam, yn dweud eich bod am adolygu 'Cerddi Offeiriad'[2] yn y 'Western Mail', a'ch bod hefyd am roddi fy llun i mewn. Diolch ichwi. Bydd eich barn ar gynnwys y llyfryn yn werthfawr iawn yn fy ngolwg.

Gorfu imi ofyn i'r wraig fach yma am fenthyg y llun diweddaraf ohonof, a chefais ef i'w anfon ichwi ar yr amod iddi ei gael yn ôl. Felly amgaeaf amlen â stamp arni i'w gludo gartref drachefn.

Balch iawn ydwyf imi eich cyfarfod a thorri gair gyda chwi yn Aberafan. Edmygydd mawr ydwyf i'ch celfyddyd sicr yn eich pryddestau. Clybûm oddiwrth T. P. [sef Thomas Parry] y dydd o'r blaen, a disgwyliaf ei weled yn y cnawd yr wythnos nesaf ym Mangor. Dywed ei fod yntau yn rhoi 'ambell i edrychiad', a da gennyf am hynny, canys credaf er erioed y ceir canu godidog ganddo.

Fy nghofion gorau, | Yn gywir iawn, | W. Roger Hughes
O.N. Byddwch gystal a'm cofio yn gynnes iawn at Sam Jones[3]. | WRH

*   *   *

Tachwedd 8, 1932, derbyniodd Caradog lythyr arall o Lwydiarth, ac ynddo atgoffyn – a cherydd ysgafn – ynghylch y llun a grybwyllir yn y llythyr uchod:

Annwyl Gyfaill,

Diolch yn fawr iawn am y llythyr a'r copi o'r Weekly Mail, ac am a ysgrifennwyd. Beth tybed a ddigwyddodd er hynny? Ai gor-ofal am y llun ohonof y dywedais sy'n eiddo fy ngwraig a barodd na chafwyd mohono yn amgaeedig yn y llythyr?

Llawenydd i mi oedd deall y byddwch weithiau yn dyfod ar eich taith i'r Gogledd, a bydd yn bleser o'r mwyaf i mi os galwch yma y tro nesaf. Cewch groeso mawr gan y wraig fach yma, a'm dau fab bychan, a lletty noson unrhyw adeg hefyd – os dychwelir y llun yn ddiogel.

Yr wyf ar gychwyn dros Oerddrws Mawddwy i Lanelltyd heno, yna i Fangor a threulio nos yfory gyda Tom Parry. Eisteddfod y British Legion sydd yn fy Hen Sir, sef Môn, Ddydd Iau, a minnau yn cyrchu fel hyn tuag yno i geisio beirniadu.

Gofid i minnau oedd na chawsom ymgom hwy yn Aberafan, ond gobeithiaf y gwneir i fyny am hynny pan ddeuwch chwi, yn fuan gobeithio, i dreulio noson yn nhangnef Maldwyn yma gyda ni.

Cofion cynnes iawn, | W. Roger Hughes

* * *

Llythyr mewn llawysgrifen o'r un cyfeiriad, yn ddiddyddiad y tro hwn, ond Caradog, yn amlwg, wedi cofio am y llun a chael maddeuant llawn gan y perchennog:

Annwyl Gyfaill,

Diolch yn fawr i chi am y llun. Bûm ym Môn yr wythnos ddiwethaf bron ar ei hyd. Gofynnodd Golygydd Yr Haul imi ddeisyf benthyg iddo y bloc o'm llun, i'w ail-godi yn 'Yr Haul' am y mis nesaf. Tybed a allech chi ei gael iddo. Dychwelir ef yn ddiogel cyn gynted âg y byddant wedi ei godi.

Dyma enw a chyfeiriad y Golygydd: Y Parchedig J. Davies, Llanelltyd Vicarage, Dolgellau. Byddai ef a minnau yn ddiolchgar iawn, pe ceid ef yr wythnos hon.

Treuliais nos Fercher diwethaf gyda Tom ym Mangor, a chawsom

lawer o hwyl fel y disgwylid. Brysiwch y ffordd yma. Ni bydd
amheuaeth bellach am y croeso a gewch wedi i'r llun gyrraedd adref yn
sâff.

    Y Cofion gorau, | W. Roger Hughes

*   *   *

Yn ystod cyfnod y Nadolig ym 1932, derbyniodd Caradog Prichard gardyn
bychan pinc (3½ x 2¼ modfedd) ac arno'r englyn a ganlyn o waith W. Roger
Hughes:

    Boed iwch bob hen lawenydd – yn dilyn
        Y Nadolig newydd,
     A dyheadau dedwydd
     Mwy a fo iwch am a fydd.

Mae'n anffodus fod y ddau 'iwch', sef furf hynafol ar 'i ch(w)i', wedi tywyllu
ystyr englyn a allai fod wedi bod yn llawer mwy derbyniol.

Mae'r Nodiadau y cyfeirir atynt yn yr adran hon i'w gweld ar dudalen 318

Gohebiaeth Albert Evans Jones (Cynan)[1], 1929-46

R oedd Albert Evans Jones, (1895-1970) yn enedigol o Bwllheli. Daeth yn adnabyddus fel bardd, dramodydd, sensor dramâu ac, yn arbennig, am ei gyfraniad i'r Eisteddfod Genedlaethol. Bu'n Archdderwydd am ddau dymor (1950-54 a 1963-66) ac ef a gynlluniodd y seremonïau presennol i anrhydeddu buddugwyr y prif gystadlaethau llenyddol ar lwyfan yr Eisteddfod.

Ychydig iawn o ohebiaeth oddi wrth Cynan at Garadog a gafwyd ymhlith y deunyddiau diweddaraf a ddaeth i'r golwg: un cardyn post a dau lythyr.

Marc post 'Penmaenmawr, 29 Jy, 29' oedd ar y cardyn post, at 'Mr. Caradog Prichard, Western Mail, Cardiff'. Ni lwyddwyd i ddatrys at beth y cyfeirir ym mrawddeg gyntaf y llythyr (na chwaith arwyddocâd y gosodiad byr yn y llinell olaf!).

> Gyfaill Mwyn,
> Dim siawns. Fe gaewyd y drws arnaf rhag cystadlu.
> Hyfrydwch er hynny a fai cael eich gweled eto. Gadawaf am Bwllheli Ddydd Mercher.
> Gobeithio y cawn gyfarfod yno.
> Seidar ydi seidar.
> Miloedd | C

*   *   *

Llythyr, dyddiedig 25/7/32, wedi'i anfon o 'Llannerch, Penmaenmawr':

> F'annwyl Garadog,
> Ni chaf ddod i'r Eisteddfod[2] y tro yma wedi'r cwbl, oherwydd
>
> (1) Diffyg hwyl, – ar ôl gweithio'n o galed yr wythnosau diwethaf yma.
>
> (2) Diffyg arian, – ar ôl bod yn Llundain yn prynu ar gyfer y tŷ newydd.
>
> (3) Diffyg amser – gan fod yn rhaid imi gymryd trosodd yn Menai Bridge Ddydd Llun nesaf, a rhoi 'Arwel' mewn trefn ar unwaith, er mwyn symud y dodrefn i mewn.
>
> Bydd yn chwith iawn, iawn, gennyf am yr hen gwmniaeth ddiddan, ond does gen i ddim dewis eleni dan yr amgylchiadau. A fyddi di mor garedig â hysbysu'r llety?
>
> Cefais air oddi wrth Prosser[3] yn gofyn am y feirniadaeth. Er y gwaharddiad swyddogol, yr wyf am ei mentro iddo. Beth wyt ti am ei wneud?
>
> 'Chefais i'r un gair yn ôl gan Wil Ifan[4]. Y mae'n bur debyg eich bod chwi eich dau o blaid 'Llef Calon' ac felly wrth gwrs ef a goronir. Yr wyf innau yr un mor sicr o blaid 'O'r Ffwrnais'[5]. Popeth yn dda. 'De gustibus non disputandum'[6].
>
> Does gen i ddim syniad pwy yw neb o'r ymgeiswyr, ond cystadleuaeth gyffredin ydyw.
>
> Cofion cu atat ti a'r eiddot. | Yn Bur Fyth, | Cynan

*   *   *

Llythyr parod yw'r nesaf, wedi'i deipio (ar gyfer gwahanol amcanion) ar ben-llythyr Gorsedd y Beirdd. Mae'r rhannau mewn llythrennau italaidd (isod) yn dynodi'r rhannau hynny sydd yn llawysgrifen Cynan.

> 14/6/46
> Annwyl Gyfaill Caradog,
> Y mae'n bleser gennyf gyflwyno i chwi wahoddiad unfryd Bwrdd yr Orsedd i chwi gyflawni'r gwasanaeth a ganlyn i'r Orsedd a'r Eisteddfod Genedlaethol yn *Eisteddfod Aberpennar* ar *Ddydd y Coroni, sef Dydd Mawrth, Awst 6, 1946 – Anerchiad Barddonol i Fardd y Goron*. Hyderaf yn fawr y byddwch mor garedig â chydsynio â'n cais.

A fyddwch chwi cystal â rhoddi gwybod imi yn fuan gan fod brys darparu'r rhaglen ar gyfer Y Wasg.

Yr Eiddoch yn Gywir,   *gyda chroeso calon adref*
Cynan   *a'n cofion lu,*
(Cofiadur Yr Orsedd)

Mae'r Nodiadau y cyfeirir atynt yn yr adran hon i'w gweld ar dudalen 318

Gohebiaeth John Tudor Jones (John Eilian), 1929-30

John Eilian a Charadog Prichard

Roedd John Tudor Jones[1], a adwaenid gan amlaf fel John Eilian (ac a lofnodai ei ohebiaeth weithiau â JT neu JTJ), yn un o gyfeillion Caradog Prichard. Yn 20 oed, aeth John Eilian i weithio ar y *Western Mail* i Gaerdydd a thua diwedd 1927 cyrhaeddodd Caradog i weithio ar yr un papur. Yna, pan symudodd Caradog i Lundain i weithio yn Stryd y Fflyd, hudodd John Eilian i'w ddilyn. Tra oedd yn gweithio ar y *Daily Mail* yn Llundain, sefydlodd John Eilian y misolyn rhagorol hwnnw, *Y Ford Gron*, ond pan unwyd hwnnw â phapur *Y Cymro*, cododd ei bac i fod yn olygydd *The Times of Ceylon* yng Ngholombo. Wedi cyfnod yno, aeth i'r Dwyrain Canol yn olygydd y *Macedonia Times* a'r *Iraq Times*. Ar Hydref 4, 1927, yn Basrah, priododd Lilian Powell (un o ffrindiau gorau Mattie Prichard yn y Cardiff High School for Girls, gyda llaw).

Derbyniodd Caradog lythyr oddi wrtho, mewn llawysgrifen, ar bapur swyddogol *The Times of Mesopotamia*, ac o Adran y Golygydd, Times Buildings, Basrah, Persian Gulf.

Gorffennaf 14, 1928

F'annwyl Garadog,

Dylaswn ysgrifennu atoch fisoedd yn ôl, i ddiolch am eich dymuniadau da ac am y copi o gerdd Caergybi. 'Nyni a adawsom heb eu gwneuthur, ac a wnaethom y pethau ni ddylasem eu gwneuthur' chwedl cyffes y Llyfr Gweddi.

Yr oeddwn yn falch o glywed oddiwrthych ac o ddeall eich bod ar y Mail ac yn teimlo'n hapus. Peth mawr ydyw hynny. Ond wele Mesopotamia yn apelio atoch chwithau! Ydyw y mae'n wir fy mod am ddychwelyd i Gymru, ar derfyn fy nghontract y gwanwyn nesaf. 'Fwriedais i erioed aros yma'n hwy na hynny. Ac yn sicr, y mae dwy flynedd yn eithaf digon. Os ydych yn wir awyddus i droi allan i'r Dwyrain – a pheth da fyddai hynny am gyfnod, yn sicr ddigon, o bob safbwynt – mi wnaf fy ngoreu drosoch yma. Ond – ac y mae'r 'ond' yma'n haeddu paragraff newydd, chwedl W. J. Gruffydd.

Y mae arnaf ofn na thâl 'directors' y siou yma nemor sylw i unrhyw awgrym a wneir gennyf fi ynglŷn ag olynydd. Yr wyf wedi cweryla gormod gyda hwy, ac mae fy mherthynas i â hwy'n awr yn debig i berthynas Rear-Admiral Collard a'r Capten Dewar, – 'correct but not intimate', – neu waeth! Criw di-egwyddor a di-enaid ydyn nhw, heb ddim parch i ddulliau a thraddodiadau'r wasg fel y gwyddom ni amdanynt gartref. Mamon yw eu duw, fel y mae'n dduw i'r holl Saeson sydd yma, bron, a thybiant mae hwy yw arglwyddi'r ddaear. Pobl annioddefol o drahaus, anghywir a phenwag. Ni chymerodd lawer o amser imi ganfod mai'r unig ffordd i gael fy mharchu oedd trwy eu gwrthsefyll, a chicio mor galed ac mor fynych ag oedd bosibl o fewn telerau fy nghontract. Felly y bu hi, ac felly y mae hi, ac nid oes ganddynt fawr o gariad ataf, mi wn.

Y Saeson sydd fel hyn, 'wyddoch, ac nid pobl y wlad, a'r drwg ydyw fod rhaid imi droi cymaint ymhlith y Saeson. Ond y mae hi'n llawer brafiach ers pan 'briodais wraig'. Y mae hyn yn galluogi dyn i fod yn fwy o 'arglwydd ei ddiddymdra' ac o saer ei nef ei hun.

Y mae'r Arabs yn hael a mwyn. Yr wyf yn eu caru. Felly hefyd y Persiaid a'r Iddewon a'r cenhedloedd eraill sy'n trigo yn y ddinas gymysg yma. Gyda hwy y bydd fy ngwraig a minnau'n treulio cymaint o'n hamser ag a allwn, ac y mae eu hadnabod yn agos yn fraint ac yn ysbrydoliaeth. Yr ydym wedi dysgu llawer ganddynt – mwy, efallai, nag a sylweddolwn ar hyn o bryd. Nid oes ganddynt hwythau chwaith barch i'r Saeson sydd yma. Y mae'n resyn na bai yma Saeson gwell – gresyn o safbwynt y wlad. Ac efallai ei bod hi'n waeth resyn o safbwynt cenedl y Saeson a Llywodraeth Prydain, oblegid eu cynrychioli yma gan rai mor sâl.

Y mae ar yr High Commissioner (yr Uchel Raglaw?) a'i swyddogion ofn eu cysgod eu hunain. Rhai gwan ydynt, ac nid oes dim sy'n gasach yn eu golwg na bod newyddion gwleidyddol gwir am Fesopotamia a'i chymdogion yn mynd i bapurau Lloegr. Yn y cyswllt yma, yr wyf fi'n ddraen yn eu hystlys.

Wrth gwrs, 'does dim rhyddid gwasg yn Mesopotamia. Rhaid cyhoeddi pob darn o newyddion ac ysgrifennu pob 'leader' gydag un llygad ar yr High Comm. a'r llall ar y 'vested interests' sydd ar bob tu. Y mae'r rhain fel dau faen melin yn gwasgu arnaf ac ar y papur. Sut bynnag, ni adewais i hyn lesteirio dim arnaf rhag anfon newyddion am y rhan yma o'r byd i'r papurau gartref, a bu yma andros o dwrw fwy nag unwaith. Efallai eich bod yn cofio'r helynt rhwng Iraq ac Ibn Saud, brenin Nejd a'r Hedjaz ddechreu'r flwyddyn. Wel, pan oedd llengoedd y Nejdis yn ymosod ar ororau Iraq, a'r High Comm. yn methu'n lân â gwybod sut i drin y sefyllfa, yr oeddwn i'n cael manylion bron bob dydd o'r anialwch ynglŷn â'r ymosodiadau hyn ac â pharatoadau Ibn Saud ei hun – a'u cael fel rheol ddyddiau cyn i 'Intelligence Officers' y llywodraeth eu cael. Anfonais hwy i'r 'Times' a 'Reuter' a'r 'Daily Mail', ac O, y teligramio rhwng y Colonial Office a'r High Comm. a chynrychiolydd yr High Comm. ym Masrah. 'Roedd y lle ar dân. Crefai'r High Comm. arnom ddweyd wrthyn [nhw] pwy oedd ein 'sources' ond wrth gwrs 'chafodd o ddim gwybod. Tua'r un adeg, euthum i lawr dros y 'Daily Mail' i Koweit, gwlad fach annibynnol ar lannau Gwlff Persia. Rhybuddiwyd Koweit fy mod yn dod, ac fe gaewyd pob sianel swyddogol yn f'erbyn. Ond arhosais yno ddiwrnod a noson (y nos yn nhŷ sheikh lletygar) a thrannoeth medrais deligraffio stori go dda i'r Mail am y pethau a welais – y paratoadau, y gynnau a'r cleddyfau gan bob gwryw yn y lle, y tair llong ryfel Brydeinig yn y bae, gwersylloedd y Royal Marines a'r R.A.F. wrth furiau'r ddinas, ac felly ymlaen.

Ond rhaid i mi gadw ffrwyn arnaf fy hun. I ddod yn ôl at gwestiwn y job, fe fydd deubeth yn eich erbyn. Yn gyntaf, y mae'r cwmni yma (Duw a ŵyr pam) bob amser yn ceisio cael 'dyn prifysgol', chwedl hwythau, ac os bydd un felly'n ymgeisio, a phopeth arall yn gyfartal, ef gaiff y swydd. Hefyd, fe fyddai gennych lawer gwell siawns pe baech wedi treulio o ddwy flynedd i dair ar y Mail. Ond ymgeisiwch ar bob cyfrif, os byddwch yn teimlo'n ffyddiog. I Lundain yr anfonir y ceisiadau. Gwyliwch am yr hysbysiad yn y 'Daily Telegraph' tua mis Tachwedd.

Yr wyf newydd ddarllen adolygiad Williams Parry ar 'Griafol' yn 'Y Faner'. Diolch am Williams Parry. Y mae Saunders Lewis yn werthfawr, ond dipyn o sawr 'importation' sydd o'i gwmpas o. Wrth ddarllen ei feirniadaethau byddaf yn teimlo rywsut mai cynnyrch y cyfandir ydynt, wedi eu magu mewn tŷ gwydr yn Abertawe. Ond cynnyrch llechweddau Cymru ydyw beirniadaethau Williams Parry, ac y mae aroglau pridd Eryri arnynt. Mor naturiol, mor dawel, mor ddi-rodres, mor ddoeth!

Hen fyd anniolchgar ydyw hwn. Darllenais yn y 'Weekly Mail' hanes y testunau Cymraeg sydd ar y gofadail newydd yn Nghatays. Wedi eu dewis gan oreugwyr Cymru! "'Ger y ffos yn gorffwyso' was an obvious choice". Pwy gebyst ddywedodd hynny? Fe dreuliais i lawer o oriau o fyfyr a chwilota cyn dewis y testunau Cymraeg yna, a phan anfonais hwy at yr ysgolheigion am eu barn, yr unig un a awgrymwyd eu newid oedd 'O'r awyrau, arwriaeth'. 'Was an obvious choice', 'rwy'n lecio hwnna.

Gyda llawer o ddiolch a'r cofion puraf atoch chwi a'r cyfeillion oll yng Nghaerdydd – Picton Davies, Tom Parry, W. J. Parry, Sam Jones, ac felly ymlaen.

Eich cyfaill, | JTJ

* * *

Byddai'r cardyn post a anfonodd John Eilian ato o Basrah wedi codi gwên ar wyneb Caradog. Y dyddiad arno'n nodi pryd y cafodd ei anfon oedd Medi 7, 1928, ac ar ei gefn, ceir y neges a ganlyn:

F'Annwyl Garadog,
Gwelais y newyddion da yn y papurau Saesneg. Llond Arabia o longyfarchiadau ichwi. Diolch hefyd am feddwl am alltud, ac anfon copi o'r gerdd [cyfeiriad at bryddest fuddugol Caradog, 'Penyd', yn Eisteddfod Genedlaethol Treorci, 1928] mor fuan imi. Gwnaethoch waith cain. Trowch drosodd – peth fel hyn ydyw bardd ym Mesopotamia. Cofion J.T.

Ar ochr arall y cardyn, roedd y llun a ganlyn:

الشعراء الكبير الأستاذ معروف الرصافي

Iraq celebrated poet. Mr. Maroof Al Ressafi.   J.S. Hoory Baghdad 64

'Y Bardd o Fesopotamia'

*   *   *

Eto ar ben-llythyr *The Times of Mesopotamia* ac o Adran y Golygydd yn yr un cyfeiriad:

> Hydref 13, 1928
> F'annwyl Garadog,
> Maddeuwch imi am fod cyhyd cyn ateb eich llythyr. Disgwyl am gyfle y bûm. Ddoe daeth llythyr oddiwrth Mr Picton Davies, yn dweyd hanes y Mail wedi'r chwildro, a chan wybod bod rhaid imi ateb eich llythyr chwi cyn ateb ei lythyr ef, dyma fi'n cychwyn arni. Diolchwch drosof i Mr Davies am ei lythyr, yn fawr, a dywedwch yr ysgrifennaf innau yn y man. Un mwyn ydyw Picton Davies, a deallus hefyd. Y mae'n debig eich bod chwithau'n cael blas ar ei gwmni ef, fel y cawn innau. Ac mae Mrs. Davies ac Enid yr un mor hoffus.

Nid wyf yn synnu llawer at y cyfnewidiadau a wnaethpwyd ar y Mail, ond y mae'n ddrwg gennyf fod Bassett wedi ei droi i lawr mor ddidrugaredd. Er nad oedd ganddo fawr o ddim yn ei ben yr oedd yn medru gwneud 'donkey work' Syr William yn ddigon medrus, hyd y gallwn i weld, ac fe'i cefais i ef yn un digon bonheddig bob amser, Y mae o'n bur ddrwg ei iechyd, rwy'n credu, ac y mae hynny'n ei gwneud hi'n waeth arno. Gresyn am E. R. Evans a Vaughan Davies a Walker (a llu arall, y mae'n debig, rhwng pob peth) ond efallai y daw rhywbeth heibio iddynt hwythau cyn bo hir.

Yn awr, Caradog, am y job yma ym Masrah. Gwaith anodd drybeilig yw gwneud fy meddwl yn glir, gan mai rhyw sefyllfa ydyw na ellir mo'i deall yn iawn heb ei phrofi. Ond mi wnaf fy ngorau, a chan fod fy nhymor yma wedi dysgu pethau imi nad oedd gennyf fawr o syniad amdanynt o'r blaen, mi fentraf roddi fy nghyngor i chwi hefyd – am ei werth.

Wel, mi ddywedais wrthych yn fy llythyr o'r blaen beth oeddwn yn feddwl am y bobl yma – y Saeson – yr wyf yn gorfod gweithio yn eu mysg. Ni bydd dim dewisach gennyf na chanu'n iach i'r moch y flwyddyn nesaf, – fy 'nirectors' fy hun yn arbennig!

Parthed cyflog, y mae popeth yn dda. Telir imi driugain punt y mis yn rheolaidd, ac ar ddiwedd fy nghontract caf 'bonus' a ddwg gyfanswm y ddwy flynedd i tua dwy fil o bunnau (y mae hyn yn cynnwys y tŷ, dodrefn, goleuni, &c a roddir inni'n rhad). Gellir fforddio rhoddi cryn dipyn wrth gefn, wrth gwrs, ond nid cymaint ag a ddisgwylid, oherwydd, er bod bwyd yn rhad ofnadwy yma (y mae 'ngwraig a minnau'n byw'n fras ar ddeg swllt ar hugain yr wythnos), er hyn, meddaf, y mae costau byw'n uchel. Rhaid cadw gweision a chyfranogi yn y dyletswyddau cymdeithasol bondigrybwyll. Ond nid yw'r rheiny nac yma nac acw, a dweyd y gwir, gan fod fy ngwraig a minnau yn medru creu ein cylch cymdeithasol ein hunain, ac nid oes llawer o Saeson yn hwnnw! Ond y mae'r ffaith ein bod yn gwrthod suddo i lefel bywyd cyffredin y Saeson yn peri i lawer o'r rheiny droi eu min atom, ac yn gwneud 'directors' trahaus y cwmni yma yn gasach fyth. Fel y dywedais wrthych, yr wyf wedi ffraeo a chicio'n ddi-ben-draw yn eu herbyn, ac erbyn hyn (yn enwedig a diwedd fy nhymor yn y golwg) yr wyf wedi caledu, ac nid wyf yn malio dim dau beth a ddywedant neu a wnant. Gellwch ddeall fel y mae awyrgylch fel hyn yn llesteirio dyn yn ei waith. Bûm ddwy waith eleni ar fedr ymddiswyddo. Ym mis Gorffennaf y digwyddodd yr ail anghydfod, a'r unig beth a'm cadwodd yma oedd yr ymdeimlad fod rhan helaethaf fy nhymor wedi ei dreulio ac nad oedd gennyf ond wyth mis yn rhagor i'w aros. Yr oedd fy ngwraig yn selog iawn dros imi ymddiswyddo. Y gwir amdani yw mai'r 'hale fellow well met' yw'r unig fath o ddyn a all lwyddo a theimlo'n hapus yma, a chyd-dynnu â'r 'directors' yma, gŵr a all yfed fel ych, ac ymddiddori mwy yn y rhedegfeydd ac mewn 'stocks & shares' nag ym mhethau'r galon a'r meddwl. Yn fyr, Caradog, er bod yn y wlad lawer iawn o swyn, nid dyma'r lle i un o natur hydeiml ddyfod i ennill ei fara. Dyma paham y gwn y byddech chwi allan o'ch helfen yma, ac yn teimlo'n waeth nag y teimlai'r Israeliaid yng nghaethglud Babilon. Yr wyf i fy hun wedi edifarhau na dderbyniais i'r swydd yn Colombo a gynhigiwyd imi tua'r un adeg ac y cefais i hon.

Yr oeddwn yn Llundain ynglŷn â'r ddwy swydd o fewn tuag wythnos i'w gilydd, a dim ond y ffaith fy mod wedi addo aros nes clywed o Fasrah cyn derbyn swydd arall a'm cadwodd rhag mynd i Golombo. Yno, ac yn ninasoedd India, y mae pethau'n fwy gwâr oherwydd fod y boblogaeth yn llawer mwy, a mwy o bethau pwysig yn digwydd i fynd â bryd ac egni'r Saeson.

O ystyried pob dim, Caradog, dyma fyddai fy nghyngor: Arhoswch nes bod gennych ddwy flynedd o brofiad ar y Mail (yr ydych yn ddiogel o'ch job yna; gŵyr Syr William eich gwaith, ac mae'r goron a enillasoch a chwithau ar y Mail yn anrhydedd na ddibrisir). Yna gwyliwch eich cyfle i fynd i'r Aifft neu India neu Ceylon am ddwy flynedd neu dair. Daw cyfleusterau i fynd i Burma, Malaya, Affrica, hefyd, ond India fyddai'r goreu. Bydd llygaid y byd ar India yn ystod y deng mlynedd nesaf, a chaech gyfle gwych i'ch gwneuthur eich hunan yn hysbys i bapurau Llundain. Yr wyf i wedi gwneud llawer o bres trwy'r gwaith a wneuthum i bapurau ac 'agencies' Llundain ers pan ddeuthum yma, ond y mae dengwaith mwy o gyfle yn India os blinaf ar fywyd ym Mhrydain wedi imi ddychwelyd, ac os daw galwad y Dwyrain heibio eto, i'r India yr âf heb os nac onibai. Gallai gair gan Sandbrook, a fu'n olygydd 'Englishman' Calcutta, fod o help mawr i chwi gael job yn India. A phed aech i'r India, gallech deithio adref yn ôl trwy Mesopotamia, Syria a Phalestina, a gweld popeth sy'n werth ei weld yn y gwledydd hyn, heb orfod cael eich poenydio trwy fyw am flynyddoedd gydag eneidiau coll y lle.

Dyma'n wir fy nghyngor cystal ag y gallaf ei roddi mewn llythyr fel hyn. Os byddwch yng Nghaerdydd pan ddof yn ôl gallwn siarad mwy. Peidiwch â bod ar ormod o frys. 'Ni frysia'r sawl a gredo'. Ac fe fûm i am dair blynedd ar y Mail.

Gofynasoch a oes raid priodi mewn lle fel hyn. Credaf mai cyfeirio'r oeddych at y storïau fod yr hinsawdd mewn rhai gwledydd yn peri bod priodi yn anhepgor. Ond peidiwch â choelio'r fath lol. Esgusodion gwŷr meddal ydynt, i geisio cyfiawnhau eu meddalwch. Ond y mae'n dda priodi yma, am resymau llawer uwch.

Gwelais adolygiad Saunders ar gawg aur (?) Peate – adolygiad doeth a da. Ond nid oes gennyf i ddim meddwl o Peate. Meddwl eilradd a chymysglyd sy ganddo, ond cred nad oes neb yn y byd tebig i Iorwerth Peate, ac ni fedr ei anghofio'i hun am gymaint â hanner munud. Gresyn garw, oherwydd ei fod felly'n tagu hynny o ddawn sydd ynddo. Ni ddywedwyd dim cywirach erioed na bod rhaid i ddyn ei golli ei hun i'w ennill ei hun.

Hawddamor! | J. T. Jones

*　　*　　*

Cardyn Post o Baris at 'Caradog Prichard, Esq., 56 Tewkesbury St., Cardiff, Grande Bretagne'. Llun ar du blaen y cardyn: La main de Dieu ['Llaw Duw'] gan Auguste Rodin.

Paris, Mai 9, 1930
F'Annwyl Garadog,
Yr ydym yma ar ein gwyliau ers wythnos. Fe'i trown hi am Fôn yr wythnos nesaf ac yna am Gaerdydd tua chanol yr wythnos wedyn. Yr ydym wedi cael diwrnodau heulog, a Pharis, mi gredaf, ar ei gorau, meddyliais yr hoffech gael y darlun yma o syniad Rodin am 'ddyrchafiad Duw'.
Cofion oddiwrthym ein dau. J.T.

*　　*　　*

Cyn gadael John Eilian, hoffwn wneud dau sylw.

Yn y lle cyntaf, dw i wedi bod yn ffodus i fod â chyfeillion ym Mae Cemaes, Môn, sef Glyndwr a Gwen Thomas. Glyndwr a ysgrifennodd y Cywydd Croeso rhagorol a gyhoeddwyd yn rhaglen yr Eisteddfod Genedlaethol pan ymwelodd â'r Sir yn 2017 ond, ysywaeth, bu farw Glyndwr ychydig cyn cynnal yr Ŵyl.

Mae Gwen yn cymryd diddordeb byw yn hanes Caradog Prichard gan ei bod yn perthyn drwy briodas i Thomas Jervis, prifathro Caradog yn yr ysgol gynradd, a bortreadwyd ganddo fel Preis Sgŵl yn *UNOL*. At hynny, pan ddeallodd fod y gyfrol hon ar y gweill gen i, ysgrifennodd ataf gyda rhai manylion diddorol am deulu John Eilian, ynghyd â chopi o lun a dynnwyd adeg bedyddio ei fab, Goronwy. Meddai Gwen yn ei llythyr:

> Ganwyd Nia ym 1933 [a bu farw yn 2016] ac rwy'n credu ei bod
> tua thair oed yn dod yn ôl i Brydain. Ym 1942 y ganwyd Goronwy
> a hynny yn Golders Green, Llundain [lle'r oedd cartref Caradog
> a Mattie yr adeg honno] … dw i ddim yn siŵr lle cafodd Hywel
> [mab arall] ei eni[2] ond fe gafodd ei fedyddio … yn Eglwys Eilian
> [Llaneilian[3]] … Treuliodd Mrs Lilian Jones a'r plant gyfnodau hir yn
> Penlan [tyddyn ym Mhenysarn] yn ystod y rhyfel ac roedd o'n nefoedd
> o le i ni, blant yr ardal, yn sgîl Nia.

Ar achlysur bedyddio Goronwy, mab John Eilian a Lilian, yn Golders Green, Llundain, ar Ragfyr 9, 1942. Mae Goronwy ym mreichiau'i fam, a'i dad yn sefyll y tu ôl iddi. Mattie Prichard, ei fam fedydd, sydd ar y chwith a'r Parchedig R. M. Rosser, tad bedydd Goronwy, y tu ôl (fwy neu lai) i'r wraig ar y dde (na wyddys pwy oedd hi)

Cyd-ddigwyddiad sy'n arwain at yr ail sylw yr hoffwn ei wneud. Mewn sgwrs gyda chyfaill i mi, Dr William J. Parry, yr Orthodontydd Ymgynghorol yn Ysbyty Gwynedd, pan oeddwn wrthi'n sgwennu am John Eilian, cefais ar ddeall fod William yn adnabod Goronwy (mab John Eilian) yn dda, a bu'n garedig iawn yn trefnu i'r ddau ohonom gysylltu â'n gilydd am sgwrs. Canlyniad gohebu drwy ebyst fu i Goronwy a minnau gyfarfod bnawn Mercher, Ionawr 3, 2018, ac afraid dweud i mi fanteisio arno i gael manylion allweddol am ei dad.

Mae'r Nodiadau y cyfeirir atynt yn yr adran hon i'w gweld ar dudalen 319

Gohebiaeth Thomas Parry, 1929-32

Deuthum i adnabod Syr Thomas Parry yn bur dda tua 1969 a rhannu sgyrsiau difyr iawn efo fo yn ystod y blynyddoedd wedi hynny, gan amlaf ar ei aelwyd ef a'i briod, Enid, yn eu cartref, Y Gwyndy, ym Mangor. O edrych yn ôl, cofiaf fel y byddai ein sgyrsiau'n troi'n aml o gwmpas iaith a gramadeg ac ati a phrofiad amhrisiadwy oedd bod wrth draed y meistr ar yr adegau hynny. Tua'r adeg honno hefyd y daeth Caradog Prichard a minnau i adnabod ein gilydd gyntaf ond nid oes cof gen i i'r sgyrsiau ar aelwyd Tom Parry erioed gynnwys unrhyw gyfeiriad at Garadog a Mattie Prichard ac ni wyddwn tan yr oeddwn yn ymchwilio ar gyfer ysgrifennu *BaBCP* mai Thomas Parry oedd eu gwas priodas ym 1933.

Ddechrau mis Hydref 1926, penodwyd Thomas Parry, ar gyflog o £300 y flwyddyn, yn ddarlithydd mewn Cymraeg a Lladin yng Ngholeg y Brifysgol, Caerdydd – ar yr adeg pan oedd Caradog Prichard yn dal i letya a gweithio yn Llanrwst. Fodd bynnag, tua diwedd 1927, symudodd Caradog i weithio ar y *Western Mail* yng Nghaerdydd. Erbyn hynny, roedd eisoes wedi ennill y Goron am ei bryddest 'Y Briodas' yng Nghaergybi ym mis Awst y flwyddyn honno ac wedi dechrau astudio ar gyfer gradd yng Ngholeg y Brifysgol yn y Brifddinas. Dyna pryd y daeth ar draws Thomas Parry a dyna pryd, hefyd, y cyfarfu â Mattie Evans am y tro cyntaf (pan syrthiodd ei lygaid arni'n canu mewn côr yn y Cardiff High School for Girls). Daeth Caradog a Thomas Parry yn gyfeillion agos a daeth Caradog a Mattie yn gariadon.

Thomas Parry a Charadog Prichard

Daeth y ddwy berthynas at ei gilydd, fel petai, ym 1933, pan ofynnodd Caradog i Tom fod yn was priodas iddo ar Fehefin 7 y flwyddyn honno.

Trwy gyfrwng dyrnaid o lythyrau a anfonasai Thomas Parry at Garadog (y deuthum ar eu traws yn ddiweddar), cawn fras olwg ar y berthynas oedd rhwng Caradog a Thomas Parry. Gohebiaeth yw hon rhwng Gorffennaf 1928 a Rhagfyr 1932. Am ba bynnag reswm, ni chadwyd unrhyw ohebiaeth oddi wrth Tom Parry at Garadog ar ôl i'r ddau briodi.

* * *

Edrychwn i ddechrau ar gardyn post, â marc post Gorffennaf 7, 1928, arno, gyda llun sepia ar y tu blaen o 'Aberystwyth Promenade & Constitution Hill', wedi'i anfon i gyfeiriad Caradog yn 56 Tewkesbury St., Caerdydd. Mae'n debyg mai treulio ysbaid o wyliau yn Aberystwyth yr oedd Thomas Parry, a hynny ryw flwyddyn cyn iddo ymgymryd â swydd darlithydd yn Adran y Gymraeg yng Ngholeg Prifysgol Gogledd Cymru ym Mangor ym mis Hydref 1929. Dyma'r neges ar gefn y cardyn:

> Dyma'n ddïau y man y mynnech dramwy. Ond pa hwyl sydd? ...
> Mae'r gwaith yn pwyso arnaf fel hunllef ond nid heb ambell bum
> munud i bethau melysach. Diamau y gwyddoch am y gwin sy'n cronni
> yma yn yr ha. Byddwch wych a glawied bendithion. Cofion filoedd. |
> T.P.

* * *

Llythyr diddyddiad (ond tua diwedd Gorffennaf 1928, efallai), wedi ei ysgrifennu ar ddydd Sul yn 'Gwastad faes[1], Groeslon, Ger Caernarvon':

F'annwyl Garadog

Dyma fi gartref ers plwc. Tebyg ichwi gael cerdyn oddiwrthyf o Aberystwyth. Treuliais yno ddeg diwrnod melys odiaeth. Yna deuthum adref, a threulio wythnos i weithio ar fy ngwaith fy hun a helpu tyddynwyr y fro i gario gwair. Wythnos i heddiw fe'm gwelwyd yn cyfeirio fy ngherddediad parth â Harlech i ddarlithio ar lên Gymraeg ddiweddar yn lle Tom fy nghefnder [sef y bardd T. H. Parry-Williams]. Bûm yno ar hyd yr wythnos, ac nid oes mewn unrhyw iaith a wn i eiriau a fedr ddisgrifio'r hwyl a'r hapusrwydd. Mae'r Coleg, o ran safle ac adeilad yn bopeth y gellid ei ddymuno, gyda gerddi o flodau o bob lliw yn ei amgylchynu. Ychwaneger at hynny ryw ddau ddwsin o gymeriadau didramgwydd a dedwydd, yn cynnwys, yn ffodus, un neu ddwy o ferched sydd yn glod i'w Creawdwr, a pha amgenach gwynfyd a ddymunai calon feidrol? Wrth ymado ddydd Sadwrn teimlwn fel petawn yn mynd allan o ystafell olau gynnes i ganol byd o ddrycin a düwch. Cewch fanylion y sbri eto.

A welsoch chwi'r Llenor?[2] A beth yw eich barn am gân Bob? [sef y bardd R. Williams Parry, cefnder arall i Thomas Parry]. Yn ddistaw bach, fy marn i yw bod Eifionydd [un o gerddi cofiadwy RWP: 'O olwg hagrwch cynnydd …] a gyhoeddwyd ganddo yn y W.M. yn rhagori cryn dipyn arni. A sylwasoch ar erthygl ar Plotinus gan ŵr o'r enw R. I. Aaron?[3] Cyfarfûm â'r brawd hwnnw yn Harlech, ac yn bendifaddau dyma un o ragorolion y ddaear. Mae'n dod yma i fwrw Sul ym mis Medi, a minnau, yn ystod y term nesaf, yn mynd i'w gartref yntau, Cwmtawe, magwrfa gwŷr ffraeth a rhianedd ffel.

Ddoe, pan oeddwn ar daith drwy'r Groeslon, gwelais wyneb llinellog D. Edmund, yng nghwmni merch, a golwg byd arall arnynt. Holai amdanoch a dymunai ei gofio atoch.

Ai byw Sam[4] a'r Western Mail? Diau nad byw'r naill heb y llall. Rhowch fy nghofion i Sam. Ac Idwal[5] yntau? Ni chefais gyfle i fynd i'w weled cyn gadael Caerdydd, ac nid ysgrifennais ato byth. Fy nghofion a'm diheuriad llwyraf iddo yntau.

Mae gennyf waith fel mynyddoedd. Nid wyf eto wedi dechrau cyfieithu'r ddrama honno[6]. A'r wythnos nesaf bydd raid mynd i Fangor. Yn awr, oherwydd diffyg amser, rhaid tynnu tua'r terfyn. Anfonwch air yn fuan, ac wedyn mi anfonaf finnau lythyr tipyn gwell na hwn. A glywsoch rywbeth am Dreorci[7]? Gobeithio'r gorau.

Pob hwyl a bendith, a pheidiwch â gweithio gormodedd, rhag anafu'ch iechyd!

Cofion filoedd, ac atgofion yn foddfa felys, | Eich cyfaill tra bo smocio, | Tom

*   *   *

Llythyr arall (dyddiedig Gorff. 31, 1929), un cymharol fyr y tro hwn, o Gwastad faes, Groeslon:

F'annwyl Garadog,
Diolch yn fawr am yr arian. Diolch yn fwy am y cywydd. Anfarwol. Mi luniais fath o ateb iddo, ond ar frys anferth, ac nid wyf yn fodlon iawn arno. Anfonais ef i Sam heno, gan hyderu yr ymddengys mewn da bryd.

A cheir isod gywyddau'r naill fardd at y llall, fel y cadwyd hwy ar ffurf dau doriad o bapur-newydd (nad oedd dyddiad nac enw'r cyhoeddiad arnynt). Mae Caradog yn y cyntaf yn tynnu coes ei ffrind ac yna Tom Parry yn ymateb yn yr un cywair. Yng nghywydd Caradog, ceir cyfeiriad at Siôn Dafydd Rhys, hynafiaethydd, ysgolhaig a meddyg yr oedd Thomas Parry â chryn ddiddordeb ynddo ac wedi ysgrifennu'n bur helaeth amdano.

MARWNAD
I
DOMOS AP HARRI O'R GWASTAD FAES

Dydd ni bydd ond Oedd hen, bach
I'm hawen glwyfus mwyach;
Oedd fydd pob heddiw a'i fawl,
Oedd yfory'n ddiferawl!
A thrennydd, er f'athroniaeth,
Bydd dolur, bydd gwewyr gwaeth
Od oes dradwy (ystrydeb)
O'i oer nych ni'm hadfer neb,
Y doe addfwyn, diweddfa
Pob haela' ddawn, pob hwyl dda.

Eistedd a chofio'n ddistaw
Ddaed rhin a giliodd draw,
Cofio'r hen adeg hefyd
Yng nghell fach rhyw angall fyd;
Y chwerthin, y gwych wyrthiau,
A lli'r dawn yng nghellwair dau
Uwch sigaret a chetyn
A beiau a gwendidau dyn.
Gwylio hiraeth dy galon
A'i llaes hwyl uwch 'wyllys Siôn,
A gweled, wedi'r gwylio,
I lyfr ei ddyrchafael o, –
Siôn Dafydd Rhys yn dyfod
Yn ôl o fedd, freiniawl fod,
I'th urddo di â'th radd deg
Am drwm hidio'i ramadeg.

Och! Na chawn o'm chwennych hir
Y doe'n ôl, ond ni welir
Llwybrau ein tramwy mwyach,
Dydd ni bydd ond Oedd hen, bach, –
Myfi rhwng meini mynwent
Ac Ap Harri wedi went.

CARADAWG AP RHISIART A'I CANT

Yna, cywydd Tom Parry:

CYWYDD ATEB

I

GARADAWG AP RHISIART

Dim o'r fath, nid marw wyf fi,
Nid byw iawn, ond mud boeni;
Adfyd a'm pair yn lledfyw,
Hoen a fu a'm ceidw yn fyw.

Eithr rhyw hiraeth, oer hiraeth,
A nos ddu i'm mynwes ddaeth;
Am ddydd pan gaed ymddiddan
Ar gadair ger disglair dân;
Geiriau mwyn mewn addfwyn hedd,
A rheg wynt, tua'r cyntedd.

A'r rhodio mesuredig
Ein dau trwy gaeau a gwig,
Nes synnu cael tlysni cudd
Yn ni-ffrwst lawr fforestydd.

Tra fo anadl trwy fynwes,
A thrwy waed ein gwythi wres,
Nid ango'r gloywon oriau
A'r llawn nerth a'r llawenhau,
Tra ceir gweled lloer Fedi
A thawch dros ei chreithiau hi,
Gwylia hon bob goleunos
O! ein traed ar lawntiau'r rhos
Pan fôm bydredd ym meddau,
Yn isel, dawel ein dau,
Di-foes anghofrwydd oesol
A'u hegyr hwy, ac ar ôl
Rhyfedd waith canrifoedd hir
Fy llwch at dy lwch luchir –
Difyw weddillion deufedd
Yn hoen byw yn yr un bedd,
Ym mherfedd y dyfnfedd du
Fe all llwch gyfeillachu;
A mwyn cwmniaeth mynwent
Pan fyddwn ni wedi went.

TOMOS AP HARRI A'I CANT

Å Thomas Parry ymlaen yn ei lythyr:

Gyda gofid mawr y deallais am annwyd Mattie; rhowch fy
nghydymdeimlad llwyraf iddi, a'm cofion ati hi a'i theulu. Mae cwpled
olaf eich cywydd yn awgrymiadol iawn, a chwithau yn y fynwent bob
canol dydd.
 Mae fy hiraeth yn gwella. Daw Enid[8] i fyny ddiwedd yr wythnos,
diolch i'r drefn am hynny.
 Gair byr, oherwydd brys. Llythyr gwell eto.
 Cofion calon, a diolch eto am ffrwyth yr awen. | Yn bur byth, | Tom.

* * *

Daeth y llythyr nesaf, dyddiedig Awst 22, 1929, o'r un cyfeiriad, ac ynddo ryw bum cant a hanner o eiriau ac wedi'i gyfeirio i gartref Caradog yn Tewkesbury St:

F'annwyl Garadawg,
Gair o esboniad ac ymddiheuriad diffuant i gychwyn. A ydych yn cofio i mi ddweud wrthych ddarfod i Wil John[9] dderbyn llythyr oddiwrth Mr. J. W. Evans [tad Mattie]? Credaf i Wil John ddweud yr un peth wrthych yn ddiweddarach ar y dydd. Wel, y ffaith amdani yw mai celwydd oedd y cyfan. Amcanem gael tipyn o hwyl ein dau trwy dynnu eich coes, a dweud bod perygl i Mattie ymadael â Chaerdydd. Bwriadem gario'r peth ymlaen ddydd Mawrth, ac yna cyfaddef nad oedd dim yn y peth ond ffrwyth dychymyg dau gymrawd direidus. Yn awr, yr ydym wedi poeni cryn lawer, ofn ichwi dramgwyddo wedi clywed mai pryfocio yr oeddem. Peidiwch â gwneud hynny, da chwi, oherwydd gallaf eich sicrhau nad oedd dim ond awydd tipyn o hwyl yn ein cymell i ddweud y celwydd a llunio'r stori fel y gwnaethom. Maddeuwch, yr hen gyfaill, nid oedd yn rhan o'n rhaglen ni i chwi fyned i Gaerdydd dan gamargraff.

Yr oeddem yn dra siomedig na welsom chwi yng Nghaernarfon ddydd Mawrth, a theimlem eich bod ar fai yn cadw deuwr o'n safle ni i slotian yn y glaw ar y maes! Eithr fe faddeuwn ichwi'n rhwydd, os maddeuwch chwithau ein trosedd ninnau. Mi garwn yn fawr glywed hanes yr ymweliad â Chricieth[10]. Ceisiwch gasglu digon o egni i'w draethu wrthyf yn eich llythyr nesaf.

Llongyfarchiadau calon ar gyrraedd Caerdydd mewn pryd i gyfarfod â'r Henadur Sanders[11]. Ofn oedd ar W. J. a minnau ichwi fynd ar ddisberod yn ystod y daith, a siomi urddasolion y Ddinas. Cefais gopi o'r W. M. gan Picton, a'r llun a'r hanes ynddo, a diddorol ryfeddol oedd sylwi mai'r unig ddwy ferch yn y llun oedd Lady Davies a Miss Mattie Evans. Dyma bwniad arall i Lazarus. Chwarae teg i Gaerdydd. Gwych o beth yw eu gweled yn cydnabod dyn a ddaeth i amlygrwydd trwy sianeli hollol Gymreig. Beth, tybed, fydd y croeso mawr swyddogol y mis nesaf? Mi rown gyflog mis am gael bod yno, ond y mae Caerdydd a minnau wedi ein hysgaru, 'rwy'n ofni, am beth amser beth bynnag.

Fe aeth Rhiain yr Haf[12] i wlad y pomgranadau ddydd Sadwrn diwethaf, a gadael ei Brawd Llwyd ar gyniwair hyd lethrau Mynydd Cilgwyn. Yn ddistaw, dawel a chyfrinachol, mae arnaf hiraeth enbyd, ond yn well o beth y dyddiau diwethaf hyn.

Yr wyf ar goll yn hollol,
Prudd yw fy ngwep ar ei hôl.

Mae rhyw argoel gwan ac eiddil y daw i fyny yma eto rywbryd y
mis nesaf, ond nid wyf yn hyderu llawer yn hynny, gan ansicred y
rhagolygon. Eithr byddaf yng Nghaerdydd tua'r Nadolig, myn fy llaw,
myn fy nghledd, myn einioes Pharaoh, myn fy nghred, myn Duw Lwyd,
myn Mair Wen, myn diân i, myn uffarni, myn diawl, a phob llw sy
ynghadw yn ystôr ddihsybydd Wiljonparri!

Darllenais eich pryddest[13] droeon, ac yn wir rhaid imi gyfaddef
na welais hanner ei gogoniant pan ddarllenais hi cyn ei myned i'r
gystadleuaeth. Ewch ymlaen i gyfansoddi, yr hen frawd, er mwyn cael
cyfrol deilwng o'r pryddestau hyn, a'i chynnwys yn newydd o glawr i
glawr.

Rhaid i mi dewi bellach. Ceisio gweithio yr ydwyf y dyddiau hyn,
ond fy meddwl yn gwibio i'r mwynderau a fu. Cofiwch am lythyr yn
fuan i ddweud hanes Caerdydd. Cofiwch fi'n gynnes iawn at Mattie a'i
theulu, a maddeuwch ddrygioni WJ a minnau.

Gyda chofion ac atgofion. | Tom.

*　　*　　*

11 Menai View, Bangor, Llun Diolchgarwch, Hyd. 21, 1929:

F'annwyl Garadog,
Smâi? Dishgwl yma, bachan. Wi'n erfin llithir 'da ti ers wthnose a
mishodd. Smo ti wedi danto, wt ti?

Digon hynyna i brofi fy mod yn ysu am lythyr gennych.
Ysgrifennwch hynny o ffaith yn ddwfn ac yn eglur ar lech eich calon.

Diolch yn garedig am y gwahoddiad i'r te Ddydd Sadwrn. Aeth
rhyw ias drwy bob aelod ohonof wrth ei ddarllen. Mi rown unrhyw
beth hyd hanner fy mrenhiniaeth am gael bod yna. Ond ni fynnai'r
duwiau, a rhaid i feidrolyn diymadferth ufuddhau iddynt hwy.
Cefais yr hanes mewn llythyr amhrisiadwy o Gaerdydd heddiw,
a deallaf i'r Arglwydd Faer a phawb arall ymddwyn yn weddus i'r
amgylchiad[14].

Wel, dyma fi ym Mangor ers tair wythnos, ac wedi bod wrthi'n
galed yn ymdrechu 'setlo i lawr'. A dweud y gwir yn onest, yr oedd
arnaf hiraeth am Gaerdydd ar y cychwyn. Sylwer, nid hiraeth am
bobl Caerdydd (oherwydd mae hynny'n beth parhaus). Gweled y

gwahaniaeth rhwng Caerdydd a Bangor mewn llawer o bethau, a phenderfynais mai anodd curo Caerdydd yn hyn o fyd. Eithr o fyw'n hwy yn yr amgylchiadau newydd, yr wyf yn cynefino, ac yn dygymod ychydig yn well.

Mae fy ngwaith yn y Coleg beth yn ysgafnach nag ydoedd yng Nghaerdydd, ond beichir fi â phethau eraill yn ychwanegol, fel mai ychydig o hamdden sydd gennyf yn y fan hon. Beth am eich cwrs chi [sef y cwrs yr oedd Caradog yn ei ddilyn yn y Coleg yng Nghaerdydd]? A oes hwyl arno? Deallaf eich bod yn dilyn y darlithiau, er nad yn brydlon bob amser. Dowch â'r hanes yn fanwl mewn llythyr, os caniatâ amser. Ac oni chaniatâ, beth am ofyn i Mattie ei ysgrifennu, ac i chwithau edrych drosto, a'i lofnodi ar y diwedd!

A sut mae Mattie? Byddaf yn gweled ei phen melyngrych yn aml. (Gwir nad mor aml â'r pen unionddu!) Hyderaf o galon fod ffrwd bywyd yn llifo'n esmwyth heibio ichwi eich dau, heb ddim o'r tonnau ymchwyddog a fyddai arni'n achlysurol. Af fi'n fwy argyhoeddedig bob dydd mai ffodus hynod yw'r bachgen ysydd ar unrhyw fath o delerau â merch ddel, ddoeth a rhinweddol. Mae'n drysor prin. Teimlaf weithiau y gwnawn unrhyw beth, y gwyrdrown fy mywyd oll, petai raid, er mwyn yr un ferch honno. Caiff dyn ryw fodlonrwydd rhyfedd wrth feddwl bod dau berson yn byw trwy ei ymarweddiad ef, a phennaf nod ei fywyd a ddylai fod ymdrechu i wneuthur popeth a bar ei bod hi'n hapus, ac osgoi'r pethau a bair y gwrthwyneb.

Yr hen ddyn annwyl, maddeuwch imi am ymddangos fel petawn yn pregethu ichwi. Fe glywsoch y syniadau hyn i gyd o'r blaen, a llithrais innau i'w canol yrwân heb feddwl. Cofiwch fi'n gynnes at Mattie, a'i mam a'i thad.

A welsoch chi'r Macwy[15]? Mae yn fy mryd ysgrifennu gair iddo heno, er na wn ar wyneb daear sut i'w gyfarch. Ni wn ychwaith pa ryw anrheg a fai deilwng o ŵr cyfurdd ag ef!

Ai byw y Sam[16]? Gwelais ei fod yn y croeso Ddydd Sadwrn, Cofiwch fi ato.

Dyma fi bellach yn rhoi terfyn ar hyn o lith. Gyrrwch air, petai'n ddim ond cyfarchiad byr.

Gyda'm cofion cynhesaf, a hiraeth am aml sgwrs felys. | Yn gywir iawn, | Tom.

* * *

Ar bapur swyddogol yr 'University College of North Wales, Bangor', Tachwedd 21, 1929:

F'annwyl Garadog,
Dyma atebiad prydlon onid e? Gwelwch y neges yn llythyr Meirion[17].
    Diolch yn gynnes am y llythyr. Mi anfonaf atebiad helaeth i hwnnw un o'r dyddiau nesaf yma,
    Ydyw, mae'r 'Dolig yn nesáu, a diolch i'r drefn am hynny. Cawn sgwrsio'n hir ac yn hamddenol yr adeg honno.
    Maddeuwch air mor fyr. Yr oeddwn yn ysgrifennu at 'yr wylaidd benddu lygeitu' ddoe! Cofiwch fi at 'yr wylaidd benfelen lygeitlas'[18] yn gynnes iawn.
    A'm cofion filoedd eirias i chwi eich hun. | Byth, | Tom.
    O. Y. Gyda llaw, neu'n hytrach y ddwylaw a'r ddau droed, mae Wiljonparri yn symud i Wrecsam[19] ddechrau'r flwyddyn! Haleliwia! Gogoniant, &c. &c.
    Cofiwch anfon ysgrif Meirion yn ôl yn o fuan, yr hen ddyn. T.

Ynghlwm wrth lythyr Tom Parry uchod (ac eto o dan ben-llythyr y Coleg), ceir llythyr, diddyddiad, a'r bwriad oedd i Tom Parry ei anfon ymlaen at Garadog:

Annwyl Gyfaill,
Gofynnwyd i mi baratoi papur ar gyfer cyfarfod o'r Gymdeithas Genedlaethol Gymraeg ar eich pryddestau chwi. Y mae'r Gymdeithas eisiau cael cyhoeddi'r papur yn yr Efrydydd[20], ond ni fynnaf wneud hynny heb eich caniatâd chwi. Rwy'n anfon rhyw ddrafft cyntaf o'r papur – efallai y bydd yn rhaid ei dacluso os aiff i brint, ond hyn fydd ei gynnwys gan mwyaf.
    A oes gennych chwi unrhyw wrthwynebiad personol iddo ymddangos. Gwn mor bersonol yw y caneuon i chwi ac ni fynnwn er dim eu cyhoeddi heb ofyn eich caniatâd.
    Fel y gwelwch yr hyn a wneir trwy gymorth eneideg yw cyfleu'r profiad a fynegir yn y caneuon.
    Sut hwyl sydd ar gwrs y Brifysgol yng Nghaerdydd?
    Pob dymuniad da, | Eich cyfaill, | R. Meirion Roberts
    O. Y. Anfonaf hwn trwy law Tom. | M.

*   *   *

Gwastad faes, Groeslon, Gorffennaf 31, 1929:

F'annwyl Garadawg,
Celwydd haerllug, neu o leiaf, cymysgfa o wir ac anwir yw'r cyfeiriad
uchod. Gartref yng Ngwastad faes yr wyf heno, ond dim ond am noson.
Rhaid i mi aros ym Mangor dan ddiwedd yr wythnos yma, a dichon
na chaf fy nhraed yn rhydd cyn y Nadolig. (Ond myn einioes Pharo fe
fydd fy nhraed yn gwbl rydd drannoeth!) Y rheswm am yr oedi mawr
yw ddarfod i Gymdeithas y Ddrama Gymraeg fanteisio ar feddalwch
fy nghalon a'm perswadio i gyfieithu 'Hedda Gabbler' gan Henrik
Ibsen. Yn iaith Norwy y mae'r gwreiddiol. Ni wn i'r un sillafiad o'r iaith
honno, ond y mae Bwrdd o Gyfieithwyr, nid amgen, R. H. Hughes a
minnau! Gŵyr y cyfaill hwnnw Ellmyneg yn dda iawn, a medr balfalu
drwy'r Norwyeg. A rhyngom ni'n dau fe wneir gwaith yn barchus. Ond
gwaith erchyll o araf a dieneiniad ydyw.
     Diolch o galon am y llythyr, a llongyfarchiadau eirias ar y pen
blwydd, a chyflwynwch y cyfryw i'r hanner arall. Yr ydych chwi gryn
dipyn yn hŷn na fi yn hyn o beth, ac megis pob ifanc gwylaidd yng
nghwmni'r hen, nid oes i mi ond tewi a sôn a syllu gyda pharchedig
ofn. Carwn ddweud fel y dywedir ar achlysur priodas euraid:
Dymunwn i'r ddeuddyn nawnddydd tawel a thangnefeddus! Cofiwch fi
ati'n gynnes iawn, nes y gwelaf hi.
     Waeth heb â sôn llawer am ddim arall. Da y dywedwch na ellid
disgwyl dim mawr iawn y term cyntaf yn y coleg. Cawn sgwrs
hamddenol am hyn yr wythnos nesaf.
     Clywais o gyfeiriad arall fod disgwyl amdanoch yn 25^{21} y Sul. A
welsoch chwi'r ymgais ddiweddaraf at farddoni o'm heiddo i? Hefyd
daeth y llawysgrif gasaech chwi gymaint yn yr ha – daeth honno allan
yn llyfr[22]. Mae copi yn ddyledus i chwi. Dof ag ef i'm canlyn.
     Hyn ar frys enfawr, a chyda chofion gloywon atoch ac at Mattie.
Rhag. 26 – fe ddaw'r dydd yn bendifaddau. Ni ddywedaf namyn hyn
– Hwrê!
     Yn gywir iawn, | Tom

*   *   *

Gwastad faes, Groeslon, yw'r cyfeiriad unwaith eto ar lythyr diddyddiad ond
a allai fod wedi cael ei ysgrifennu rywdro ym mis Rhagfyr 1929:

F'annwyl Garadog,
Mae'n Sul a phob siop wedi cau. Dyna pam y rhaid imi ysgrifennu
atoch ar ddarn o ffwlsgap. Mae baich trwm ar fy nghydwybod
oherwydd imi fynd i ffwrdd o Gaerdydd heb weled eich sbectoledig
wyneb a chanu'n iach â chwi. Meddeuwch, frawd. Euthum i Gaerffili
Nos Wener, a gwneuthum gamgymeriad ynglŷn ag amser y trên,
gyda'r canlyniad alaethus imi fod yno dan 11.20, a chyrraedd ... pan
oedd cloc mawr y dre yn cyhoeddi hanner nos. 'Thereby lies a tale' fel
y dywedodd y bachgen hwnnw gynt wrth edrych ar ben ôl oen bach.
Fe welais ferch fach gain, luniaidd, osgeiddig, brydferth, dlos, ddu
ei gwallt a'i llygaid, ac yn ôl a drefnwyd fe'i gwelaf eto y term nesaf.
Pwy?[23] Ah! Dyna holi. Dichon y cewch chwithau iachawdwriaeth i'ch
llygaid ryw bnawn Sadwrn ar ôl i mi ddychwelyd i Gaerdydd. Ond nid
llechu mewn cilfach gyfyng mewn pangfeydd llesmeiriol gyda'r ferch
fach honno a gyfrif am imi golli'r trên. Cewch yr holl hanes eto.
    Gwynt croch yn gyrru'r glaw sydd yma, a minnau, lanc mawr
meddal o'r de, yn llechu yng nghil y pentan a breuddwydio am haul
ar fryn pan ddêl yr haf. Yr wyf yn ysgrifennu tua dwsin o lythyrau i
gywiro popeth a anghofiais cyn gadael Caerdydd, a chyda'r wawr yfory
byddaf yn dechrau eto ar y gwaith melys o lapio Siôn Dafydd Rhys[24]
mewn ffwlsgaps.
    Ac yn awr bydded i ras ... a glawied ... a thywynned yr haul a
phopeth bendithiol arall.
    Gobeithio y cewch ddyddiau cyfeuon o ddiogi dedwydd tua'r
Nadolig yma, ac os gwelwch eich ffordd i'r Groeslon, ceisiwch ei gweld
hefyd i Garmel.
    Cofion rif tywod Llifon,
    Tra bo smocio, | Tom Parry (yr hogyn hwnnw)

*   *   *

11 Menai View, Bangor, 'Ddwyawr cyn Gŵyl Ddewi', 1930; llythyr go faith,
yn cynnwys rhyw 1,600 o eiriau:

F'annwyl Gyfaill,
Anturiaf ger bron dy orsedd, y mwyaf edifeiriol o ddynion. 'Rwy'n wan,
yn dlawd, yn nychlyd. O rho drugaredd im. Mae'r iachawdwriaeth fel
y lan, yn chwyddo byth i'r môr, medd un o hil wibiog y prydyddion
lawer blwyddyn yn ôl bellach. Fy unig hyder mewn bywyd a'm gwerth

beunydd beunoeth yw y bydd dy drugaredd dithau yn gyffelyb. Er mwyn yr hen gyfeillach a fu, er mwyn pob daioni, er mwyn y ferch a geri, er mwyn y Western Mail, ac, ar y noson arbennig hon, er mwyn Cymru, trugarha wrthyf.

Nid ango na difrawder sy'n cyfri am nad ysgrifennais atoch mewn da bryd. Yn hytrach tipyn o ddiffyg penderfyniad, a chryn lawer o brysurdeb. Yn ystod y ddau fis a basiodd fe fu llythyr at Garadog yn un o'r 'addunedau fil'. A gwyddoch, mae'n ddiamau, mai bwriadau ac addunedau dyn yw'r pethau gorau ynglŷn ag ef yn aml iawn. Felly yr oedd y llythyr hwn yn ymrestru ymhlith rhinweddau rhagoraf fy mhersonoliaeth.

Wel, fe fu llawer tro ar fyd er pan adewais chwi yng nghynhesrwydd eich gwely y bore adwythig hwnnw yng Nghaerdydd. Deuthum yn ôl i ddiffeithwch digysur Bangor yn drwmgalon a phenisel. (Bûm yn y cyfryw gyflwr wedyn. Daw hynny eto, yn nês ymlaen yn y gyfrol hon). Ymddengys i mi ddarfod i Ragluniaeth, ar ennyd wan, roi fy nghalon i ryw eithriadol ddawn i hiraethu. Nid rhyw deimlo chwithdod, ond hiraeth megis hwnnw gynt a boenai hen gyfansoddwyr y penillion telyn, rhyw angerdd beichus, yn cordeddu llinynnau'r galon a moedro'r ymennydd. Nid hir, trwy drugaredd, y pery'r teimlad hwn, ond tra bo, nid cwmni diddan mohono. Fe ddaeth yn ei dro am ddiwrnod neu ddau ar ôl gadael Caerdydd ddechrau'r flwyddyn.

Yna fe ddarfu'r hiraeth. Minnau'n bwrw i mewn, â holl nerth bôn braich, i'r gorchwyl o roi rheolau haearnaidd gramadeg Cymraeg, a hanes brawdoliaeth farddol y ganrif ddiwethaf &c. ym mhennau a chloddiau y dorf o ieuenctid hudolus sy'n ceisio sylweddoli dyheadau eu rhieni yn y Coleg hwn. Bob yn ail â gweithio, yr wyf, fel bron bawb a adwaen i, yn cwyno rhag anferthedd y llafur sy'n rhythu arnaf ymhob cwr o'r ystafell yma. Ffôl o beth yn wir yw tuchan. Pe cadwai dyn yr egni a'r amser a dreulir ganddo'n gwneuthur hynny, gallai wneud llawer mwy o waith yn yr ysbaid hyn y deil ei gorff brau wrth ei gilydd.

Nid ysgrifennais lythyr gwerth gafael ynddo i neb (ag eithrio —— !). Mae Wiljonparri yn dyblu egni gyda gweddwon Llanymddyfri, a minnau heb yrru na bw na be iddo er cyn y Nadolig. Clywais iddo ef fod yng Nghaerdydd am ychydig. Dychmygaf eich gweld chwi ac yntau o boptu'r tân gas yn rhyw led weledig mewn cwmwl o fwg. Diau nad ymwrthododd ef â'r ddeilen, a phwy a ddisgwyliai iddo? Oherwydd rhaid yw credu bellach na bydd i'w wefusau byth gyffwrdd â dim melysach na bôn sigaret. Gŵr yw ef a ymdynghedodd i fywyd yn unigolyn, yn ystyr fanylaf y gair, ac ni bu dim perswâd a ddefnyddiais i erioed yn effeithiol.

Ac wrth sôn am ymdynghedu, pa hwyl, pa drefn, pa wedd, pa wisg sydd ar y gain honno y byddwch chwi 'ryw fore gwyn anfarwol' yn cysegru eich dyfodol iddi? Bid wiw gennych fy nghofio ati mal y gweddai! A chofiwch fi hefyd yn dyner ond yn danbaid at ei thad a'i mam garedig. A ydych yn dal i ddathlu pethau? Diddorol yw dychmygu'r dathlu yn 1950[25]. Am ddau o'r gloch, neu dyweder dri, ar bnawn Sadwrn, Mr. a Mrs. Caradog Prichard a Goronwy a Morfudd yn cychwyn yn dyrfa gytûn o Bryn Ogwen, Lake Rd. West. Goronwy yn llefnyn breuddwydiol deuddeg oed, a Morfudd yn rhiain fach afieithus rhwng naw a deg, a'i gwallt fel eiddo'i chyfenw yng nghywyddau Dafydd ap Gwilym.

Amcan y pererindod hwn yw dathlu pymthegfed blwydd priodas y tad a'r fam. Gan i'r briodas honno ddwyn llawer o bethau i fod heblaw Goronwy a Morfudd, barnwyd mewn pwyllgor dethol o bobl bwysicaf y teulu bach, mai gweddus a buddiol yw dathlu'r amgylchiad gyda the nodedig yn y Dormil. Wele'r crwsâd yn cyrraedd pen ei thaith, ac yn ymdaro â chongl gyffyrddus lle bu'r tad a'r fam, yn nydd y pethau bychain, yn dathlu mân ddigwyddiadau eu hieuenctid disglair. Goronwy yn tynnu oddi ar ei ben y cap du â chlychau gwynion, arwydd o helaethrwydd a dyheadau ei dad, ac yn eistedd arno. Morfudd fach hithau, cyn gorffen eistedd, a thra bu ei thad yn datod botwm anhydrin sydd y tu mewn i'w got uchaf, wedi tynnu'r corcyn oddi ar y botel H. P. Sauce, ac wrth y gwaith o'i lyfu, pan ddarganfuwyd hi gan Mrs. Prichard. Cerydd difri gan y fam ond y tad yn tueddu i wenu. Daw'r weinyddes heibio i gynnig diwallu eu hanghenion yn y modd y mynnont, ac wedi ennyd o ymgynghori, megis y dylai gŵr a'i briod, mae Mr. Prichard yn erchi sglodion tatws ac wyau i wyth. Ni wêl y weinyddes ond pedwar, ond nid gŵr i ymliw ag ef yw'r penteulu. Bu un drem ddeifiol gyda chil ei sbectol yn ddigon i beri i'r weinyddes ddiflannu i'r cysegr cwcio.

Cyn cychwyn o Fryn Ogwen rhoesai Goronwy Burke's 'Reflections on the French Revolution' yn ei boced, ac i aros dyfodiad y tatws y mae'n dyfal ddarllen hwnnw. Tybia'r penteulu mai er mwyn ei gwrs addysg y mae ei aer a'i etifedd yn astudio'r clasur hwn, ac ymfalchïai fel tad teilwng. Ond mae'r neb sy'n gweld i ddiarffordd gonglau calon Goronwy Prichard yn canfod mai awydd am 'revolutions' ymhob cylch mewn bywyd sy'n cymell y bachgennyn. Ac nid rhyfedd hynny, er ei agwedd freuddwydiol. Onid ei dad, bedair blynedd ar hugain yn ôl, a

heriodd holl Orsedd Beirdd Ynys Prydain, ac a greodd argraff ffafriol
ar Syr Samuel Jones, golygydd presennol y Western Mail?

Daw'r tatws a'r wyau, daw'r te a'r bara menyn, a bwyteir y pryd
mewn tawelwch seremonïol, ag eithrio ambell gyngor i Forfudd
fach i beidio â gwneud sŵn fel rhaeadr wrth yfed ei the, a pheidio â
gwasgar y melynwy meddal dros ei thrwyn a'i thalcen. Dysgodd y gŵr
a'r wraig, ers llawer blwyddyn bellach, eistedd o bobtu'r bwrdd mewn
distawrwydd, ac anghofio brwdfrydedd siaradus eu dyddiau caru. Ac
mae Goronwy yn myfyrio ar 'revolutions'.

Cyn hir, dacw'r cwmni'n troi eu traed oediog tua'u haelwyd gynnes,
heb darfu dim ar y tawelwch. Cyrraedd Bryn Ogwen, Morfudd fach
yn ymneilltuo i'w gwely, Goronwy yn ymdrybaeddu yn ymresymiadau
Edmund Burke, y fam yn trwsio trôns y tad erbyn y Sul, ac yntau'n
edrych arni, ac yn smocio – mewn tawelwch.

Mae'r weledigaeth yn pylu a'r cymeriadau'n myned yn annelwig.
Felly ystyriwn bethau mwy sylweddol.

Diamau y gwyddoch beth o hanes yr wythnos ddiwethaf, wythnos
o wynfyd digymysg, a diwrnod neu ddau o hiraeth ingol yn ei dilyn.
Daeth Enid yma Ddydd Llun, ac aros tan y Sul. Nid oes a ŵyr
ddedwyddwch yr amser ond y ddau a'i profodd. Prin iawn, ar unrhyw
ystyriaeth, y gellir ei alw yn 'hectic time', ond yn hytrach rhyw egwyl
dawel, 'rhyw seibiant bach rhag llid y don'. Treuliwyd rhan helaeth
iawn o'r amser yn y tŷ ger y tân, a diddan a buddiol iawn y seiadau yn
y fan honno. Tyrfus a thrystfawr a fu diwrnod yr Eisteddfod, ond ni
lwyddodd hyd yn oed yr heldrin honno i'n gwahanu, ond am ambell
bum munud anorfod. Daeth yr wythnos i ben, a sylweddoli ohonom
ninnau na welwn mo'n gilydd am rai misoedd, oni ddigwydd rhyw
ddamwain ffodus, a rhyw ddwywaith mewn oes, ar y mwyaf, y digwydd
damweiniau felly. A meddwl amdanoch chwi, o fewn ergyd carreg (yn
ffigurol) i eilun eich calon! Amrywiol yn wir yw tynged dynion! Ond 'fe
ddaw wythnos (tair yn hytrach) yn yr Haf.' Mae prifiant y dydd a chân
yr adar yn cyhoeddi'n groyw fod yr Haf wedi cychwyn o rywle, ac y
bydd yma cyn pen nemor amser.

Tybed a fydd gennych lith yn y W.M. yfory i ddathlu Gŵyl Ddewi?
Gwelais ar blacard y Daily Despatch heddiw 'Caradog Prichard poem
tomorrow'. Byddaf yn rhwygo'r tiredd parth â'r siop bore yfory. Byddaf
yn bwrw trem achlysurol ar y W.M., gan ddisgwyl gweled cân gennych,
ond yn ofer hyd yn hyn. Gwelais un ganddo ef[26] beth amser yn ôl, a'r
odlau dwbl mor gadarn ag erioed.

A chyda llaw, llongyfarchiadau o waelod dwfn y galon! Dywedodd

Enid wrthyf i chwi a Mattie fod yn y Weirglodd Wawn. Tra rhagorol
yn wir, ac yn eich llythyr nesaf byddaf yn disgwyl peth o hanes yr
anturiaeth, a hwnnw'n wir, nid fel y celwydd cywrain hwnnw a luniodd
Enid a minnau y Nadolig. Eithr nid anghofiaf tra bo anadl ynof mai
ni'n dau a fu yno gyntaf!

'Bûm glaf, ac nid ymwelasoch â mi.' Amhosibl, wrth reswm. Yr
wythnos cyn y ddiwethaf amddifadwyd myfyrwyr Coleg y Gogledd
o nifer o ddarlithiau gwerthfawr, trwy i'r ffliw ymosod yn ddistaw
ar y Darlithydd Cynorthwyol mewn Cymraeg. Gwnaeth yntau
ymdrech orwyllt i wella erbyn yr wythnos ganlynol, sef y ddiwethaf, a
llwyddodd, diolch i Ragluniaeth! Erbyn hyn cafodd 'adferiad llwyr a
buan', ys dywed y Genedl a'r Herald.

Rhaid tewi bellach. Mae'n Ŵyl Ddewi ers deng munud. Sut mae'r
cwrs yn y Coleg? Mawr hyderaf eich bod yn dal i'w ddilyn, ac yn ei
ddal! Tipyn o hanes yn eich llythyr nesaf, a boed hwnnw'n fuan, a
phrofwch eich bod yn Gristion diledryw trwy dalu da am ddrwg.

Cofion atgofus,

Tra bo 'dau lygaid disglair fel dwy em'[27]. | Tom.

*   *   *

Gwastad faes, Groeslon, Awst 14, 1930; llythyr hir eto yn cynnwys rhyw
1800 o eiriau. Yn ogystal â datgan ei farn dros ac yn erbyn yr Orsedd a'i
haelodau, mae Tom Parry'n hallt ei feirniadaeth ar Garadog am ymuno â'r
Orsedd wedi'r hyn a ddigwyddasai yng Nghaergybi ym 1927:

Annwyl Garadog,
Mawr ddiolch diffuant am yr epistol cynhwysfawr a gyrhaeddodd fy
ngwely bore heddiw.

Fel y gellwch feddwl, dychrynwyd fi trwy waed fy nghalon pan
ddarllenais am y cyfnewidiad buchedd sydyn a fu yn hanes dau hen
gyfaill a dybiwn i mor iach yn y ffydd. Er mwyn ichwi ddeall yn hollol
y tipyn barn sydd gennyf fi am yr Orsedd a'r Gorseddogion, dyma'i
rhannu o dan wahanol bennau:

O blaid
1. Fel pasiant a lliw y mae llawer o bosibilrwydd iddi. Ond rhaid
    wrth lawer o 'ddiwygiadau' amgen nag a basiwyd gan Sieffre
    o Gyfarthfa[28] cyn y bydd yn basiant gwerth edrych arno mewn

gwirionedd. Buasai'r Eisteddfod, yn arbennig seremoni'r Coroni a'r Cadeirio, yn ddwl iawn hebddi.

2. Mae'r pasiantri hwn yn creu diddordeb mewn llawer o bobl na buasent yn gweled llawer yn yr Eisteddfod ar wahân iddo.

3. Y mae'r Orsedd, trwy gyfrwng ei harholiadau, yn dwyn llenyddiaeth Gymraeg i sylw lliaws o bobl hen ac ieuainc, ac yn hawlio iddynt wybod rhywbeth amdani.

4. Mae yn perthyn i'r Orsedd ryw ddyrnaid o ddynion (dau yn rhagor erbyn hyn ysywaeth[29]) y gellir parchu eu barn ar bethau llenyddol. Tra bydd yr Eglwys yn cynnwys yr ychydig dethol, ni wiw llefain am ei difa'n llwyr.

<u>Yn erbyn</u>

1. Er pob ymddiheuro a fu dros ddiweddarwch yr Orsedd, ac er cyfaddef o rai pobl ddoeth nad yw ond cynnyrch ymennydd Iolo Morganwg, mae rhai gwŷr amlwg eto'n dal i gredu dichon fod ei gwreiddiau i lawr yn ddwfn yn naear dywyll y gorffennol. Mae'r ffŵl cibddall hwnnw, Timothy Lewis[30], wrthi'n chwŷs ac yn llafur yn cloddio ac yn chwilio am y gwreiddiau, ac yn rhybuddio pawb rhag credu nad oes y fath blanhigyn yn bod. Cred ef yn bendifaddau yng nghymhlethdod ei hurtrwydd affwysol y bydd iddo ddarganfod y gwreiddiau gwerthfawr a phrin. Wedi troi tomennydd o bridd a thurio rhigolau dyfnion ar hyd ac ar led, dwg i'r amlwg sypyn o wreiddiau digon di-lun. Deil hwy'n hyderus o flaen trwynau crediniol y Gorseddogion, – ac wele, credasant. Ond y mae yn y wlad wŷr eraill, – a diolch amdanynt – a ŵyr yn burion nad yw'r trysor a ddarganfuwyd ond gwreiddiau dail tafol cyffredin wedi madru a myned yn afluniaidd. Ni wn beth a draethwyd yn Supplement y W.M. eleni, oherwydd nis gwelais, ond gwn i Bedrog, ac yntau'n Archdderwydd, fynegi'n groyw ei ffydd yn Timothy Lewis ar ddalennau'r Liverpool Courier adeg Eisteddfod Lerpwl y llynedd. Tra bydd gŵr o gyfuwch safle â Phedrog ac o gymaint dawn lenyddol a swyn personoliaeth yn ansicr ynghylch y ffug a fu wrth greu'r Orsedd ac yn honni iddi henaint nad oedd, nid oes dim amdani ond taranu'n groch yn erbyn y cyfan. Y cam cyntaf tuag at gymod â'r Orsedd yw cael pawb o'i chefnogwyr i gredu'n gydwybodol a chyhoeddi'n bendant mai peth diweddar ydyw, a thrwy hynny gydnabod ysgolheictod disglair Syr J. Morris-Jones, G. J. Williams a gwŷr eraill a fu'n dadlennu'r twyll, gyda'r hoffter angerddol hwnnw o'r gwir a'r gonest sy'n nodweddu eneidiau mawr bob amser. Heb y cam cyntaf hwn y mae'r gweddill o'r daith yn amhosibl.

2. Wedi cydnabod ei diweddarwch, beth sy'n aros? Pa ystyr sydd i'r gair 'gorsedd' ei hun? Ni wyddys ond am dair ystyr iddo ef, sef:

   (i)   Twmpath neu fryncyn, fel yr 'Orsedd' yr eisteddai Pwyll arni;

   (ii) Twmpath chwarae, math o 'theatre', fel yn nheitl y llyfr 'Gorsedd y Byd' – Theatrum Mundi;

   (iii) Yr ystyr gyffredin o eisteddfa ddyrchafedig – 'throne'.

   A oes un o'r ystyron hyn a weddai i Orsedd y Beirdd? Ac eto, o gyfaddef ei gwir oedran, pa ystyr sydd i Dderwydd, Ofydd &.? Pa ystyr sydd i Aberthged a Chorn Gwlad? Mewn gair, pan ŵyr dyn nad oes rithyn o wir ystyr i hyn oll, a gwybod mai un gŵr cyfrwys cenfigenllyd a ddyfeisiodd y cyfan i foddio'i fympwy afresymol, mae'n myned yn waeth na ffiaidd ganddo. Casâ'r syniad ei fod ef yn cynnal peth nad oes ynddo ronyn o sylwedd. A beth amgen na hyn yw rhagrith?

3. Y trais a'r ormes afresymol y soniais amdanynt yn yr epistol gwrthodedig. Gadawaf ichwi fyfyrio uwchben hyn oll yn erthygl Henry Lewis[31] yn *Y Llenor*, Haf 1925.

4. Y graddau anrhydeddus. Mae'r dynion a'r merched anghymreig ac aflenyddol (os goddefwch y gair) a urddir yn flynyddol yn ddrewdod yn ffroenau pawb gweddol resymol. Ac y mae llawer gormod o'r un math o bobl yn swyddogion 'pwysig' yn yr Orsedd. Ni ŵyr plant Elfed[32] fawr o Gymraeg. Pa faint yw sêl wladgarol Meurig Prysor[33]? Yn dra chyndyn y sieryd plant Gwili[34] iaith swyddogol yr Orsedd. Pa ddawn lenyddol, gerddorol, gelfyddydol neu arall sydd i'r Cofiadur[35]? Mewn gair, a chymryd yr holl 'dwmpath' at ei gilydd, pa faint o ddiolch sydd ar lenyddiaeth Cymru iddynt? (A gadael allan y rhai a ychwanegwyd yn ddiweddar.)

5. Y mae'r Orsedd y bennaf o'r cymdeithasau di-les hynny sy'n canmol y gorffennol yn ddiddiwedd ac yn ymhyfrydu'n ffôl ynddo. Gwn pa mor atgas gennych chwi yw ymfflamychu fel a geir yn Neuadd y Ddinas, Caerdydd, Ddygwyl Dewi. Yr un math o ysbryd yn gymwys a geir yn yr Orsedd. Pan yw'r iaith Gymraeg mewn dirfawr berygl ar bob llaw, ac yn galw ar ei phlant i dynhau pob gewyn o'i phlaid, dyma wŷr yr Orsedd yn gwisgo amdanynt yn bob lliwiau ac yn chwarae fel plantos ysgafala, gan eu perswadio eu hunain, a phawb arall, os medrant, fod Cymru yn dda arni, a'i diwylliant oll yn ddiogel. Nero yn canu'r ffidil, a Rhufain yn llosgi'n llwch i'r llawr.

6. Ychwaneger at hyn oll fy atgasedd i'n bersonol tuag at gymdeithasau fel y Moose a'r Masons – sy'n ceisio creu rhyw ffug

urddas trwy gyfrwng seremonïau difrif, a phlant yn gwybod nad oes ynddynt ddim amcan ond diddori'r moethusion segur.

A dyma chwithau wedi ymuno â'r Orsedd! Bûm ddyddiau lawer yn llawn sylweddoli hynny, a pharhaf i ryfeddu hyd y dwthwn hwn. I ddechrau, wrth gwrs, mi wyddwn mai chwi oedd yr unig un o feirniaid llym yr Orsedd a'u galwodd yn asynnod ar goedd y byd. Tybiais ddarfod eich argyhoeddi'n llwyr ddwys o'ch camsyniad trwy ryw broses anesboniadwy o feddwl. Tybiais eilwaith mai eich denu ar awr ddifeddwl a fu. Yn wir, disgwyliwn glywed ichwi newid eich meddwl ar y funud olaf cyn eich urddo. Ond, na, ysywaeth, aethoch i golledigaeth gyflawn.

Nid yw eich llythyr i mi yn hanner esbonio'r cyfnewidiad a ddaeth drosoch. Meddalwch meddyliol (heb amcanu cynganeddu) yw sôn am yr un gŵr ar ddeg yn disgwyl eu meistr. Prin y buasai hynny'n ddigon i doddi calon y llipryn llareiddiaf yng Nghymru oll. Cytunaf â chwi mai tro gwael iawn ar ran yr Athro W. J. Gruffydd oedd rhoi'r addewid yn y Llenor ac wedyn dianc i'r Cyfandir pan oedd fwyaf ei eisiau. Ond pa iawn am hynny yw i Garadog Prichard a Phrosser Rhys ymuno â'r Orsedd? Onid potes yr Athro ydoedd? Ni welaf fod unrhyw ymresymiad arnoch chwi ei ferwi yn ei le, heb sôn am ei fwyta.

Darn o athroniaeth eithaf didramgwydd, hyd y gwelaf fi, yw'r sôn am ddychymyg y plentyn a dychymyg y dyn mewn oed, a diau mai dychymyg y plentyn yw dychymyg y dyrfa. Ymresymiad yw hwn dros gadw'r Orsedd fel pasiantri. Cytunaf finnau â hynny i raddau go helaeth, er mwyn y rheini ymhob oes sy'n hoff o liwiau a sbloet. Gwylltio yr wyf fi wrth yr awdurdod y cais ei feithrin a'r henaint a honna, ac amhosibl i mi ymuno â hi nes symud y ddau bla hyn.

'Ysgubed awel ysgolheictod dros randiroedd llychlyd Gorsedd y Beirdd.' Mae'r awel wedi chwythu droeon, ac ni wnaeth ond codi llwch, a hwnnw'n mynd i lygaid y Gorseddogion a'u gwneud yn ddallach nag erioed. Rhai ydynt na fynnant weled. Os chwyth yr awel fel corwynt, y canlyniad fydd chwyrnellu'r cyfan ymaith, fel y ceisiais ddangos. Felly, ni welaf yn fy myw fod cyfle i'r awel chwythu o gwbl. Gadawer yr anialwch yn ei wres llethol llonydd.

Wel yr hen gyfaill pob rhwydd hynt ichwi 'yn eich maes newydd.' Bydd gennych waith trybeilig i amddiffyn eich gweithred. Yng ngrym ein cyfeillgarwch gallaf fi ddweud wrthych mai'r farn gyffredin gan bawb y bûm i'n sgwrsio ag ef yw mai 'stunt' ydyw. Chwi biau farnu hynny. Rhaid i mi gredu mai dyma'r peth ffolaf a wnaethoch

erioed, oherwydd oni phrofwch eich hun yn aelod diwyd o'r Orsedd
a gweithio ynddi ac erddi, fe gred pawb mai 'stunt' ydoedd. Yr oedd
gwŷr o stamp Ifor Williams, G. J. Williams, T. Richards a RWP
(i enwi fy nghydnabod yn unig) yn eich edmygu am eich agwedd
bendant yng Nghaergybi, a gorchwyl go faith ac anodd fydd eich
cyfiawnhau eich hun ger eu bron hwy. Mae'n debyg ei bod bellach yn
rhy hwyr i newid dim, onid e, mi ofynnwn ichwi er mwyn eich hunan-
barch ymddiswyddo, a hynny ar goedd y wlad.

Ond dyna, rhydd i bawb ei farn, a dysgwn ddygymod â'n gilydd er
gwaethaf pob gwahaniaeth syniad.

Gyda golwg ar y llythyr i'r W. M., ni fedraf ddychmygu pam y
gwrthodwyd ef. Yr oedd yn amserol, ac yn fath o beth a ddylai beri
peth diddordeb i ddarllenwyr y papur. Gwir ei fod yn gryf, ond nid
hanner mor greulon â rhai pethau a ddywedwyd am yr Orsedd ac
am weinidogion parchus crefydd ar ddalennau'r Mail! A yw'r W. M.
am amddiffyn yr Orsedd oherwydd mynych ysgrifau Wil Ifan[36] iddo
a cherddi Crwys yn y golofn? Hyd yn oed felly, dylai roi congl fach i
greadur o ddarllenydd fynegi ei farn bersonol ef ei hun, boed honno
mor ddistadl ag y bo. Diolch i chi am eiriolaeth drosto. Ni chynigiaf
yr un o'm syniadau amrwd i'r Western Mail byth eto, hyd yn oed wedi
iddynt aeddfedu yn y blynyddoedd a ddaw.

Mae'r 'oriau pêr' yn dra bendigedig, a hir y parhaont. Crwydro bob
dydd, a phob dydd yn pasio'n ddychrynllyd o sydyn. Maddeuwch inni
ein dau am beidio ag anfon gair ynghynt. Fe anfonwn gerdyn i Mattie
yfory neu drennydd yn bendant. Cofiwch ni ein dau ati yn gynnes
iawn. Da iawn gennyf fod arni hiraeth am y Gogledd! Bu Enid a
minnau ym mhen yr Wyddfa ddoe a chawsom chwarter awr o olygfa
anfarwol. Ni buom byth yn Aberglaslyn!!

Mae'n ddydd Sul erbyn hyn. Methais yn glir â chael cyfle i ddarfod
hwn ar ôl Dydd Iau. Anfonwch air cyn bo hir i ddweud hanes pethau
yn gyffredinol, gan gynnwys yr Orsedd!

Cofion cynnes a phob hwyl a bendith, | Yn gywir, | Tom

O. N. Yr unig ddinc o anghydfod rhwng Enid a minnau yw bod arni
hi ryw ddirfawr awydd am fyned i Dal-y-sarn – wedi clywed cymaint
am y lle mewn cysylltiad arbennig – a minnau'n awyddus am fyned i
leoedd eraill – megis Aberglaslyn. | T.

*   *   *

11 Menai View, Bangor, Tachwedd 22, 1932:

Annwyl Frawd a Chyfaill,
Y mae'n ddrwg o galon gennyf am yr hyn a ddigwyddodd Nos Wener.
Cymerais yn ganiataol oddi wrth y 'prin y dof ymhellach na Dinbych'
yn eich llythyr nad oedd rith o obaith eich gweled ym Mangor. Wedyn
mi euthum ynghylch fy musnes. Bûm yn y Coleg nes yr oedd yn
chwech o'r gloch, ac wedyn euthum i'r Borth i dŷ cyfaill imi, ac yno
y bûm nes yr oedd yn un ar ddeg. Ychydig a feddyliais eich bod chwi
mor agos ataf. Gallech fod wedi aros efo ni yn y tŷ yma am y noson
mor hawdd â dim. Pan ddeellais yr hanes teimlwn y diymadferthwch
digofus hwnnw a bair i ddyn ddymuno'i gicio'i hun yn feiddgar.
Brysiwch i fyny eto, da chwi, ac mi ofalaf na chollaf mohonoch.
    Mawr ddiolch am y llythyr. Y mae amser yn rhy brin ar y funud
imi ychwanegu dim at y fodfil oedd gennych. Ceir gwneud pethau felly
pan ddof i Gaerdydd, ac fe ddigwydd hynny, gobeithio, fis i Ddydd Iau
nesaf. Dychmygwn glywed llais Sam y Dwedwr yn cyhoeddi Bob Owen
Nos Sadwrn, ond hwyrach mai rhywun arall ydoedd. Beth am eich
bwriad chwi gynt i wneud gwaith cyffelyb?
    Ond tybed mewn difri fod ychwanegiad teulu i'w ddisgwyl i Sie Ti
a Li Li An[37]? Ni thybiais erioed fod y fath beth yn bosibl. Ond Amor
Omnia Vincit[38], mae'n debyg.
    Ni chlywais air oddi wrth y Parchedig W. J. Parry[39] ers wythnosau.
Rhaid gwneud rhywbeth cyn hir.
    Beth am y Fattie dau[40], a'i theulu. Hyderaf eu bod yn iawn. Cofiwch
fi atynt, a'm cofion i chwithau gan erfyn maddeuant.
    Yn gywir, | Tom

*   *   *

Mae'r Nodiadau y cyfeirir atynt yn yr adran hon i'w gweld ar dudalen 323

Gohebiaeth Edward Prosser Rhys, 1928-32

Ganwyd Edward Prosser Rhys yn Nhrefenter yng nghanolbarth Ceredigion ym 1901. Wedi gadael yr ysgol, bu'n gweithio am gyfnod byr ar y *Welsh Gazette* yn Aberystwyth ac yna cafodd waith yn swyddfa'r *Herald Cymraeg* yng Nghaernarfon ym 1919. Symudodd yn ôl i Aberystwyth ym 1921, ychydig cyn i Caradog Prichard ei olynu ar bapurau'r *Herald* ym 1922 ac, felly, ni chroesodd eu llwybrau'r adeg honno. Ar ôl i *Baner ac Amserau Cymru* symud o Ddinbych i Aberystwyth ym 1923, cafodd Prosser ei benodi'n Olygydd arno, swydd y bu ynddi tan ei farw ar Chwefror 6, 1945.

Wrth sôn am Brosser a Morris Williams yn *ADA* (tt. 39-40), cyfeiria Caradog atynt fel '[y] ddau gyfaill gafodd y dylanwad dyfnaf ar fy mywyd i ac ar lunio hynny o gymeriad a delwedd sy'n perthyn imi'. Prosser Rhys oedd golygydd y *Faner* pan anfonwyd Caradog i fod yn ohebydd yr *Herald* yn Nyffryn Conwy ac meddai Caradog yn *ADA* (t. 72): 'Nid oeddwn eto wedi cael cyfarfod Prosser er cymaint y llythyrau gogoneddus fu'n mynd a dod rhyngom.' Nid yw'r 'eto' yn ein cynorthwyo i wybod at ba bryd yn union y cyfeirir a chan fod cofnodi dyddiadau yn nodwedd ddigon prin gan Garadog, ni allwn ond dyfalu iddo gyfarfod Prosser Rhys yn y cnawd am y tro cyntaf tua diwedd 1923 yn Swyddfa'r *Faner* yn Terrace Road, Aberystwyth. Roedd Prosser wedi bod yn ceisio'i hudo i fod yn ohebydd *Baner ac Amserau Cymru* yn Nyffryn Conwy ac efallai mai pwrpas y cyfarfod yn Aberystwyth oedd cyf-weld Caradog a gwneud y trefniadau angenrheidiol ar gyfer ei benodi i weithio ar y *Faner*.

Ond pa bryd bynnag y daeth y ddau wyneb yn wyneb â'i gilydd am y tro cyntaf, fe wnaeth yr achysur neilltuol hwnnw argraff arbennig ar Garadog, fel y nododd yn *ADA* (t. 72):

> Yr oedd mor hardd a hawddgar ag y disgwyliais ei gael a neidiodd delweddau fel John Keats a Rupert Brooke i lygaid y cof. Dyma wyneb bardd os bu un erioed, meddwn wrthyf fy hun. Syllai'r llygaid gloywon, dwys yn freuddwydiol arnaf wrth ysgwyd llaw.

Mae'n amlwg fod Prosser wedi llwyddo i berswadio Caradog i wneud cais i ymuno â'r *Faner* a'i fod hefyd wedi chwythu yng nghlust Robert Read ynghylch ei benodi. Robert Read oedd golygydd a rheolwr y *Cambrian News* yn Aberystwyth (a daeth yn berchen arno ym 1927); ef, hefyd, oedd perchennog *Baner ac Amserau Cymru* (a hynny tan fis Medi 1939), ac o'i swyddfa yn Terrace Road y rheolwyd y ddau fusnes. Ei ŵyr, Tim, oedd yn arfer bod yn berchen y Cambrian Printers yn Aberystwyth tan oddeutu 2017. Fel yr adroddwyd yn *BaBCP* (t. 33), treuliasai Caradog Prichard ryw ddau fis yn gweithio ar staff y *Cambrian News* a chofiai fel y bu'r 'Bos' neu'r 'Bos Mawr', fel y galwai Caradog Bertie (Robert) Read, yn hynod garedig wrtho yr adeg honno a thalu iddo weld optegydd ynglŷn â'i lygaid croes. Canlyniad hynny fu iddo gael triniaeth mewn ysbyty yn Lerpwl i gywiro'r nam – a derbyniodd ei gyflog yn llawn oddi wrth Bertie Read tra bu'n absennol o'i waith.

Oherwydd y cefndir hwn, pa ryfedd i Robert Read anfon llythyr at 'Caradog Pritchard Esq., Gwydr Café, Llanrwst' – llythyr, dyddiedig Tachwedd 2, 1923, wedi'i ysgrifennu ar bapur swyddogol *Baner ac Amserau Cymru*, Terrace Road, Aberystwyth:

> Dear Sir,
> I understand from Mr. Prosser Rhys that you are an applicant for the position we have vacant as representative of Llanrwst and district for the collection of news, advertisements, and to look after the circulation. I write to confirm the arrangement made by Mr. Prosser Rhys that you are to take up the representation of the 'Baner' in this and the adjacent districts at a salary of £2 per week plus 5% commission on advertisements. The arrangement is to be subject to [one] month's notice on either side.
> What we require is aggressive policy on behalf of our well-known

paper and you will understand, of course, that the services you render will be exclusive to this office.

Yours truly, | B.Ac.A.C. | R. Read

Tybiaf i Garadog adael *Yr Herald* yn Nyffryn Conwy i fynd i weithio i'r *Faner* yn yr un ardal yn gynnar ym 1924 ac fel hyn y sonia yn *ADA* (t. 64) am y bennod honno yn ei hanes:

Mi wnes waith go sylweddol i'r *Herald* yn ystod yr wythnosau cyntaf yn Nyffryn Conwy a chwyddo cryn dipyn ar ei gylchrediad ac ar gyllid ei hysbysebion. Ond cyn hir cefais lythyr gan Prosser Rhys yn cynnig cynrychiolaeth y *Faner* imi, am ddegswllt yr wythnos yn fwy o gyflog, ac mi a'i derbyniais yn llawen ar ôl marathon o ffrae ar y ffôn hefo W. G.[1] yng Nghaernarfon.

*   *   *

Dros y blynyddoedd wedyn, daethai Caradog a Phrosser Rhys yn gyfeillion pur agos ac mae hynny'n amlwg oddi wrth y llythyr a anfonodd Prosser ato o'i gartref yn Ionawr 1928 (a'r newid chwareus rhwng y 'chwi' a'r 'ti' yn y paragraff olaf yn tynnu ein sylw):

Gwar yr Allt, | Dinas Terrace, | Aberystwyth | 18/1/28

Y Di Farw Garadawg,

Diolch i ti o eigion calon am yr anrheg briodas ardderchog a anfonaist inni. Y mae'n wir deilwng o Goronfardd Caergybi, ac yn sefyll yn anrhydeddus ymhlith anrhegion lawer gwŷr llên a lleyg. Dymuna'r wraig ei chysylltu ei hun a'r diolch hwn. Hyderaf y cawn dy weled yn aros noson gyda ni yma heb fod yn hir. Bydd croeso mawr a digonedd o hwyl.

Hyderaf bod y gwaith yn dygymod yn gampus a chwi, Mr. Pritchard, a bod y ferch o Abertawe a chwithau'n para'n ffyddlon o hyd. Priodwch gynted ag y gellwch; dyna gyngor gŵr wythnos oed i ti!

Cofion cynnes dros ben, | Prosser Rhys

Mae'n ymddangos mai camgymeriad ar ran Prosser yw'r cyfeiriad at y 'ferch o Abertawe' o gofio mai *yng Nghaerdydd* yr oedd Mattie'n byw.

Ar gefn y llythyr-un-ddalen hwn, ceir truth mewn llaw-fer. Ymgynghorais ynghylch hyn â chyfaill, Gerald Williams, Caernarfon, newyddiadurwr uchel ei barch a arferai fod yn ohebydd i'r *Daily Post*. Derbyniais ei farn na chynhwysai unrhyw beth a haeddai sylw arbennig.

* * *

Cawn ein hatgoffa gan Rhisiart Hincks yn ei gofiant i Prosser, *E. Prosser Rhys, 1901-45* (Gwasg Gomer, Llandysul, 1980, tt. 158-9) nad oedd gan Prosser fawr o feddwl o Orsedd y Beirdd a chofiwn, yr un pryd, fel y galwodd Caradog Prichard aelodau'r Orsedd yn 'asynnod' cyn cael ei goroni yn Eisteddfod Genedlaethol Caergybi ym 1927, gan greu anferth o helynt a ddenodd sylw o wahanol fannau rownd y byd. Ond daeth tro ar fyd yn hanes y ddau, a dyfynnu o gofiant Rhisiart Hincks eto:

> Penderfyniad ar y cyd gyda Charadog Prichard oedd ymuno â'r Orsedd yn Eisteddfod Llanelli [1930], ac ymddengys nad oedd y naill na'r llall wedi bwriadu ymuno â hi cyn bore'r seremoni. Cyhoeddwyd y newydd ar Awst 8, 1930, yn y *Western Mail* dan bennawd dramataidd …
> 'PENITENT BARDS AT THE GORSEDD | CARADOG AND PROSSER CONVERTED'.

Fel y gwelsom uchod, ysgrifennodd Thomas Parry lythyr deifiol at Garadog, yn ei feirniadu'n llym am iddo droi'i gôt.

A dyma lun y ddau fardd ar faes yr Eisteddfod.

* * *

Caradog a Phrosser ar faes yr Eisteddfod

Ar ben-llythyr *Baner ac Amserau Cymru*, sydd â'r isbennawd 'Y Papur Cenedlaethol a Chronicl yr Amaethwyr', ac wedi'i anfon o Swyddfa'r Faner yn Aberystwyth ar Orffennaf 29, 1929. Cymeraf mai Caradog oedd y derbynnydd:

> Annwyl Gyfaill,
> Tybed a allech chi gael hyd i Gruffydd neu Wil Ifan ynghylch cystadleuaeth y goron? Yr wyf yn drwgdybio cerdd a ddwg y ffugenw 'Prydydd Gwlad' – cerdd go nodedig heb fod yn rhy lân ei chrefft, lliw lawer ynddi, a'i chynnwys yn bennaf yn null ymgom rhwng doctor a'i glaf – neu yn hytrach rhwng y claf a'i ddoctor. Mi dybiwn y ceir tipyn o oleu yn y gerdd ar gyflyrau meddwl mewn afiechyd. A allech chwi fynd ymhellach hyd y trywydd? Os y gerdd a nodwyd piau hi, mi allaf i anfon copi ohoni i chwi, a chryn dipyn am yr awdur.
> Yn gywir felltigedig, | E. Prosser Rhys

Yn llinell gyntaf y llythyr, yr Athro W. J. Gruffydd a'r Parchedig William Evans (Wil Ifan, 1882-1968) yw'r ddau y cyfeirir atynt, a hwy, ynghyd â John Jenkins (Gwili)[2], oedd beirniaid cystadleuaeth y Goron. Ni lwyddais i ganfod beth yn union oedd gan Brosser dan sylw gyda'r gosodiadau a'r cwestiynau yn y llythyr hwn.

Ar yr un dyddiad yn union â'r llythyr blaenorol (Gorffennaf 29, 1929), eto ar ben-llythyr *Baner ac Amserau Cymru* ac o'r swyddfa yn Aberystwyth, anfonodd Prosser lythyr arall at Garadog:

> F'annwyl Garadawg,
> Er bwriadu peidio a mynd i Lerpwl, yr wyf, wedi'r cwbl, yn myned. Byddaf yn Lerpwl naill ai nos Sadwrn neu rywdro ddydd Sul. Nid wyf wedi setlo dim ynghylch llety eto. Lle yr wyt ti'n aros, gyfaill mwyn?
> Parthed y goron a'r gadair, y mae llawer o sibrydion o gwmpas. Byddaf yn ol pob tebig yn gwybod yn bendant ynghylch y goron o hyn i ddiwedd yr wythnos, ac os cawn sgwrs yn Lerpwl nos Sul hwyrach na allaf i roddi benthyg copi o'r bryddest fuddugol i chwi, a chryn dipyn o fanylion. Ar hyn o bryd yr wyf mewn ansicrwydd ynghylch amryw bethau.
> Yn gywir iawn, | Prosser

Unwaith eto, mae'n anodd iawn gwybod beth yn union oedd gan Brosser dan sylw ond mae'n ymddangos nad oedd Caradog wedi dweud wrtho mai ef, Caradog, fyddai'n cael ei goroni yn Lerpwl.

*   *   *

Mae'n rhaid aros tan 1932 cyn y down o hyd i'r llythyr nesaf (a'r olaf a ganfuwyd), dyddiedig Gorffennaf 21, 1932, oddi wrth Prosser at Garadog. Eto ar ben-llythyr y *Faner* (ond un gwahanol y tro hwn ac o'r Swyddfa yn 'Market Square', Dinbych):

> F'annwyl Garadog,
> Yr oedd yn wir flin gennym na fedrasoch ddyfod ill dau dros y Sul. Y mae gennym atgofion melys am hwyrnosau'r ymweliad diwethaf. Cofiwch ddyfod yma cyn diwedd yr haf. Byddwn yn eich disgwyl.
> Mae'n dra annhebig y byddaf yn Aberafan. Byddaf yn ceisio osgoi'r Eisteddfod bob blwyddyn, ond yn methu. Ond y mae pob argoel y llwyddaf eleni, ar dir cynildeb. Teimlaf yr wyl yn enbyd o flinedig.
> Diolch am gael cynnig dy feirniadaeth. Bydd yn wir dda gennyf ei chael. Yr oeddwn ar fedr sgrifennu atat yn ei chylch. Hoffwn ei chael i'w chyhoeddi nawn Mawrth yr Eisteddfod. Ni bydd y papur ar werth hyd fore Mercher, wrth gwrs, a byddaf yn cael beirniadaeth y goron ymlaen llaw gan gyfeillion fel Cynan, Gwynn Jones bob amser. Felly nac ofna anfon yr MSS imi o hyn i ben wythnos. Gwyddost nad wyf fi'n cystadlu, ac nad oes gennyf ond bwriad newyddiadurol. Gwn yr helpi i adnabod y gwalch buddugol hefyd, o bydd rhaid.
> Felly, a gaf i dy feirniadaeth mor gynnar ag y gelli yr wythnos nesaf?
> Diolch iti hefyd am gael cynnig y lle yn y Prince of Wales. Ond tebig mai yng Ngwar yr Allt y byddaf, eithr mi yfaf eich iechyd da oll yn y chwisgi gorau.
> Cofion cynnes iawn atoch ill dau, | Prosser

Llythyr, yn amlwg, rhwng dau gyfaill agos iawn a'r ymddiriedaeth rhyngddynt yn ddigwestiwn.

Saith mlynedd wedi marw Prosser Rhys ym 1945, cystadlodd Caradog Prichard ar y testun 'Cerdd Goffa : Prosser Rhys' yn Eisteddfod Genedlaethol Aberystwyth, 1952. Yn yr adroddiad a gyhoeddwyd yn *Y Cymro*, Awst 5, 1952, neilltuwyd y rhan fwyaf o un dudalen y papur i gerdd sy'n cynnwys cant o linellau dan y pennawd "'Prosser Rhys' gan Caradog Prichard". Ar frig y dudalen, mae'r golygydd yn rhoi'r gwahoddiad a ganlyn i'r darllenwyr: 'Beth yw eich barn chwi, tybed, am y Gerdd Goffa hon a ddaeth yn isaf o bedair yn Eisteddfod Aberystwyth?' Yng nghornel isaf y dudalen, dan bennawd gweddol gamarweiniol: 'Caradog Prichard gan Dewi Morgan', cawn:

> 'Theseus' oedd ffugenw Caradog Prichard yng nghystadleuaeth y Gerdd Goffa i Brosser Rhys … Ymgeisiodd pedwar, a rhannwyd y wobr rhwng dau, sef Cledlyn Thomas, Cwrtnewydd, a'r Parchedig Stafford Thomas, Penmaenmawr …
>
> Dyma a ddywedodd y beirniad, Dewi Morgan, am ymgais 'Theseus' wrth ei osod yn bedwerydd o bedwar:
>
> "Gwelir ar unwaith fod Theseus yn ymgadw rhag rhigolau arferol cerdd-goffa; nid oes yma ddim o'r gor-ganmol na'r dagrau cynefin. Ond wrth osgoi hynny, aeth ef i eithaf arall drwy amlhau geiriau nad ydynt yn cyfleu ystyr bendant. Yn fyr, mae yma fwy o iaith na meddwl. Anghytunwn ag ef pan yw'n sôn am Prosser Rhys yn 'cerdded yn llanc penuchel,' 'yn hoyw ei gam', 'a'i lais tormentus.' Ceir yma ddigon o'i hanes heb ddwyn ein cyfaill yn agos atom."

Prin y byddai Caradog Prichard wedi rhuthro i ddiolch i'w gyfaill, Dewi Morgan, am osod ei gerdd yn olaf o'r pedair a feirniadodd!

Gohebiaeth Gwilym D. Williams, 1927-33

Gwilym D. Williams

Daeth Gwilym Williams, brodor o Gwm y Glo, a Charadog Prichard i adnabod ei gilydd gyntaf pan gydweithient ar bapurau'r *Herald* yng Nghaernarfon. Yna, pan symudodd Caradog o'r *Herald* i weithio ar y *Faner* yn Nyffryn Conwy, Gwilym a anfonwyd i gymryd ei le ar yr *Herald* yn Llanrwst. Daethai Caradog a Gwilym yn gyfeillion agos yn ystod y cyfnod hwn a datblygodd eu cyfeillgarwch ymhellach dros y blynyddoedd dilynol. Gweler *BaBCP* (tt. 66-67) am ychydig rhagor o fanylion am Gwilym Williams.

Prin yw'r ohebiaeth a gadwyd oddi wrth Gwilym at Garadog. Er mai prin hefyd y dyddiadau ar yr ychydig lythyrau a geir yn y casgliad, ceir Medi 8, 1927, ar gardyn post a anfonodd at Garadog, wedi'i gyfeirio ato yn ei lety, Trosafon, yn Llanrwst. Roedd Gwilym ar ei wyliau yng Ngill Airne a'r capsiwn dan y llun lliw ar du blaen y cardyn ydi: 'Brickeen Bridge, The Bridge of Little Trout, Killarney'. Dyfynnaf sylw Gwilym ar gefn y cardyn: 'Nid yw hon yn anhebig i Bont y Twr ond ei bod yn fwy o dipyn.' Ydi, mae'r bont *un* bwa yn Nghil Airne *yn* fwy, yn sicr, ond dim byd tebyg i Bont y Tŵr yn Nyffryn Ogwen, mewn gwirionedd (ac mae gan honno *dri* bwa, beth bynnag)!

*   *   *

Roedd Gwilym wedi rhoi cyfeiriad a dyddiad ar y llythyr nesaf a gadwyd ymhlith papurau Caradog, sef: 'Hazel Bank, Llanrwst, Hydref 31ain, 1928':

Annwyl Gyfaill,

Mae'n debig i chwi dderbyn fy ngherdyn mewn ateb i'r llythyr caredig a anfonasoch ataf ar ol marw fy nhad. Bwriedais sgwennu i chwi'n gynt ond fod yr amser yn pasio mor gyflym fel nad yw dyn yn sylweddoli o'r bron.

Wrth gwrs yma yr ydwyf o hyd a dim rhagolwg symud am beth amser beth bynnag. Toeddwn i ddim yn hoffi symud ymhell oddicartref tra'r oedd fy Nhad yn wael. Yn awr, a mam adref ei hun, ni allaf feddwl am symud am gyfnod beth bynnag. 'Rwyf yn mynd adref mor aml byth ag y medraf – bob Sul o'r bron – er mai rhyw le rhyfedd i fynd iddo ydyw cartref wedi colli Tad. Teimlaf yn aml y buasai'n well gennyf beidio mynd yno o gwbl ac felly y buasai oni bai am Mam. Eto nid oes gennyf le i gwyno a grwgnach o gwbl, ond yn hytrach i ddiolch.

Hyderaf eich bod mewn iechyd da ac yn dal i hoffi'r gwaith. Yr ydych wedi cael profiad helaeth erbyn hyn yn ddiameu. Pa bryd ydych am ddod yma eto? Mae Now wedi'n gadael, wedi cael ei symud i Dreffynnon ers mis ac nid yw'n hoffi fawr ddim am y lle. Gwelais Gwilym Tal-y-sarn nos Sadwrn. Yr un un yw o hyd ag eithrio bod ei ben yn fwy moel a'i fod yn drwm mewn cariad a'i fun o Lerpwl. 'Does yma ddim byd arall o bwys ag eithrio bod Dafydd Clem wedi symud i Harlech.

Bydd gair gennych yn dderbyniol ond gwell fyth fyddai cael sgwrs a thro i gofio'r hen amser.

Cofion cywir, Gwilym

*   *   *

Ysgrifennwyd y llythyr nesaf yn Nhalgwynedd, Cwm y Glo, ar Awst 21, 1933:

F'annwyl Gyfaill,

A ydych wedi dadflino ar ol y steddfod? Methais i gael diwrnod ohoni ond cefais yr ail berfformiad o 'Pobun'.

Gyda llaw, diolch i chwi am ddefnyddio fy llith yn y 'WM' ddydd Sadwrn. Ni thybiais am funud y rhoddid fy enw arno. Yr oedd wedi ei wneud ar ras o ganol prysurdeb pacio.

Rwyf wedi gadael Stiniog a'r 'Herald' er dydd Sadwrn (heb ronyn o ofid) ac yn prysur baratoi at hel fy nghamrau i Lundain y Sadwrn nesaf – hwyrach ddydd Gwener. Nid yw'n amhosibl na chaf job subio football pnawn Sadwrn ar y 'Sunday Express' a'r 'Evening Standard'. Rwyf mewn gohebiaeth a'r Sports Editor ac mae arno eisiau fy ngweld gynted ag yr af yno. O bydd cyfle i ddechrau y Sadwrn nesaf, gan y dechreua'r tymor y pryd hynny, af yno ddydd Gwener. Ni thybiaf bod gennyf lawer o obaith ar unwaith, a hwyrach mai da a fydd hynny, ond pwy a wyr beth all ddigwydd a chan y caf fy hanner dydd rhydd ddydd Sadwrn waeth gen i wneud hyn ar bnawn Sadwrn yn y gaeaf er cael mynd i gyffyrddiad a Fleet Street a chael dipyn o brofiad yno. Cewch wybod eto sut yr aiff pethau ymlaen a byddaf innau'n ddiolchgar o gael gwybod lle y byddwch chi arni gyda'r 'Schoolmaster'. Os na fyddwch wedi symud r'wyn sicr o ddod i'ch gweld rhyw week end ymhen rhyw chwech wythnos …

Drennydd (dydd Iau) y mae un o athrawon Ysgol Sir Abertawe yn priodi yn Stiniog. Anfonaf adroddiad i'r 'W.M.' ac hefyd ddarlun (P. S. Thomas sy'n ei dynnu). Os gellwch, gwyliwch amdano. Anfonaf hefyd dipyn am Siou Llanrwst yr un dydd af yno. Cofiwch fi at Mattie, ei mam, a'i modryb.

Cofion cu iawn, Gwilym

Mae'r Nodiadau y cyfeirir atynt yn yr adran hon i'w gweld ar dudalen 323

Gohebiaeth Morris
T. Williams, 1926-28

Morris T. Williams

Roedd dwy ochr i'r berthynas rhwng Caradog Prichard a Morris Williams.

Ym mis Mawrth 1922, pan oedd Caradog ychydig dros ei 17 oed, penderfynodd adael yr Ysgol Sir ym Methesda gyda'r bwriad o chwilio am waith er mwyn ceisio cynnal ei fam, Margaret Jane, a oedd yn prysur fynd o'i chof yn eu cartref tlawd yn y Gerlan, Bethesda. Cafodd waith yn brentis is-olygydd gyda chwmni Papurau'r *Herald* yng Nghaernarfon ac, fel y soniwyd eisoes, bu'n ffodus i gael cymorth parod a chefnogaeth aelodau o'r staff, megis R. J. Rowlands (Meuryn), J. T. Jones (John Eilian) a hefyd Morris T. Williams (a ddaeth yn ŵr i Kate Roberts yn ddiweddarach). Bu Morris yn hynod garedig wrth Caradog Prichard yn ystod y cyfnod hwn a daeth y ddau'n gyfeillion agos iawn. Byddai Morris yn rhoi benthyg arian iddo pan oedd amgylchiadau'n mynd yn drech nag ef a'i ofal dros ei fam yn pwyso'n drwm ar ei ysgwyddau ifainc. Er i mi gynnwys y dyfyniad isod yn *BaBCP* o lythyr a ysgrifennodd Caradog at Morris ym mis Ebrill, 1923, o'i lety yn 7 Margaret Street, Caernarfon, fe'i cynhwysaf yma er mwyn i'r cyd-destun fod yn gyflawn a chlir. Mae'n bwrw'i fol wrth ei gyfaill ac yn rhannu ei broblemau a'i anawsterau:

> ... Yr wyf heb fod adref er dydd Gwener y Groglith – methu cael
> beic neu methu fforddio pedwar swllt i fynd hefo'r tren ... Yr wyf
> yn cael 25/- yr wythnos yn awr, ac fel y mae'r cyflog (neu'r cardod)
> yn codi, y mae'r gofynion arnaf yn cynhyddu. Yr wyf yn synnu, ac
> yn dychryn braidd, weithiau, wrth feddwl fy mod yn ennill 25/- yr
> wythnos ac yn methu anfon dim adref. Mae arnaf ryw ofn fy mod
> wedi fy nghamarwain gan yr argraff na fedr mam drin arian, ac yn
> teimlo, rywsut, fy mod wedi cymryd hynny'n esgus dros beidio ag
> anfon dim iddi, nes imi syrthio cyn ddyfned fel nad yw'n bosibl imi,
> ar hyn o bryd, anfon dim. Rhoddaf iti ryw fras gyfrif i ble'r ant bob
> wythnos, nid am fy mod yn tybio dy fod ti eisiau gwybod ond am nad
> oes gennyf neb arall i ddweyd pethau fel hyn wrtho. Yr wyf yn talu
> 2/6 yr wythnos yn siop ddillad Tryfan House, Stryd y Llyn, gan imi
> gael siwt yno pan ddeuthum yma gyntaf ac esgeuluso talu'n gyson.
> Yr wyf wedi bod braidd yn ffwl wrth drin fy mhres ar y dechreu,
> er na ddywedais hynny wrthyt o'r blaen. Bydd y ddyled yma wedi
> ei chlirio ymhen rhyw dri mis os talaf yn gyson. Yr wyf newydd
> gael siwt ers pythefnos o le arall a rhwng honno a'r dop coat las sy
> gennyf, yr wyf yn talu 7/6 yr wythnos yno. Cymer imi oddeutu pum
> mis i dalu'r ddyled yma os talaf yn gyson. Hefyd y mae arnaf 10/- eto
> i'r offis, ac yr wyf yn eu talu fesul 2/6 yr wythnos. At hynny, yr wyf
> wedi gadael i rent y ty ym Methesda redag tipyn, ac yr wyf yn talu 7/6
> bob pythefnos yno. Bydd fy llety yn dyfod yn wythswllt rhwng golchi
> a chinio Sul. Wel, dyna iti 24/6. Prynnais hefyd 'shoes' gan Wilym
> am chweugain, ac y mae gennyf goron o'r rheiny i'w dalu yr wythnos
> nesaf. Felly bydd yr hyn a wariaf ar fwyd yr wythnos nesaf yn 33/10
> minus 29/6. Gweli, felly, Moi, ... [mai fy] ffordd fy hun, i raddau
> helaeth, sy'n cyfrif am hyn gan imi drin f'arian braidd yn annoeth ar
> y cychwyn. Pe cawn dalu'r rhain yn gyson am ryw dri mis, a gofalu
> peidio a mynd yn ddyfnach iddi, byddai pethau'n edrych dipyn gwell
> erbyn hynny ...
> Yr wyf mewn twll eto ynglyn a rhent y ty ym Methesda. A elli anfon

5/- yn ychwanegol imi. Byddaf yn dechreu eu talu yr wythnos nesaf.
Trwy ymdrech yn unig y rhoddais fy hunan i ofyn iti.

Byddai'n well iti losgi'r llythyr yma, rwy'n credu, ar ol darfod ag o. C.

Tua blwyddyn ar ôl i Garadog ddechrau gweithio yng Nghaernarfon, bu dau ddigwyddiad a roddodd bleser mawr iddo, sef ennill Cadair Eisteddfod Gŵyl Ddewi Tal-y-sarn ym 1923 ac ennill merch o'r ardal honno'n gariad iddo'r un pryd. Merch i ddyn glo o Dal-y-sarn oedd Eleanor (1907-2000), neu Elinor, fel y sillafai Caradog ei henw, ac roedd Caradog yn meddwl y byd ohoni[1]. Ceir cip ar ddau lythyr a anfonasai ato ym 1928-29 yn yr adran 'Gohebiaeth Hen Gariadon 1927-29', tt. 171-3. uchod.

Gwaetha'r modd, canfu Caradog fod Morris wedi mynd ag Eleanor am dro unwaith neu ddwy (a hynny, yn ôl Gwilym R. Jones, 'o ran direidi'). Chwerwodd eu perthynas i'r fath raddau nes peri i Garadog gyfeirio at Morris mewn un man fel 'sarff' oedd wedi dod i darfu ar ei 'Eden' ac yna, rywdro ym 1925, ysgrifennodd gerdd, 'Y Cyfaill Gwell',[2] sy'n pwysleisio'r effaith a gafodd 'brad' Morris arno. Ni wyddom sut y bu pethau rhwng y ddau pan ddatgelwyd beth oedd wedi digwydd na phryd yn union y digwyddasai hynny.

Ymhlith Papurau Kate Roberts yn y Llyfrgell Genedlaethol, cadwyd llythyrau a anfonasai Caradog at Morris. Mae'n amlwg fod y llythyr a ganlyn (LLGC Kate Roberts 3246) yn cymryd ei le yng nghanol yr ohebiaeth ynghylch Elinor ond gan na roes Caradog ddyddiad arno, ni ellir ond dyfalu iddo'i ysgrifennu ryw dro ym 1925, gan iddo grybwyll priodas Howell, ei frawd, ym mharagraff cyntaf y llythyr (gweler, hefyd, t. 52 uchod). Mae'r cyfeiriad ato'n dychwelyd o'r ysbyty hefyd yn ein hatgoffa o'r saith wythnos a dreuliodd mewn ysbyty yn Lerpwl yn cael triniaeth i'w lygad croes tua 1924/25.

Yr Hen Fragdy, Llanrwst
Annwyl Forus,
Deuthum allan o'r ysbyty ddydd Iau diweddaf ac euthum yn syth
oddi yno i Sheffield i weld fy mrawd sydd newydd briodi. Dychwelais
i Lanrwst neithiwr a chefais dy lythyr. Ymddengys na dderbyniaist
fy llythyr olaf cyn ysgrifennu hwn, canys yn yr olaf rhoddais iti rai
rhesymau pam na chytunaf â'r 'Blaid Genedlaethol Gymreig'. Atebaf
hwn yrwan pan fydd gennyf amser.

Ymddengys nad wyt eto wedi canfod pam yr wyf yn anfaddeugar, neu'n hytrach, beth sydd gennyf i'w faddeu iti. Y mae dy ddyfyniadau o'm llythyrau yn rhai na allaf eu gwadu. Am y cyntaf, sef ynghylch 'cael digon o ras, &c', ysgrifennais hwnnw pan oeddwn yn ymdrechu i gael y 'gras' ac yn ceisio fy mherswadio fy hunan fy mod wedi ei gael. Gofynni imi gadarnhau'r ail osodiad (neu'n hytrach dywedaist na wneuthum), sef iti fod 'yn anonest a dau wynebog'. Gwn hynny'n awr, mor glir ag y medraf. Treuliais noson gyda thi yn y Groeslon cyn i ti gwrdd ag Elinor. Siaredais bryd hynny â thi am fy ngofid ac am y loes a roesai imi pan droes fyfi i ffwrdd. Ond yr oedd yn hollol glir i ti (sydd wedi treiddio'n ddyfnach i'm meddyliau dirgel na neb arall) fy mod yn ei charu ac yn hiraethu am ei chael yn ôl. Mewn geiriau eraill, yr oedd yn hollol glir iti nad oeddwn i wedi dibennu ag Elinor. Ceisiaist tithau fy narbwyllo nad oedd Elinor yn wahanol i unrhyw ferch arall ac yr elai'r byd ymlaen yr un fath. Yna cwrddaist ag Elinor (ar ei hawr wan) a cheisiaist oed â hi heb, mae'n amlwg, roddi'r un iot o ystyriaeth i un a alwat yn gyfaill. O hynny ymlaen (ac o hynny'n ôl) ni chefais ynot ddim anonestrwydd. Ond pa ddiolch iti. Dyna iti f'eglurhad mor blaen ag y gallaf ei roddi.

Do, buost gyfaill da imi, y gorau a fu gennyf. Ond wele'r pris.

Nid rhaid i ti gydymdeimlo â mi yn fy siom, ac efallai, wedi darllen yr eglurhad uchod, y gweli fod fy siom (nid ynglŷn ag Elinor yn hytrach ynglŷn â thi) yn cyfiawnhau fy ngweithredoedd. Efallai hefyd y bydd hyn yn egluro i ti pam y mae'n amhosibl iti garu Elinor a bod yn gyfaill i mi'r un pryd.

Bellach, ni roddaf unrhyw rwystr 'dan-din' ar dy ffordd i garu Elinor (neu'n hytrach i'w hennill) os dyna dy fryd. Ni wneuthum hynny o gwbl. Y mae iti lawer o fanteision arnaf. Siaredais lawer am dy rinweddau (ac y mae ynot rinweddau rhagorol) wrth Elinor pan fyddwn gyda hi, a pham oeddwn eilun-addolwr ohonot ti. Siaredais hefyd am ei rhinweddau hithau wrthyt ti. A hynny cyn ichwi gwrdd. Dyna i ti un fantais dda. Hefyd yr wyt yn llawer mwy o ddyn na mi ac, mi gredaf, yn fwy profiadol gyda merched.

Ymdrechais i fy ngoreu i'w hanghofio, a pheidio ag ysgifennu ati, ond methais. Bydd yn ysgrifennu llythyrau cyfeillgar iawn ataf. Yr wyf yn ysgrifennu iddi – ar unwaith – a hwn i ofyn iddi fy nghyfarfod yn rhywle yr wythnos nesaf er i mi gael cyfle i siarad â hi. Ni chredaf fod hyn yn fantais annheg â thi o gwbl. Mae'n debyg mai gwrthod a wna. Wedi hynny, ymdrechaf eto ei hanghofio, ac anghofio hefyd imi gredu unwaith ei bod yn bosibl cael cyfaill anffaeledig mewn dyn.

Bydd Wych | Caradog

Cawn dystiolaeth fod y crochan yn dal i fudferwi pan ddarllenwn lythyr
a anfonodd Morris at Garadog, dyddiedig 'Dydd Sul. 10/1/26', wedi'i anfon
o 42 Thoresby Street, Prince's Avenue, Hull. Gwelwn yn syth fod y 'bennod'
rhyngddo ef ac Eleanor, a surodd y berthynas rhyngddo ef a Charadog, yn
dal i'w boeni. Mae'n amlwg ei fod yn gwneud ymdrech i dawelu'r dyfroedd a
thaflu goleuni ar rai o'r problemau yn nhriongl Caradog ac Eleanor ac yntau.
Gwaetha'r modd, mae'n amhosib deall beth yn union sydd gan Morris dan
sylw bob tro ond yr hyn sydd yn glir ydi ei fod yn ceisio darbwyllo Caradog
ynghylch y sefyllfa a heb amheuaeth yn dymuno cymodi, fel y gwelwn:

F'annwyl Garadog,
Diolch iti am y llythyr a'r hanner coron, ac yr oedd yn dda gennyf
glywed dy fod wedi trefnu ynglyn a thalu'r arian eraill.
    Fel y dywedais wrthyt yn fy llythyr diwethaf, atebais y llythyr a
gefais oddiwrth Elinor wedi dychwelyd yma ac ysgrifennais yr hyn
a gredaf oedd yn iawn imi fel hên gyfaill iti. Cefais ateb a'i swm a'i
sylwedd oedd ceisio egluro'r cerdyn Nadolig i ti (er na soniais air o
gwbl amdano), ond nid oedd hwnnw yn ddim ond eitem fach. Ni fydd
gennyf ragor i'w ddywedyd wrthi ond o dan amgylchiadau neilltuol. A'r
pryd hwnnw fydd os na ddaw rhyw ddealltwriaeth rhyngoch. Ni wna
ddim llês i mi sgrifennu ati yrwan, ond y pryd hwnnw caf ddangos yn
ddigon clir iddi na fu ganddi ddim ond ffansi munud a chaf ddywedyd
pethau y mae'n ddoethach i mi eu cadw heddiw. Ac ar gyfer hyn
hoffwn i ti, oni ddaw cyfathrach rhyngoch, ddywedyd wrthi dy fod
yn myned i sôn wrthyf am y llun fel y'th rhyddheir o'th addewid a
minnau o f'addewid i ti. Y mae'n bwysig i mi gael sôn am hwnna wrthi,
ac erfyniaf arnat wneuthur hyn o ffafr a mi, rhag fy ngorfodi i dorri
addewid. Fe ga'r llun yn ôl cyn gynted ag y caf gâs o'r maint iawn iddo.
Nid yw'n ddim i mi.
    Gobeithio y gweli yn glir beth yw hyn. Tra bo siawns i un a'm
swynodd unwaith ail-garu un y bum yn gyfaill agos iddo ni wna lês
i neb i mi fod ar y llwyfan, ond oni'ch adunir, bydd hawl i minnau
chwalu pob atom o'r syniad ei bod hi'n cael cam.
    Ni fedraf derfynu heb ddywedyd wrthyt eto nad yw'r byd ar ben o'th
wrthodir. A rhagor, wedi'r Nadolig teimlaf fwy o hyd dy fod yn hau'r
fath efrau nes y bydd yn uffern iti rhyw ddiwrnod oni ystyri'n ofalus.
Nid wyf yn anhrugarog tuag atat a gwyddost na ddaw Cosb ac Uffern
byd arall a phethau felly i mewn i'm cyfrif. Ond y mae dy berthynas â
dy fam yn fwy annealladwy i mi bob dydd. Ceisiais feddwl fod popeth

yn iawn ac y deuai trefn, ond teimlaf bellach na ddaw trefn iti heb
geisio hynny. Y mae dy safle yn hollol groes i fywyd a natur, a thra
bodloni ar hynny felly yr erys, a rhaid iti wrthod y fath dôp. Credaf i ti
wneuthur blyndars mawr yn y gorffennol. Gwastreffaist a gwastreffi
d'amser a'th adnoddau. Pe caet fwynhad o hynny, efallai y gellid ei
gyfiawnhau, ond Uffern beunydd a gei. Pe baet wedi gwrando ar rai o
fy nghynghorion, buaset yn ennill bywoliaeth dda ar rai o'r papurau
ac yn rhoddi bywyd da i dy fam, yn lle wastio d'adnoddau ar ferched
a thaclau nad ydynt yn werth hatlin iti. Ofer ymboeni, ofer gwingo; yn
hytrach ystyria onid yw'n hên bryd iti wrando'r cyngor a dilyn hwnnw
gan na fedri lunio cynllun dy hunan.

Diau y bydd hyn yn oer a chaled iti ond dywedaf hynny oddiar
deimlad a dyletswydd fel un a'th gâr trwy bopeth, un a grêd ynnot trwy
bopeth, ac fel mâb yn ymladd dros fam – y peth mwyaf cysegredig ar
wyneb daear. Geill popeth bron dorri a myned yn yfflon yn hyn o fŷd
ond erys ychydig bethau, a'r mwyaf o'r rhai hyn ydyw cariad mam a
mab.

Yn un o'th lythyrau cyn y Nadolig ysgrifenaist eiriau i'r perwyl yma:
'Cefais afael ar y Gwir Oleuni … Teimlaf dy fod tithau ymhell, ac yn
agos iawn ato hefyd.' Ni chawsom amser i siarad am hynny, a hoffwn
iti ysgrifennu dy feddwl pan gei'r cyfle.

Gobeithiaf y derbyni'r llythyr hwn yn yr ysbryd yr ysgrifennir, a
boed iti bob llwydd a bendith,

Cofion fyrdd, | Morris

*   *   *

Nos Iau, Gorffennaf 26, 1928, ydi dyddiad y llythyr nesaf (a'r olaf a gadwyd)
oddi wrth Morris at Garadog ac mae'n amlwg erbyn hynny fod Caradog a
Morris wedi hen ddatrys yr anghydfod chwerw a fu rhyngddynt. Cyfeiriad
Morris ar ei lythyr ydi 88 Charles Street, Tonypandy.

F'annwyl Garadog,
Er fy mod yn flinedig iawn a'r cloc bron taro hanner nos dyma fi'n
ceisio cael y blaen ar Gwili[3] a Wil Ifan[4] ac yn barod i draethu fy marn
wrthyt er na honnaf fod yn feirniad llenyddol.

Y mae'n deg imi egluro fod fy ngwaith a sgrifennu a'r mwyaf i gyd
– caru – yn mynd a fy holl amser[5].

Gan fod cymaint brys arnat i gael y bryddest [sef 'Penyd' a enillodd

y Goron i Garadog yn Eisteddfod Genedlaethol Treorci] yn ol a minnau
mewn mwy brys i fynd i garu ni chefais amser i fyfyrio llawer wrth ben
dy gân. Y mae'n berffeithiach cyfanwaith na'r 'Briodas' ac yn gliriach
ond nid oes ynddi delynegion cyn berffeithied a rhai o'r 'Briodas'.
Methaf gael gair iawn i ddisgrifio'r gerdd – y peth agosaf fedraf ddweyd
yw ei bod yn gerdd arswydus. Ni raid dweyd nad oes undyn arall yng
Nghymru a fedrai ei chanu. Efallai fy mod yn methu ond i mi y mae ei
mater yn rhy wir ac ofnadwy nes y buasai'n well heb ei chanu. Y mae
posib i beth fod mor ofnadwy o wir nes gwneud dyn y tu hwnt i deimlo.
Dywedaf y gwir wrthyt – rhed iasau trwof wrth feddwl am delyneg
megis un y dair fflam.

Efallai fod y gerdd yn rhy debig i'r 'Briodas' iti ennill y Goron ac y
bydd cof hir gan 'yr asynnod'[6] er fod yr adnod uwch ei phen yn help
mawr iti gael yr ugain gini.

Carwn innau gael gwybod pa cyn belled y cytuni ac yr anghytuni â
mi.

Byddaf yn riportio'r Ysgol Haf i'r 'SW. News'. A oes eisiau i mi gael
'fforms' ganddynt hwy ar gyfer anfon 'press wires'? Rho wybod imi.

Cofion fyrdd, | Morris

Mae'r Nodiadau y cyfeirir atynt yn yr adran hon i'w gweld ar dudalen 323

Gohebiaeth Kate Roberts, 1928-29

Dim ond tri llythyr oddi wrth Kate Roberts at Caradog Prichard a gadwyd ymhlith y deunyddiau a ddaeth i'r fei'n ddiweddar yn Rhydychen ood ceir rhagor o ohebiaeth rhwng y ddau ymhlith papurau Kate Roberts yn y Llyfrgell Genedlaethol.

*   *   *

Ysgrifennwyd y llythyr a ganlyn o Maes Teg, Rhosgadfan, Llanwnda, Sir Gaernarfon, ar Ionawr 7, 1929, ryw bythefnos ar ôl i Kate Roberts briodi gyda Morris T. Williams ar Ragfyr 23, 1928.

> F'Annwyl Garadog Pritchard,
> Dymunaf ddiolch o galon i chwi am eich anrheg werthfawr. Maent yn hollol yr hyn a ddewiswn ac a ddewisais mewn gwirionedd. Mae yma bawb yn dotio arnynt … Llawer iawn o ddiolch i chwi | a phob dymuniad da. Yn gywir, | Kate Roberts

*   *   *

Mae'r llythyr a ysgrifennwyd ar 'Nos Sul' ond heb nodi'r dyddiad, yn dwyn y cyfeiriad: 8 Lôn Isa, Rhiwbina, Caer Dydd [sic]. Meddai Alan Llwyd yn ei gofiant manwl a chynhwysfawr i Kate Roberts *Kate – Cofiant Kate Roberts,*

1891-1985 (Talybont, Y Lolfa, 2011), 'Symudodd Kate a Morris yn syth ar ôl y briodas, ac aethant i fyw i rif 8 Lôn Isa ...', a cheir hanes y ddau yn ymgartrefu yn Rhiwbeina (tt. 152 ymlaen). Fel y gwelwn yn y llythyr hwn, gwahodd Caradog, ac eraill, i 'gynhesu'r tŷ' ar eu haelwyd newydd yr oedd Kate Roberts. Alan Llwyd, hefyd, a'm goleuodd ynghylch Miss L. M., sef un o ffrindiau Kate Roberts, a chyn-brifathrawes Ysgol Coed-y-brain, Llanbradach (Caerffili wedyn), a fu farw ym mis Rhagfyr, 1973.

F'Annwyl Garadog Pritchard,
Ysgrifennais at Mr Tom Parry a chefais ateb ganddo o Garmel
yn dywedyd mai dydd Mawrth nesaf yr egyr y Coleg. Felly yr wyf
am geisio trefnu i gynhesu'r ty nos Sadwrn nesaf sef yr 20fed ac
ysgrifennaf at Mr Idwal Jones heno ac at Mr Tom Parry. Gwn y bydd
nos Sadwrn nesaf yn rhydd i Miss L. M. Mae Morus yn eistedd ar y
lleithig yn ddiog iawn ac mae arno eisieu ei gofio atoch, yn rhy ddiog i
sgrifennu ebr ef, ac edrych ymlaen at eich gweled nos Sadwrn.
 Cofion cynnes iawn, | Kate Roberts
 O. Y. Dowch erbyn chwech nos Sadwrn, K. R.

* * *

Llythyr a ysgrifennwyd ar 'Nos Wener', eto heb nodi'r dyddiad, gyda marc post Caerdydd Awst 9, 1929, a'i gyfeirio i 56 Tewkesbury Street. Mae'n amlwg ar y cyfarchiad a'r clo fod perthynas Caradog a Kate yn llawer iawn closiach erbyn hyn (a'r 'chi' wedi troi'n 'ti' yng nghorff y llythyr).

8 Lôn Isa, Rhiwbina.
Nos Wener
F'Annwyl Garadog,
Nid oes raid i mi ddweud wrthyt ein bod ni'll dau yn falch iawn o'th
lwyddiant ac yn dymuno dy longyfarch. Ni freuddwydiais y caet y
goron y tro hwn canys clywais droion mai Emrys James[1] oedd piau'r
Goron a'r Gadair a gelli ddirnad fy syndod pan agorais y papur bore
Mercher.
 Pa bryd y doi di yma am sgwrs. Byddwn yn falch dy gael yma i de
hefo ni pnawn Sul a Miss Evans hefo chdi.
 Newydd gyrraedd yn ol o'r Gogledd yr ydym ac yn brysio i ddal y
post. Pob hwyl iti a chofion lawer,
 Yn gywir iawn, | Morris a Kate Roberts.

RHAN III

LLYTHYRAU CARADOG PRICHARD AT MATTIE O'R INDIA

1944-46

Mae'r Nodiadau y cyfeirir atynt yn yr adran hon i'w gweld ar dudalen 323

Llythyrau Caradog at Mattie o'r India (1944-46)

Cyn dod at y llythyrau, mae'n briodol dyfynnu'r hanesyn Saesneg a ganlyn a ddaeth i'r golwg ymhlith papurau Caradog yn ddiweddar. Teipiwyd y gwaith ar ddwy dudalen ffwlsgap ac o dan y teitl nodwyd enw'r awdur, Caradog Prichard. Ond chwalwyd ei enw a rhoi enw awdur gwahanol (mewn llawysgrifen) yn ei le. Cawn eglurhad am hynny, a'r bwriad y tu ôl i ysgrifennu'r hanesyn, mewn llythyr a anfonodd at Mattie ac a ddyfynnir isod dan y dyddiad sydd arno, sef 'Nov 15 (Thursday), 1945'. Mae'n briodol ychwanegu bod Mari wedi clywed ei thad yn dweud sawl gwaith iddo hedfan i'r India mewn 'Sunderland Flying Boat'.

Wrth fynd heibio, ymddengys y gall y 'Major' (tua dechrau'r stori) fod wedi cael dyrchafiad i fod yn 'General' ymhellach ymlaen.

Magic Carpet Flight
by
David Ffrancon

Somebody pressed a button in the dark. There was a whirr of propellors. The Magic Carpet rose. And in three days I was half a world away from my starting point in Wales. That, to put it briefly, was how I got to India.

The first stage of my journey took me right across the best part of Wales to a Welsh airport. When the train stopped at Carmarthen a crowd of Italian prisoners scrambled out. One of them, obviously an N.C.O., took my eyes. He was a pocket edition of his erstwhile Duce, had the same thrusty jaw, the same goosy strut. I stepped out among the Italians on the platform to stretch my legs and recalled the story of the Welsh missionary travelling from Aberystwyth who did the same. 'Well', he remarked to a fellow passenger, 'that's the worst part of the journey over, whatever.' 'And where will you be going then?' asked his fellow passenger.' To China,' was the reply. The worst part of the journey was certainly over for these Italians. And they seemed very happy about it.

When we reached the airport we were informed that the 'met gen' (in RAF parlance) was unfavourable, and we had time to kill. I killed it very pleasantly indeed. For at the airport I met an old 'Western Mail' colleague and we retired to the hospitable 'Evergreen' to exchange reminiscences over mugs of foaming ale. What a grand farewell we had.

My travelling companions were a colleague bent on the same mission as myself; two Burma oil men; a jovial blue-eyed naval Commander going to take charge of the little island Paradise in the Arabian Sea; and a Major whose gentle mien and mild manner belied his surname of Tiger.

Then we sat, strapped to our seats, ready for the grand exit in the dark. We sat in two opposite rows, peering shyly at one another, each of us trying to pretend he was not praying under his breath that our exit should not be too violent. Superstitiously I fingered the little Welsh Guards' leek which had been pinned to my button hole at Paddington and hoped for the best. It was a tense, solemn moment. The propellers whirred. Then the Magic Carpet rose and all was well. We settled down to a fitful doze.

When I peeped out at first light it was to see the African dawn smiling on a Mediterranean grey and foam-spangled [sea?]. What a contrast to the exquisite blue calm when I first set eyes on those waters in happier days. The change seemed symbolic.

When we descended for breakfast, two big surprises awaited me. One was the sight of white pre-war bread which, however, compared unfavourably with the home national loaf. The other was the sound of a familiar voice on the telephone – that of another old 'Western Mail' colleague. His staccato Sergeant Major tone rather frightened me. He said he would be down in a quarter of an hour to see me. But alas! Before he arrived we were away again. The pilot was in a hurry to reach Cairo. We learned later that he had his wife and family there!

There was, however, one stop before Cairo. That was on the little island of Dherba, off the African coast between Sfax and Gabez. This was the island paradise which the war passed by in its terrific sweep from Alamein to Tripoli. Three impressions of it remain. A tame rabbit sitting outside a tent, living on Heaven knows what; the cheerful hospitality of the RAF officers who welcomed us ashore; and the delicious onion soup served to us at dinner.

One's thoughts roamed wildly as we purred through the night over those unseen wastes of sand, sea and silence. One heard again the tumult of battle which had so recently died down in that trackless desert. One lived through the agonies of heat and thirst which had been the price of victory for our 'Desert Rats'. One probed the terrible silences under far-flung little wooden crosses where many a Welsh lad lay. The plane bumped and rocked, then zoomed to greater heights to take us away from it all. The Tiger's face turned greenish-grey and he discreetly retired from the game of bridge, by which four of the passengers were whiling away the sleepless hours.

The next dawn broke as we reached Cairo. There we bathed and fed in what had been in peace time a luxurious tourists' houseboat on the Nile. The luxury of peace time had not quite vanished. The breakfast with which we were regaled made those rationed breakfasts at home seem but a dimly remembered bad dream.

From Cairo, over the lands of the Bible, so cherished in every Welshman's heart. Somewhere just down below was Gaza, the home of Samson, buried in the sands of the centuries. We passed over the wastes. And over there, so near and yet so far, was Bethlehem. I gazed at the harsh frightening stillness of the Dead Sea and turned away content with my imaginings. Before long we were in the scorching heat of the Persian Gulf, and landed on the Lake of Habbaniya, some ninety miles from Baghdad.

It was here, as we took off, that I had my only real fright. I had gone aft to change into more appropriate clothes and sat strapped to the seat ready for the start. I suddenly realised I had left my leek in the buttonhole of my coat. In a panic I unstrapped myself, dashed for the leek and pinned it on my shirt. I regained my seat and my straps just in time. The General smiled a tolerant smile.

Our last stopping place before India was the island of Bahrain, down the Persian Gulf. We arrived late in the evening and had an opportunity of resting. Our Magic Carpet, despite all its magic, had to be refuelled. Most of the passengers went to spend the few hours in bed. The General and I preferred to rest in our chairs under the brilliance of the stars. We sat there together for nearly three hours without exchanging more than a dozen words. I was being initiated into my first Arabian night, with its weird noises and weirder silences. The disturbing cry of a jackal, the mournful moan of a distant cow, the howl of an unseen dog, the patter of tiny feet in the dark. It was all very unreal; one's thoughts wandered wildly again, seeking their new focus and unable to find it. The General, an old campaigner in the East, probably had his thoughts fixed on more practical matters. It was all indeed a night of high reverie. However, in that uncommunicative companionship, we had a grand time, as Carlyle would have said. We took off again in the bright moonlight, at two in the morning, and reached Karachi before noon.

Karachi was one of the most pleasant surprises of a surprising journey. Here the cool sea breezes played in the green avenues. The shops were bright and gay and their windows crammed up with things one had learned to do without at home. The temperature was no higher than that of Porthcawl in one of its gentler moods. So this was India!

The last lap – a 600 mile hop to New Delhi – we accomplished in less than six hours, with a touch-down for a cup of tea half way at Jodhpur. Alas for the cool breezes of Karachi. The thermometer at Delhi on the day I arrived reached the summer record of 117 degrees. So this was India!

*   *   *

Y Llythyrau

Nid gwaith hawdd fu penderfynu sut i ymdrin yn y gyfrol hon â'r cyfnod a dreuliodd Caradog Prichard yn yr India gan fy mod eisoes wedi trafod hynny yn *BaBCP* (Pennod 16, 'Cyfnod yr India', tt. 96-112). Seiliais gynnwys y bennod honno ar yr wybodaeth a godais o blith y casgliad (a gedwir yn y Llyfrgell Genedlaethol, LLGC 16-171) o ryw 125 o lythyrau a ysgrifenasai Caradog at Mattie, ei briod, pan oedd yn gweithio ar yr All India Radio yn Delhi Newydd yn yr India rhwng Mehefin 6, 1944, a Mawrth 13, 1946.

Fodd bynnag, roedd yn amlwg fod bylchau yn y casgliad hwnnw ond ychydig a wyddwn y llenwid rhai o'r bylchau hynny yn 2015 pan ddaeth tua hanner cant o lythyrau ychwanegol i'r golwg yng nghartref Mari yn Rhydychen. Roedd y casgliad diweddaraf hwn yn cynnwys rhyw 40,000 o eiriau, tua 750 gair y llythyr ar gyfartaledd, i gyd â dyddiadau rhwng Hydref 21, 1944, a Chwefror 18, 1946, ac yn amlwg yn cymryd eu lle yn nhrefn dyddiadau'r llythyrau yn y casgliad cyntaf. A'r cyfan yn Saesneg, yn ôl gofynion sensoriaeth (er bod 'cariad' a 'bach' wedi llithro drwy'r rhwyd!). Mae'n werth nodi yn y fan hon i Garadog barhau i ysgrifennu at Mattie yn Saesneg hyd yn oed wedi i'r Rhyfel ddod i ben ym mis Medi 1945 – grym arferiad, efallai!

Er eglurder, ceisiaf gyflwyno i ddarllenwyr y gyfrol hon fymryn o gefndir hanes Caradog yn ystod blynyddoedd y Rhyfel, gan osgoi cyhyd ag y bo modd ormod o ailadrodd yr hyn sydd eisoes wedi'i ddweud yn *BaBCP*.

Tua diwedd 1942, roedd Caradog Prichard wedi treulio cyfnodau byrion yn aelod o'r Fyddin mewn llefydd fel Donnington ac Aldershot, ac yna yn Llundain ar gwrs tri mis mewn llaw-fer a theipio. Gellid tybio ei fod eisoes yn feistr ar y ddeubeth hyn ac mae'r cwestiwn yn codi pam yr oedd rhaid iddo dreulio tri mis ar gwrs fel hyn. Ai er mwyn mireinio'r grefft ynteu a oedd wedi derbyn y cynnig â dwylo agored gan obeithio cael byw gartref efo Mattie?

Doedd o ddim yn filwr arbennig o lwyddiannus a bu'r awdurdodau'n garedig iawn wrtho, gan roi dau gynnig ger ei fron i 'newid byd': ymuno

â'r Army Educational Corps yn Wakefield neu gael ei ryddhau o'r Fyddin i weithio i'r Swyddfa Dramor. Yr ail ddewis a gymerodd Caradog a chael ei anfon i Delhi Newydd yn yr India ddechrau Mehefin, 1944.

Mae ei ohebiaeth oddi yno at Mattie bron i gyd ar ffurf llythyrau post-awyr â llinell gyntaf y cyfeiriad yn amrywio: Far East News Room,

Caradog ar egwyl o'r fyddin, gyda Mattie

F. E. News Room, Far East Bureau, F.E.B. / FEB, MOI [Ministry of Information]. Bron yn ddieithriad yn dilyn hynny, ceir 'All India Radio, New Delhi' (ac eithrio lle ceir mewn ambell lythyr gyfeiriad fymryn yn wahanol, ac fe nodir y rheini ar ddechrau'r llythyr perthnasol). Ym mis Rhagfyr, 1945, cyfeirir pedwar o lythyrau at Mattie dan ofal ei thad, J. W. Evans, yn 62 Park Place, Caerdydd (a hithau'n amlwg yn treulio cyfnod o wyliau efo'i rhieni ar drothwy'r Nadolig). Fel arall, anfonai Caradog bob llythyr at ei wraig i'w cartref yn 81 Highfield Avenue, Golders Green, Llundain. N.W.11.

Un o'r themâu a ddaw i'r amlwg, bron yn ddi-feth ymhob llythyr, ydi'r pwyslais ar ei gariad at ei wraig a'i hiraeth am ei gweld. Crybwylla'n aml hefyd ei genfigen ysol ynghylch unrhyw ddyn sy'n rhoi gormod o sylw iddi a'i bryder y gallai Mattie 'fflyrtio' efo dynion eraill ac, ochr yn ochr â hynny, ei ddymuniad iddi ymuno ag ef yn Delhi Newydd, a'i rwystredigaeth ynghylch yr oedi hir cyn y caent fod gyda'i gilydd unwaith eto. Mae themâu eraill hefyd yn cael sylw yn y llythyrau – er enghraifft, ei bryder cyson ynghylch ei sefyllfa ariannol, ysmygu a diota, cyfeiriadau at anhwylderau ar Mattie neu arno ef ei hun, mân straeon am hwn, llall ac arall, sôn am ei waith ac am ambell ddigwyddiad a allai fod o ddiddordeb i Mattie, etc.

Mae'n werth nodi bod Caradog yn hynod hael efo'i gusanau i Mattie ym mhob llythyr bron. Mae'r croesau bach ar ddiwedd y llythyrau (ac weithiau ar hyd un ochr a hyd yn oed ar ddwy ochr y dudalen) yn amrywio o ran nifer – a chymaint â deugain ar ddiwedd un llythyr. Ni chynhwyswyd y rhain wrth ddyfynnu o'r llythyrau.

Er mai rhyw bedair ffordd sydd ganddo i gyfarch Mattie pan ysgrifennai ati: 'My Dearest'; 'My dearest one'; 'My sweetest one'; 'My Darling', mae ganddo amrywiaeth o ffyrdd i gloi pob llythyr, er enghraifft: 'All my love, Ever yours, Caradog'; 'With all my love & God bless. Yours ever. Caradog'; 'God bless my sweetest one. With all my love. Ever yours. Caradog'; 'God bless you and keep you, Cariad. With all my love. Yours ever. Caradog'; 'Ever your Caradog'; 'Yours for ever, with all my love and nightly embrace. Caradog'. Hepgorwyd y rhain hefyd ar derfyn y copïau isod o'r llythyrau.

Er mwyn dangos llawer o agweddau ar gymeriad a phersonoliaeth Caradog, penderfynais gynnwys yn y gyfrol hon y llythyrau i gyd fwy neu lai (neu o leiaf ddyfyniadau o ambell un) a ysgrifenasai Caradog at Mattie tra oedd yn yr India. Yr un ddolen goll, wrth gwrs, ydi'r llythyrau a anfonasai Mattie ato fo.

Prin fod angen nodi bod yn y llythyrau lawer iawn o ailadrodd teimladau a dyheadau Caradog – y cyfan yn pwysleisio'i gyflwr meddwl, ei ddwyster, ei ddigalondid ac, wrth gwrs, ei gariad at Mattie, ei hiraeth di-ben-draw amdani, ac felly yn y blaen, dros ddwy flynedd hir mor bell oddi wrthi.

1944

June 5, 1944, Hotel Imperial, New Delhi

Gwnaeth y croeso a gafodd Caradog pan gyrhaeddodd yr India argraff arbennig arno:

They found me a room at the Imperial, Delhi's biggest hotel, and here I shall be lording it for seven days until I find suitable accommodation. There is nothing they won't do for a newcomer here. I was really overwhelmed by the friendliness of all …

June 25, 1944, Far East News Room, All India Radio, Parliament St., New Delhi

Tomorrow, I start working to a proper schedule. We do three general news bulletins, the first at 7.30 am, the second at about 2pm, and the third at about 10.30 pm. In between these there are two English bulletins, one at 6 pm and the other at 8pm. All the general ones are translated for the Asiatics & broadcast to the various occupied and enemy territories and the English ones are – well, for whomsoever they get to – around this part of the world. Spey and I between us prepare these bulletins. We dictate them to Indian typists and then get them sent out to various units, and to our own announcers. One of these announcers is head of the news section at present – a chap called Robertson, whom I find very easy to get on with. I'm afraid I had a bit of a row with Spey. He started playing boss and I had to nip it in the bud.

Caradog ychydig ar ôl cyrraedd yr India

I told Robertson that I had not come out to be anybody's stooge – and he sorted things out satisfactorily. And all's well & there's no ill-feeling …

July 20, 1944

… I am now settled in my work and in the hostel … I live about 10 minutes cycle ride from work. The All India Radio building is a wonder – circular and three-storeyed with circular verandas all around it and looking out on fine open spaces in each direction … I do think quite a lot of the little cottage in Bethesda and wonder whether we should buy it at the first opportunity or let it go now. But that, again, I shall have to leave to your judgement.

July 27, 1944

I keep thinking a lot of the cottage[1] in Bethesda. I see myself planning a little extension to it and enjoying life there – after my return. I wish we could get it at a fairly reasonable price from the old woman. We ought to get it for a hundred. Well, all these things, these pleasant memories and pleasant dreams help to while away my waking hours at night.

Mattie a Charadog o flaen y bwthyn yn y Gerlan, Bethesda. Ghilly, o wlad Belg yn wreiddiol, ydi'r ferch ar y chwith; hi oedd 'au pair' Mattie yn ystod y ddwy flynedd ar ôl geni Mari. Er na wyddys sut y cafodd Mattie afael arni, daeth yn ffrind agos iawn i'r teulu

August 2, 1944

Will I ever hear from you again? I'm beginning to doubt it. It is now over three weeks since I heard … That makes only three letters since we parted. And each time I write, I think: 'Oh, there'll be one tonight.' But it never comes. I can't imagine what the bottleneck can be … it may comfort you to know that I am 100% non-alcoholic now, and hope to remain so for a very long while! But cigs are so cheap here that I'm still smoking like a chimney! … I could not sleep and started thinking about the 'novel' of David[2]. I started to get new ideas … I wrote furiously for a couple of hours and got the whole thing down. The revised version was planned from start to finish. And now (please don't laugh) all I have to do is to write it. I am getting down to it in earnest next week. But keep it dark. You know what I am for planning! Still, as something has stirred, I am wondering if you could get those chapters I wrote (the typescript) out here to me …

Should you be making plans, may I (in the absence of news of your own plans) make the following suggestions[3]:

1. Put all insurances (and any other papers such as income tax credit notes, &c) in the bank.

2. Secure the cottage in Bethesda for £100 (or less, but no more) and leave Owen Williams the Shop in charge, with Willie Rowlands[4] having the freedom of the garden. (You might be able to get Owen Wms to persuade Mrs Wms to sell).

3. Secure a flat and sublet as planned, or tap Bolton to give you a 3 or 5 year lease at original rent, and sublet at 5 guineas a week, leaving it in the hand of an agent.

4. Take care to have a thorough medical exam and the proper inoculations.

Don't flirt on the boat coming out!

August 7, 1944

I'm glad you are keeping the cottage exclusive. Perhaps my suggestions about buying it are more premature but I still think Owen Wms the Shop is a good one to do the bargaining for us. Another idea I had was to get Margaret to help us furnish it, even at the cost of letting her & her friends have the use of it for a couple of weeks. But, as you think best. It's certainly your getaway but I want it to be a nice getaway for you. I may drop a line to Margaret and hint at this, if you have no objection.

September 4, 1944

The Cottage. I don't know whether you have done anything about buying it. If you have, the thing to do would be to let Margaret have charge of it and its use on condition that she furnished it properly! The garden could be left to Will Rowlands.

September 13, 1944

Many thanks for the visit to Denbigh [i'r Seilam i weld ei fam]. It gladdened my heart to read of it. I'm dying to hear more news of Bethesda, and especially the cottage ...

October 21, 1944

Mae'r llythyr nesaf yn cynnwys 2,689 o eiriau (ar 8 dalen o bapur cwarto) ac, fel pob llythyr arall o'i eiddo, mae mewn llawysgrifen gain a chlir. Yng nghornel chwith uchaf tudalen gyntaf y llythyr, ceir 'I've had to cut the photo to fit the envelope', sef y llun ohono fo'i hun a grybwylla tua diwedd ei lythyr. Dyfynnaf rannau o'r llythyr:

I am writing this in the hostel just before dinner, but I'm afraid that I can't post it until tomorrow as I've run out of stamps ... I'm glad to say I've completely recovered now and back in full harness again. I work alternate shifts. This week it was 7 a.m until about 2 pm or so and then next week it will be 2pm until about 8 pm. So really one gets plenty of leisure. I had notification the other day that the trunk arrived in Bombay, together with the Key in an envelope addressed by you. I've been chasing them up about it and so it should be here any time now.

I don't know about a job for you out here. Really, after this illness, I am not so keen on you coming out too soon. I should never forgive myself if you got ill out here. In any case, I don't think I want you to come in that junior job. I think a letter went this week asking if you could do shorthand and typing! Well I'm glad you don't as I should not want you to come out as a stenographer anyhow. However, I think you'll get out here eventually, as

I've got Mr Sayers interested and I have no doubt a suitable job will be found eventually, so be patient, my sweet, and I shall also try to be … Did I tell you that I bought a nice rug for the floor, with flower designs on it? It's only a cheap one and brightens the room. I also bought a lovely woollen blanket for the bed as nights are getting a bit chilly. Of course, it was Harker[5] that inspired me to buy them. He can't resist any of the hawkers that come round the hostels. They simply fleece him! He has just had a trip up to Simla and is raving about the beauty of the place. These hill stations are indeed simply wonderful.

You seemed worried about my clothes & socks and other such personal things. I assure you, bach, I'm very well served in that respect. We pay 12 rupees a month for the laundry service and it's the best thing in India. They keep one's clothes wonderfully clean and do any mending necessary. So that's no worry at all. However, I've had to fire my bearer. He was getting rather slack. Now I've got a much better fellow for less money. His name is Abdul and I hope I don't have to call him Abdul the Damned [sef teitl ffilm a wnaed ym 1935]! I'll have to go carefully with him, though, because tonight after only a week, he asked if he could borrow my bike 'to go to the market' and bring it back in the morning. I was soft enough to let him have it. But he's a good lad. They're a funny crowd, these bearers. One of our chaps got in two bottles of gin the other day. Then he invited some friends in. When they got to the room they found it all in a shambles. They couldn't understand it. The host – a man named Murray who's just come out went to pour out the gin & when they said 'Good health' and started sipping, they found it was water! The bearer had drunk the lot and had wrecked the place. He had then filled the two bottles with water! Well, I've had no such bad experience. Perhaps I fired Behari just in time as he was getting a bit that way! I'm just listening to Tommy Handley's ITMA[6] and it gives one a homely feeling. I almost feel as if I were sitting in Highfield Avenue. As you say, the week-ends are the loneliest times. I miss you even more during the week-ends than at other times … Now I don't suppose you'll get this letter in time to explain about this month's pay, so I shall probably cable you. The fact is, bach, I'm still not out of the muddle they put me in when they bungled the pay. So I'm asking them to pay only £20 to Martins[7] at the end of this month so that I can square my budget this end. I hope you'll not be terribly disappointed over this and start thinking that I'm drinking and squandering again. Because I'm not.

The truth is, bach, that I was in hospital for a month. I kept it from you at first as I thought: 'Well, by the time you get my letter I should be out.' But when I saw the thing going on over a fortnight I thought I'd better let you know. I had a pretty nasty time, acute eczema one doctor said it was, and another said it was septicaemia. It was just one long terrible itch and got me down rather badly. Everybody was very sympathetic and I had every chance to recover. But you can guess what doctors are over here compared with those at home. And they sting the civilians pretty hard. I went out of hospital after a week thinking I'd be OK ... [But] I had to get back to hospital the next day. Well, I'm glad to say I'm quite OK again. I went up to Naini Tal for a few days and the air & cold there soon put me on the way to recovery. So now, bach, you will perhaps understand that I have doctors' and hospital bills to meet this month and the only way I can think of doing it is by robbing you. I do feel I am letting you down but at the same time I do hope you will not be too terribly disappointed with me. After this month, i.e. beginning with the end of November, I'm arranging for £60 to be paid monthly to Martins instead of £50 so that should soon make it up. I am so disappointed that I have let you down like this, but at the same time I'm sure you'll understand and appreciate that the reason this time is different. I do hate to write this part of the letter, as I so wanted things to go smoothly with you when I know how good and careful you are ... So now, enough of that. I promise you I shall make amends.

Now that I've got that off my chest, let's turn to more pleasant thoughts. It was sweet of you, bach, to think of a fountain pen for me. It was just what I wanted as mine has worn rather thin. I hope it arrives safely.

When I was in hospital, I used to wake up suddenly and realise that you were so far away from me. It used to frighten me and still does sometimes. The only thing that cheered me up was the thought that you were so bright and able to make life bright for yourself ... You'll never realise what a great comfort your bright and frequent letters were to me then. Well, there I go again. And now all the worry of it is over ...

Meanwhile, I'm going on like blazes with 'David' and hope to get it finished with a bit of luck by the end of the year; if I do, and you are still in London, perhaps we can co-operate in getting it published. I'm feeling in great form to get on with it now, and it's the best time of the year to work.

When I look back at the six months I've been here I do not feel I've accomplished as much as I expected. But, honestly, I think I expected to do too much at once. The fact is that these six months have been used up in getting acclimatised and looking after one's health. I feel now, that having been through the worst of it, climate and all, it will be plain sailing from now on. The one thing I have accomplished is to get a new shape on 'David'. The other thing is that I've had time to appreciate you and to learn how much you mean to me. I probably knew that before but never appreciated it. I feel that when we get together again, our life will be very much sweeter and happier. If you do get out here, we can have a grand time. If you don't, we can still have a grand time when I return. However I look at it, I see a future before us much happier and [more] complete than has been the past, with all its sweet memories. So please, bach, don't think too badly of me for having kept secret from you the fact that I was a month in hospital and for having disappointed you over the bank this month. If I ever get ill again (and touch wood, I don't think so) I promise you I'll let you know the first day, so that you'll know exactly how I'm keeping. And I hope you'll do the same with me …

I assume that apart from the above information, I am keeping quite a good boy. While I'm not quite strict T.T. I'm very, very moderate. The drink is hardly worth touching here unless it's the best, and that only in small quantities. I've lost all the appetite for it … Food is everything here, not drink. The food is very rich and the restaurants are good. I really think it was the rich food that got me down, together with the heat.

Well, bach, this will be the letter nearest to my birthday you'll get, I suppose, and that is why I'm writing at more length than usual. I'm going to book a table at one of the restaurants here for dinner that night and take Harker or some other friend out. And we shall be toasting to you. I hope, and fully expect, that we'll be together before your next birthday comes along.

I've just left this letter to go out for a walk as far as the India Gate. There was a while-you-wait photographer there and I posed and this is the result. And as I've come out so cheerful looking I think I should finish this letter off on a more cheerful note. I hope the photo lasts till it gets to you! The while-you-wait johnnie said it would last 20 years! I had to put my hat (that's the London hat!) up like that to keep the shade out. That's an Air Force blue shirt and white pants I've got on. My woolly vest sleeves are showing under my shirt. And you still see I have the watch and it's keeping perfect time. So you see, despite all the faults, his weaknesses, his recent illness, and all the ills of India, [he] doesn't look too bad at forty. Will you send me a new one of yourself? I want to see how much you've changed in six months. And I want a better one of you than the Hendon photo.

Well, bach, I feel that forty is going to be the turning point for me and that at least the next ten years ... are going to be the happiest time of our lives ... You can see from the photo that I haven't altered much. I think I've lost about a stone in weight since I'm out here. I'm ten-stone now and that's a pretty healthy weight.

Do tell me all the news in a long letter soon, all about yourself and your doings. To go back to my clothes, all my woollen things which I brought out have kept very well and they'll come in handy now. There's nothing that I really want but I do miss your help when I want to do any shopping.

Never mind, bach, keep patient and all will come well again ...

With all my love | Ever yours Caradog [gan ychwanegu 'Forty kisses' ac yna'r deugain croes].

November 19, 1944

I've had a new job now. I can't tell you anything about it here except that I've left the news room & Spey and am working in the bureau ... It means more work and a lot of reading but I shall be much happier in it and it's much more interesting ... Abdul is very stupid but honest ... I am now working the regular 9–5 hours with the week-ends more or less free. And it's much nicer.

*   *   *

1945

January 2 (Wednesday afternoon), 1945

... On New Year's eve ... I went to the office and in the evening I went back to the hostel. On the way I went to a radio shop and took a set on hire ... I set it up in my room and got it working. Then I went for an early dinner in the mess at 7.30. Went straight back to my room and twiddled the knob, getting all sorts of things including a Gaelic concert with Welsh songs by Trevor Jones, and a Welsh half hour – which was a really putrid affair! Then I turned on to some lovely 'classical' music from the American station here in Delhi, undressed, put out the light and went to bed. And in the sound of that music went to sleep. The New Year was well and truly in when I woke up to put the radio off and get back to bed. Thrilling, wasn't it? Still, quite pleasant when one came to survey the sore heads and the tired eyes the next day. I went to the office again on New Year's Day and that's how 1946 has started for me. I hope it started happily for you, my sweet …

I do feel you have been so marvellous in face of all the disappointments and so brave and good and inspiring to me. I will see to it that you will be repaid with all love and happiness that my grateful heart can pour forth for the rest of our days together.

There, I'm getting out of hand again, am I not? But the prospect of rejoining you again – whether home or out here – makes me feel happy and content to wait the short period left. Do not worry, I shall do what is best. I shall not go and stay in a rotten set-up in Singapore unless you are there with me, and there are bright prospects ahead once we get together, wherever it may be. Keep your own bright and cheerful self, my love, it won't be long now.

January 10, 1945

The New Year resolution is going fine now after 10 days, and I mean to keep it up. I feel much better not smoking …

January 12 (Wednesday afternoon), 1945

Your mail has been awfully good this week and has cheered me up tremendously. I met Hopkin Morris[8] yesterday … He told me he saw you almost every day and how well you looked … I really enjoyed meeting Hopkin Morris … such a pleasant personality and the chat did me a lot of good. I mentioned to him that I had written to Oldfield Davies[9], but did not ask him to do anything in the matter … The only chap left with me in the room has had his marching orders for home. He goes to join his wife and child in America. I took his address and do you know what it is – Sunshine Ranch, San Antonio, Texas. Sounds nice if we ever get a trip to America doesn't it, bach. Well that may come one day. His name is Paul Trench ...

And I shall finish that book[10]! I'm going at it like blazes these next few weeks with just the thought of you and home in my mind. Oh dear, the nice times I am planning for you. I do hope they all come true.

I wonder if that little parcel of mine has arrived yet. I shall be surprised if those little dishes arrive intact, although I packed them well ...

... I hope you are keeping free of cold and that you won't make that trip to Bethesda just now. Do keep cheerful, my darling, in spite of everything. I'll be seeing you soon, you nicest girl in the world.

January 14, 1945

I have just received your letter dated Jan. 7. Wasn't that a quick one. I was very amused at your crashing in on the Express like that. Really, bach, you are dynamite, and you frighten me sometimes. But don't bother too much about these things. I'm curious to know what Oldfield Davies's reaction will be ... All I'm interested in at the moment is getting all this book down and rejoining you.

A nice letter came from Bush House[11] today, praising my commentaries, without naming me of course, Sayers passed on the letter to me to see. It was addressed 'Dear Far Eastern Bureau' ... It was the first of its kind that has come here and I was very bucked about it ... it is now almost certain that I shall be home before the end of March. They keep us absolutely in the dark. I do not think the High-Ups have decided what they are going to do ...

I was so glad you had a nice New Year party with Pepe and Liesl. They have been awfully nice and I often regret, like you, that we let them go. Oh dear, I shall be so glad to be back with you. The interest has gone out of this job now, and nearly everybody I liked has left and only us stragglers left behind. It's all such a muddle, but I've promised Sayers to stay on for at least another month or so. And so I'm concentrating on 'David', while waiting for the time to come when I shall sail for home. Oh yes, I shall certainly come by ship and not by air, although travelling conditions will be by no means ideal. Still the prospects of journey's end will sustain me on the voyage!

Don't go upsetting yourself trying to see any more editors and things like that, bach. I shall have plenty of specimens and things to take around. And you, my sweetest girl, have done more than enough for me …

I hope to settle down with 'David' after tea …

Jan 24 (Thurs.), 1945

I have just cabled in reply to yours about the money. Then I went to the bank, found that the £40 had arrived, and that £20 had previously been sent, or something like that. Had I known this, I would not have asked for more, although I might need it. But if I don't I shall credit it back. Oh dear, I am a muddler and give you so much worry. I asked the bank to cable Martins thinking that you might not receive my letter and Lloyd's here should not have asked for that first £20 or whatever it was. However, I'll credit back what I shall not need. And don't worry about it, my sweet. You will be able to manage me in a month or so. And by the nature of your letters you sound terrific as manager …

Your trip with Queenie Betts[12] to the cats' residence sounded interesting. It was so nice of her to give you the 'treat'. I'm feeling awfully grateful to these friends who have been so nice to you. We'll have to repay them when we get together again.

Jack Williams[13], Waunfawr, calls again from Meerút on Saturday, so we'll have another packing organised. He makes an excellent packer, and I just sit on the bed and 'supervise' while he does it …

Oh dear, I hope I haven't caused you too much worry over that money business. But I promise you I'll credit back any that I shall not need …

February 7, 1945

I was rather staggered … concerning a rumour about my recall. It just shows you what kind of a place for intrigue, malicious small talk and rumour this place is. So remember, bach, anything you should know about me you will hear *from me*. You can ignore what any other malicious chatterboxes may tell you. Anyhow, I don't think they will want General Prichard until, as Willie Rowlands[14] might say, 'it is absolutely necessary', that is, until they have their backs to the wall, which they don't seem likely to have … By the way, I'd like to you to tell me how that rumour about my recall reached you. It would be interesting to know who's talking.

February 19, 1945

I am very disappointed again this morning at not having a letter from you. I wonder if you are getting a bit tired of writing, or even losing interest … Honestly, I'm getting a bit impatient especially when I see the wives rolling in month after month. I wonder if you are hearing anything? Would you get on to them if you haven't. But there are so many things that I don't seem to get replies to. For example, I sent you a cable the other day to see if you were receiving my letters. But there was no response. It is things like this that make me think your interest is lagging, or perhaps being transferred elsewhere. But there, that's just being nasty again. And it's probably all the fault of the post office …

March 4, 1945

I hope you'll forgive me for having these occasional depressing moments, but I cannot help it sometimes … You must remember that I have only you in the world and that I want all of you! Well, there was an abundance of fine liquor of all kinds floating around and it made my heart glad to see the boys make merry. But your loving husband toasted St David in water 'all through the night' and I did not even have a cigar in his honour. I must admit I felt better for it next morning …

March 11, 1945

…Well, my thoughts are really too black to carry on writing much longer until I receive something from you. Honestly, I'm worried and jealous – so much that I cannot concentrate on anything. It's just my weakness, I suppose. One strong point, anyway, I'm still non-smoking and TT and going strong …

March 18 [1945]

… Now, my sweet, I do hope you have forgiven me for all those nasty insinuations I have made. Be sure I have more faith in you today than even before and I think you are the best and nicest person in the world … Well, bach, all my love, all my kisses, all my faith, and all my blessings till we meet.

May 23 (Wednesday), 1945 (Corstorphan's Hotel, Simla)

I'm still here and liking it. The weather here is glorious, I'm staying on till Monday and feeling fit for the hot June awaiting me down in Delhi. This is a delightful spot. There are lovely walks through miles of pines and the scenery is just a surfeit of grandeur. I haven't done very much walking, because the rickshaws are so handy and the hills are so steep ...

I was greatly cheered when I came back to the hotel last night to find mail forwarded from Delhi. There was the Cymro, the Cardiff Times and two letters from you – your VE day one and the V-day + 1 letter telling of your doings. I must admit I've been quite anxious about all these parties and was glad to hear that you showed so much discretion and restraint. I have been expecting a wire or something from you here – I sent you one last week. Hope you had it.

I've been thinking quite a lot about that Red Cross idea. In my last letter I was all for it, but there are so many snags that I'm doubtful if it would be wise. Unless you had a definite written promise to be posted to Delhi you might find yourself as far away as ever from me. And I also doubt whether the job is as congenial as you seem to think. However, I believe I can rely on your wisdom and discretion to act for the best. You mention a holiday (spell with one 'l' please!) in Bethesda. I do hope you'll have a nice long one wherever you go. You also mention having a receipt for a deposit on the cottage. What is the position now? And what is the position in the bank? These are some of the questions I've been asking often without getting answers. I do hope, whatever happens about coming out, that you'll be able to chuck that job in the foul air and that you'll get the full benefit of this summer. You've done quite enough in that job and should have an easier time now. My face has nearly peeled off here! ...

May 29 (Tuesday), 1945

This is just a rush letter. I've just had your mail together with cable from Bethesda. I returned to the office this morning and everybody is marvelling at how well I look and envying my sunburn complexion. I feel very fit too.

Well the purpose of this note is that I went to the bank this morning (having had a rather expensive holiday) and asked for an overdraft of a thousand chips (about £75). They will only give it on a guarantee from

Martins, and they have cabled Martins for an O.K. Martins should do it. It will not affect your money in any way and I'm only having it for a short time as I shall be able to pay it off very quickly. So don't be alarmed, bach. It's merely that I want to catch up with myself. The bungalow means a little more expense but it is well worth it for the hot season. So don't worry about this. Holmes should agree as it is only a very temporary measure. And please don't be annoyed with me about it or I'll cry like a snowball.

I do hope you are having (have had?) a good holiday at Bethesda. Shall be pleased to hear all about it. Your letters today made me very happy. Have you had a go at censorship out here? There was talk a short while ago that there was a demand for them.

I had a long letter from Tom Macdonald[15] today. They have two kids – another was killed in an accident. I shall try & send you a picture this week to show how well I look. For the next month I'm going to be very busy at the office.

May 31 (Thursday), 1945

... I found myself rather broke after my expensive holiday and thought it much better to borrow from the bank here on a security from Martins than to borrow from you ... And I can clear it off here in a couple of months easily ... Now don't get cross with me over this, bach, and don't worry. There's absolutely nothing to worry about ... I returned from Simla as brown as a berry (like the old Pembrokeshire fishwife!) and full of beans. Now, for the next month I have to be head of a section here and it's going to be a bit of a responsibility. So it's just as well that I feel so fit for it. I have one little snap of myself with a girl on my knee which I must send to you. Her name is Margaret and she is very pretty. But don't worry. She is only nine years old. A lovely child of the family I went to see in Simla, daughter of the pregnant and unattractive typist I told you about! I really do look like an Indian in that snap.

Re Red Cross. There is a British Military Hospital in the Cantonment near here. But do be careful, bach. I don't want you in Burma or somewhere where we cannot be together. I would much rather you stay at home than that. It is no joke coming out here to do a hard job of work, especially for a girl. So do watch your step. David [y nofel], I am sorry to say, did not prosper very much in Simla. The sunshine was too bright for him and he didn't have his mother there to inspire his father! Well, cariad, never mind. The important thing is that I feel grand at the start of my second year here and fit for anything …. I'm sure I've got the climate and the country taped now. The important thing for me is that you should keep well and happy. I regret to say I have not written to anyone yet except you. I write to you nearly every other day and I do hope you are getting all my letters.

May 31, 1945

I had just written and sent off a letter to you this morning when I received two of yours – one from Amlwch and your second from Bethesda … It was good to hear that you are having a nice time. I do hope that my wire re bank security has not put a damper on it, and that you won't let it interfere with your cottage purchase. I think you've done fine and it would be a good idea for your father and mother to live there, at least for the summer months, or perhaps to settle down there if they like it well enough. I was terribly sorry to hear about the Tregarth boy[16]. I believe Gwilym his father named him after me, and I feel it should have been me and not him in this war. But that is how it goes. As you say it is well to keep in with the News Chronicle. I may want to go back there after all. Now will you do this for me. Get in touch with Alec Hunter[17] on the NC and ask him what the position is regarding my NUJ subscriptions. The Union will probably want me to pay up from the time I was released from the Army and in that case it could come rather heavy and I don't feel inclined to pay the whole amount. However, perhaps you can come to some kind of agreement with Alec. And in any case, give him my very warm regards. He was one of the boys – the few boys – I liked very much there …

If I could persuade the NC to take me over, that would be an easy way out for you and they could easily get my release. Anyhow, I'm writing a tentative letter to Barry, with just a hint about it. He might respond. Who knows?

Well, bach, once more, don't let that bank business of mine worry you in the least. There's nothing to it except that I got a little broke after the holiday. And all will be Okay in a month or two …

Well, my sweet, keep up the spirits and God bless you. I feel very happy at the moment. Your two letters, I expect!

June 17, 1945

... let me first of all reply to your questions about the prospect of your Dad and Mam going to live there[18]. Nothing would please me better than to think that they were settled down and happy there and I am all for it if they have made up their minds. We could have another little place somewhere near the sea, as you suggest – somewhere in Sir Fôn, for example.

... There are several new fellows here. One, named Summers, from the 'Herald' – came out of the Army exactly the same as me – is working with me. We have just started a new feature and we have been telling each other this morning that we'll soon be having to put in for compassionate leave even to go to the lav! I badly need a haircut too and cannot get a chance to go to the barber! But it's all great fun and quite interesting ...

Well this is a rambling sort of letter. I wonder what you are doing today, my sweet. Not in that horrible office, I hope. What gets me down when I think of our anniversary is that we have missed one whole year out of the twelve. But as you say, we have no cause to moan when we think of the thousands of others who have fared worse. At least we do have hope of a reunion. I am, as I said, taking that photo of yours to have a hand-painted miniature. It will take some time and I'll send it by registered air mail when it is ready.

... the sight of you looking so fit makes me rejoice. I hope you'll keep it up, cariad. Harker is still going strong and is very sore that you haven't written to him. But never mind. Keep all your writing for me, bach. Well, here's wishing us many more and happier anniversaries. God bless you and keep you all for me.

June 18, 1945

Telegram, wedi'i gyfeirio fel a ganlyn: Prichard, 81 Highfield Avenue, Golders Green.

GREETINGS MY LOVE – CARADOG PRICHARD

June 19 (Tuesday), 1945

I have just been to the dentist again. That little plate I had I could not stand. I was continuously taking it out and putting it in my pocket. And one day it broke in my pocket. Unfortunately, the other teeth are not strong enough to have a tooth fixed without a plate. So I went to a Sikh dentist and he did an excellent job. He made me a very small and narrow plate which hardly touches and it is much more bearable. And you would laugh at my departure from the bungalow to the office every morning. The servant gets my bike out ready. Then he gives me my hat and my little black case. And just when I am about to mount the bike he says: 'Tooth, Sahib?' and I find I have left it in the bathroom. This little ceremony takes place regularly every morning. It is very funny …

I'm afraid I've got rather gloomy reports to make. I am smoking and drinking again – but not much. The spell of total abstinence over six months did me a world of good, but really life without a smoke or a drink gets very dull here. The point is to learn moderation and I think I can say that I am expert at that now. I had a very pleasant little celebration of our anniversary on Sunday. Harker and a chap named Capt. Bamforth and myself foregathered in Bamforth's room and there we had a drink and sang and had a very jolly but quite innocent evening. I hope you won't be disappointed over this, because I can now give up anything at will.

… I'm very proud of your journalistic achievements, bach. But I hope you keep clear of it as a profession. I shouldn't like to see Mattie bach paying me back in my own coin by going wandering around the Fleet St pubs as her wandering husband used to do! But indeed you are a smart one. Keep up your spirits, bach, I am very happy just now – as happy as I can possibly be without my greatest happiness.

June 22 (Friday night), 1945

I have just had a lovely shower after a hard and soft day and am now waiting to go in for dinner. It is nine o'clock. I shall then creep quietly to bed in this lovely cool room and read under the fan until I go to sleep. I've become as bad as you now about reading before going to sleep, so we shan't quarrel when we get to bed together again! Now, first of all let me get the right sequence of things. First the bungalow and the old [man]. Didn't you get my account of him? He is an old man who has lost his money and has been put here to look after his daughter and son-in-law's property. Only he, the Colonel and a young captain live here, – we each have a room with bathroom &c. The son & daughter and the old man are as mean as hell ... But I must say I'm cool and healthy and comfortable here and that is compensation for all else.

Now about my work. As I said, I've been acting head of section for the last couple of weeks; I've been going in at 8.30 am and going out 7.30 pm. with lunch from the canteen on my desk. It's been a good slog, but I've enjoyed it very much, as it's interesting. As I told you there has been talk of promotion. This evening the Broadcasting Director – a chap named Galvin – whom I've rather come to like although I didn't at first – came in to my office and started this promotion talk again. I laughed at him and said I wasn't interested in promotion and that I was only interested in having you out here. 'Go and see the DG (i.e. Sayers) tomorrow' he said, 'and see what he says.' Apparently this promotion would mean a jump of £150 a year. But I just laugh it off and wait for the concrete offer. So I may pop in and see DG one of these next days to see how the wind is blowing ...

After our celebration (Harker and I) of the wedding anniversary, I'm on the waggon again – right on top of it! But I'm not giving up smoking this time. It's too much. But I'm right off the drink – for this summer at least, – and indefinitely in all probability ...

Now let's finish off by talking about you. That's quite natural, my sweet, because I've got your three pictures here before me. It really makes me sick to think of those who are enjoying your bright company. But when I look at your face I get becalmed and confident of the future again. I feel that we will definitely be reunited this year and then all the longing, the jealously and the loneliness will be over, and we shall be at peace even if the world won't. Well, I must drop this talk. I should give you a lecture on the principles underlying Liberalism, shouldn't I. Good luck to you in your electioneering, my sweet.

June 25 (Monday), 1945

I've just had your letter to say you've been fired and I'm jolly glad! I wasn't looking forward to you spending the summer in that foul air. You should now give yourself a jolly good holiday. If there is anything in this talk of promotion for me, it will mean another £150, so that will make up for the loss won't it, bach! ...

I've had a good incentive to carry on with David. There's an Anglo-Burmese typist here and as I've got a Burmese background in the new version, I'm having her to type it. She's a good typist and will do it cheaply for me. So now that I'm feeling rather full of beans I'm trying to get on with it again. Another incentive was that I found this girl typing a novel for another fellow here! And I'm sure mine will be better ...

I'm dying to have you here with me, and shall play hell until I manage it! Even if it's a private passage it'll be worth it. You can easily pick up a job here if necessary ...

June 26 (Tuesday), 1945

No letter from you today But I must not be greedy, must I? So here goes, in the hope that there will be one tomorrow. I had a pretty poor night last night ...

I'm awaiting a report of your christening party. As I said yesterday, I hope it was confined to holy water! Who was the godfather if you were the godmother? Ah well, there I go again. Let me have the details of the financial position, when you can, bach, so that I may know how you're faring. Did I tell you about Harker over the week-end? I went to call on him lunch time on Sunday. There [he] was lying on his mattress with a most awful hangover. He had been to a wedding the night before. He was absolutely green in the face. I took him to the messroom and filled myself with curry while he just nibbled at it. Ah well, these drunks have to pay for their orgies ...

Friday, July 6, 1945

... I feel I must move soon from the bungalow as it is now costing me more than my 700 rupees a month to live. If I don't get a cheaper private place I shall probably go back to the hostel. Things have considerably improved there now and it will cost me only about half of what I am paying now. So I'll have another look around ...

Oh, dear, how nice it would be now – a week together at the Taj in Bombay. But one must not give up hope. Anyhow, I'm quite happy at my work at present and that helps a lot. Do write me lots and lots of letters, bach. I do hope you're getting all mine. God bless you and keep you for me. All my love.

July 11, 1945

I have been rather worried about the way in which you have let that Red Cross Board upset you. Of course, it was rather upsetting to have the doctor turning you down, but I don't like the way you are moping over it. You know that to dwell on a thing like that can only aggravate matters. It has made me dwell on it too. One can't help it. But the common-sense thing to do is to have a thorough examination by a good specialist and if you do have a bronchial chest, to take every precaution you can. I remember now how you used to cough every morning on waking up and curse myself that I shouldn't have done something about it. You know you have always thought too much about other people and too little about yourself. You must now give yourself every attention and I hope to hear in your next letter that you have done something about it. I know you look after yourself but you must be a little more selfish, and treat yourself to more attention and let other people dance attention on you for a change. Oh, dear me, I am not the one to preach to you, am I, cariad? But it is the most important thing in the world for me that you should be happy and healthy, although, God knows, I've done very little towards it myself. And now you will worry over that overdraft of mine, when there is not the slightest reason to worry. I am OK so far, and keeping fit and tolerably happy. As I have told you and as you have apparently heard from other sources, I went crazy with longing for you when I came here first. I am still crazy with that longing but I have adapted myself physically and mentally to this place by now, and shall wait patiently for the grand reunion. If it doesn't come now, it will come later ...

[Ac yna, yn rhedeg i lawr canol y dudalen, ychwanega: 'I'll send a brighter letter tomorrow, my sweet,' ac i lawr yr ochr chwith, deg o 'gusanau'.]

July 12, 1945

...What makes me tolerably happy is that I'm doing a satisfactory job of work here. And now, David[19] is stirring again. He is not progressing very rapidly yet, but I'm confident that he will do so ... I've just been interrupted with this letter to be told that I'm to take the other chap's job and he has been demoted to a minor job for kicking against being moved. So from tomorrow, I take up my new responsibilities and start being a big shot[20].

July 13, 1945

… I took up my new duties. But at present it's a very funny and awkward position. The other chap, while my senior, is doing a minor job and I'm doing his work. The director and I had a chat and he told me that I was a very valuable man, etc. But I'm taking everything with a pinch of salt and sitting tight until I see what happens …

July 14, 1945

… the promotion is still in the offing, but I think it's a cert. Once this business of the other chap is settled, I expect I'll be going ahead.'

July 23, 1945

… The contents of your letter are indeed promising. You are a clever girl, my sweet. I am sure you'll pull it off this time, but we must be ready for any disappointment. However, you've made me feel very confident that it won't be long before I see you. I know exactly where you'll be if you come here and Oh! it will be grand if it comes off. I think and dream of you by day and by night and cannot settle to do anything until I'm with you again. The only redeeming feature is that I'm taking a lot of interest in my work and making a good job of it. That promotion hasn't yet gone through and the position is – as it was, but I shouldn't be surprised to see something happening this week. But knowing these people as I now do, I'm not banking on anything …

I think I told you about my visit to the 'Wing Commander' down the road. Well, I never had such a pleasant surprise in my life. First of all, the Wing Commander was only a Flight Lieut. And instead of a quiet family of three, as I thought they were, I found a houseful of the noisiest, craziest, happiest family I've ever seen. I went there all dressed up but they made me take off my coat and have dinner with my shirt neck open and my sleeves rolled up. When I took a small helping, father said 'What do you think of that picture' and while I looked, mother put some more on my plate. There were three dogs there barking and jumping all over me, and four or five children of various ages – and all full of beans. Oh dear, I did enjoy myself there. I felt like a skeleton creeping back to his grave as I returned to the bungalow. It did one's head good to meet such a crazy happy family.

Just had your letter telling of the Scotland trip. You lucky woman! I'm so pleased you took the trip and hoped it will do you the world of good. But oh! I'm so jealous. I can't help it. But at the same time I'm so pleased that you are looking after yourself. My cold and prickly heat have now vanished. I wonder if I'll get that cable about Bombay. Let's keep our fingers crossed ... Thank Edward[21] for me for giving you that trip. It was very nice of him ...

July 31 (Tuesday), 1945

... Well, after nearly a week of blank I had four letters from you today. I abandoned work for an hour and read and reread them – all four ... I have only two worries. One, that you'll flirt on the ship coming out. Two, that you'll be disillusioned about this godforsaken country. The three Matties on the mantlepiece have given me their word of honour that I needn't worry over the first point. And I am going to do my best about the second point.

Now about what I'd like you to bring out. Shakespeare and a few other random English poetry books. And there's one Welsh book I'd like particularly. It's called 'Awdlau Cadeiriol yr Ugeinfed Ganrif'[22] or something like that. I also asked you a long time ago if you could find me the nome de plume under which Prosser Rhys wrote his Eisteddfod poem. His poem is there somewhere. It's called 'Atgof.'[23]. Will you bring that, and as many other Eisteddfod poems – you know, those little books they used to sell on the Eisteddfod field. That's about all I can think of. I did think of the gramophone, but I don't think it would be wise to bring it along. It would never survive the voyage.

Well, I'm going ahead with a provisional booking at the Taj in Bombay. You must arrange to get a few days' leave before you start work, so that we can get a few days together in Bombay. Oh! It's like a long dream coming true. And I have no words to express my joy. I do hope, my sweet, that I shall be able to make you very happy here. I am sure I'll do my best, my sweet ... Please don't fuss and worry too much.

August 1, 1945

… We had a lovely party last night. Sayers was there and I told him about your coming. I had told him before, but not personally. He said he was very glad you were coming. 'We'll have a party when she arrives,' he said! This party last night was a very pleasant do. It was given by two Australians here and I don't think I have ever enjoyed a party so much. It was the usual kind of party – the drinks flowing and voices raised loud in song. There were many thick heads around this morning but your old man's was not among them! I did have one or two but I was very, very moderate. I came to the party very quietly and left just as quietly. The Australians we have here are all very good types and there was a thoroughly pleasant atmosphere at this party. However, so much for the party. It would have been even a better one had you been there.

Now, I'm just wondering what sort of advice I can give you. I don't think there is anything you need bring because of scarcity here. The most important thing that you must watch is your diet. Keep off food that is too rich, especially on the boat coming out. And don't expose yourself too much to the sun when you get into the heat. Get plenty of fresh air and sunbathing now. Take full advantage of the summer weather so that you will be fit for the start. September is an excellent time to come out. We shall soon after that be in the pleasant winter weather here. You needn't bother much about shoes, cottons and underwear as you can get plenty of those here. But the ones at home are perhaps nicer. I mean the cottons. Much more than that I cannot think of at the moment. I think you'll find you can get anything you want here, I shall look around for suitable accommodation. It's a big problem here, but we'll fix it.

I was very interested in your comments on your sweet self. There doesn't appear to be much change there. You sound the same sweet, bright, loveable and adorable soul that I kissed on Paddington Station fourteen months ago and whom I hope to have in my arms very soon again. How on earth I have managed to exist without you so long I cannot imagine. Well, the fact is, of course, that I nearly didn't! But I'll tell you all about that when we meet. Gosh, what a lot we'll have to tell each other! If it can be arranged, try and get some time off after you arrive here – say a week or a fortnight so that we can have our second honeymoon. I know a chap at Cook's in Bombay, so he ought to be able to fix us up if I fail otherwise. Well, I feel I've given you little advice in this but I have every confidence in my sweetest Mattie's common sense and self-reliance. God bless you, cariad, and may the days pass quickly …

* * *

Gan gymaint ei ddyhead am i Mattie ymuno ag ef yn yr India, ceisiodd ei orau i droi pob carreg i hwyluso'r ffordd iddi wneud hynny. Rhoddai gynghorion o bob math iddi (fel sy'n amlwg yn ei lythyr uchod ac mewn mannau eraill). Yn wir, er cymaint ei ofal ohoni, aeth mor bell ag anfon ati ddogfen (ddiddyddiad) yn awgrymu'r gwahanol fathau o ddillad fyddai fwyaf addas a chyfforddus iddi pan gyrhaeddai'r India – canllawiau a seiliwyd, efallai, ar ryw daflen ar gyfer newydd-ddyfodiaid i'r India.

CLOTHES – INDIA, for use in

PLAINS. From end of February until November, light summer clothes are necessary. In the very hot months, especially the humid monsoon period, i.e., end June to October, silk inadvisable either for undies or frocks or nighties. Cotton stuffs are cooler and much less sticky. Voiles and muslins look pretty, but as they necessitate the wearing of petticoats, they are not as cool as gingham or prints or thin linens, which can be worn over the absolute minimum of underwear.

During the really cold months of December, January and early February, in Delhi one requires warm clothing. Medium weight warm vests are necessary. The best type of outer wear is either warm slacks with coats and light jumpers or costumes with light jumpers or blouses. It is always best to wear a type of garment which permits of a coat being removed. Often when it is bitterly cold indoors or out in the breeze, if one gets out of the wind into a sheltered place in the sun, it is quite warm.

HILLS: Except that the summer months are warmer than in England and with little rain, one can dress more or less as one does at Home. The monsoon months are cool and from November warm clothes of a type heavier than needed in the plains are essential.

GENERAL: Imported cloth of many varieties and at prices which, for wartime, are not unreasonable, is now on the market and stocks are expected to increase. Indian mill-made fabric is rationed at a rate of 12 yards per head per quarter (for all varieties inclusive). Indian hand-woven fabrics, which are hard-wearing, attractive and excellent stuff, are rationed, as are imported fabrics.

Ready-made dresses and underwear, sold in the more high-class shops, are expensive. It is better to buy new material and get it made up by dirsis (Indian tailors) who, if one gets hold of good men, can follow any pattern and produce first-class dresses, costumes, undies, etc., at rates varying from Rs 6 (about eight shillings) for making a plain cotton dress, to Rs 15 to 20 (£1 to 28s) for costumes or elaborate evening frocks.

Indian made tweed can be obtained quite cheaply and makes up well.

Wool is rationed and it would be well to bring out as much as possible if you intend making any woolies. Imported ready-made cardigans, jumpers, twin-sets, etc., are ridiculously expensive – 30s for a very second-rate twin-set. Indian ones are not on the market yet.

Utility frocks of light materials will always be very useful, so bring any you have. Also bring your winter coat, as that will be useful in the cold weather.

Shoes, both indigenous and imported, are obtainable at reasonable, controlled, rates and in good variety.

Hats are expensive in the British-owned shops, but Indian milliners have excellent ready-made hats or will copy any patterns faithfully – both at reasonable rates.

Stockings – well we don't wear them out here. Real silk ones are beyond the purchasing power of ordinary mortals and the artificial silk and 'utility' types are useless as they wear out too quickly. They are not really necessary, even in winter, when slacks and socks are warm enough for the coldest days.

Handbags – prohibitively expensive out here. The most ordinary shoddy specimens costing as much as £3.10s.

Parasols and umbrellas – only locally made of inferior type available at present, but are little used, if at all.

[Ar hyd ochr chwith y dudalen, yn rhedeg o'r gwaelod i fyny, ceir yr hyn a ganlyn:]

Raincoats   Are obtainable in quite reasonable quality and low cost.

Underwear   Can be ready-made in all varieties from expensive imported types to inexpensive indigenous ones. Best made to order by the dirsi (tailor).

Bedsheets   Very expensive and of not very good quality. Imported stuff very expensive indeed. Ditto for pillowslips.

*   *   *

August 10, 1945

This is the slowest month of the whole year! That's because I'm waiting to see what happens to you at the end of it …

You were asking what our future plans might be. Well, if you come out, there's no knowing what we shall do. If you come out, I have ideas about seeing a little more of this part of the world together. We can discuss these plans in bed at Bombay! If you don't come out, I shall just streak home as quick as I can! …

I was rather glad that you had that row with Edward[24] and put him in his place. I know how it is with your friends. You are so good-natured that they take advantage of it and think they can say and do what they like to you. That is why I've always wished you weren't quite too openhearted and were a bit more reserved. That openheartedness of yours often makes me afraid to lose you, knowing the kind of people there are around and about. It seems to be a slight case of familiarity breeding contempt and that is why I hate to think of you giving so much of yourself to other people. Don't have too much to do with fellows like Freddie Pullen or Frank Pullen (I forget which it is). But I know these fellows so well and I hate to think of you mixing with him even for the sake of getting stories published, please forgive me for going a bit off the rails like this again, bach. Soon, we pray, there will be no need for it will there?

I just put on the earphones now and had the Welsh half hour – a 'preview concert' of the Eisteddfod with Oldfield Davies[25] in charge. It was quite a tonic! …

August 17, 1945

I find it very difficult to express my feelings in this letter. I've not had anything from you for over a week and so know nothing of your position now. Unless I hear otherwise, I am taking for granted that your job out here has been cancelled. That, if it is so, will be a bitter disappointment to you as it is to me ... I've put out a feeler for a job on the Times of India. If this should come off, I'd take a trip home and come back to the job bringing you with me. So you'd get the trip after all! ... Well, my sweet, I am now feeling terribly jealous of every minute of your company that I lose. Oh, I do hope to find you as sweet and unchanged as when I left you. That is my only prayer and ambition at present.

August 31, 1945

... take a passage if they get one for you. It sounds to me as if it will come off this time if the FO[26] people are working for you ... The promotion came through this week – an upgrading to Specialist 'A' – a £50 a year rise. Not bad. Well, the bank should easily stand the ticket for your fare out if it comes off. I cannot reduce the overdraft here for a month or so, but even with that the bank should be willing to stand the extra ...

September 9, 1945

... I had a cable from Fisher of the Daily Mail asking me what my position was now. They're evidently on the move. I wired back to say I could start within a month or so if we had a satisfactory agreement. I have also been told by the people here that I have been chosen for Singapore and would be shipped there in about a month. So if the Mail offer is good I shall take it and give these people a month's notice ... If the Mail offer falls down, I'll hold back ...

Sunday, Sept 23, 1945

Ar gornel chwith uchaf tudalen gyntaf ei lythyr, ysgrifennodd Caradog:

No letter again today. Better luck tomorrow perhaps.

It is now drawing to the end of the month and I'm anxiously awaiting news of you. There hasn't been a letter for some days. Now, while I remember it, don't forget to get a certificate that you have been inoculated. Everybody will demand to see that, I'm told, and you'll not be let in without it. I've been thinking a lot about you this week-end, imagining all kinds of things, and seeing you ill and depressed after being inoculated. Oh dear me, hurry up my sweet. Now that the prospect of reunion is getting so near, I'm getting all crazy with anticipation.

I had two bits of news today. The first was an excited note from Harker to say that he's going to Tokyo. He hopes to come to Delhi next month and go from here, and hopes you'll be here for the hail and farewell. The other piece of news is that somebody from administration came round to ask everybody 'Are you prepared to go on to Singapore if requested?' I said 'Yes.' Well, it doesn't mean much yet and I shall certainly not go until you arrive, if you get that promised passage …

Do take a first class passage, my sweet. I hate to think of you travelling tourist in a boat that might be uncomfortable. I'm sure it's all hands on deck with you now, but I do fervently hope that you'll not fuss too much and get yourself ill. If there's any hitch, wire me, and I'll do the same from here …

Sept 28 (Friday), 1945

I was greatly cheered by your account of your visit to Denbigh[27] in letter received yesterday. It is really awfully sweet of you to do all this in the middle of the excitement of preparing to come out … I'm determined to take the risk of letting you come, that is, if everything goes right your end. Do get the Bush House[28] people to help you about such details as luggage &c. You must use them as much as possible. I've practically given up hope of the 'Daily Mail'. I haven't sent them any more stories as I've been rather tied up with the work here …

Unless one is very normal and healthy minded, as you are, this country has a queer effect on one. It makes you super-sensitive and frays nerves and tempers. I had a fit of something very akin to hysteria yesterday. My nerves were on edge and I felt I wanted to burst. But it was a very mild attack, so don't get alarmed. I suppose it's the nearness of your coming that makes me feel like that.

Well, my sweet, I'm going to go on helter skelter with David from now until you arrive. I've left him alone for months now and I'm determined to get it finished, or nearly so, by the time you come out. I shall be able to do so much more when I have you with me ...

October 1, 1945

Singapore seems a fairly dead cert now and pretty soon too ...

Oct 14 (Sunday), 1945

... I've been amusing myself during the week writing poems to an imaginary lady, – English poems, and some of them are very good, too. If I can write a few more I may try to publish them. This is one way I've been trying to appease my longing for you, my sweet. Oh I've lived that reunion night over and over again in this room! I wonder if you've been doing the same.

Well now, bach, ginger them up and make yourself a perfect nuisance until you get on that ship. Have no fear, I'll be in Bombay waiting for you to dock.

Oct 18 (Thursday), 1945

... I'm not particularly keen on going to Singapore as I am rather fed up with the crowd and want a change from them. So this is what I have decided, and I hope, my sweet, that you will agree that it is the best course. If I am offered and accept the Mail job, then you come out. Make sure that the F.O. people get you the passage as, if I go over to the Mail, they might turn awkward and query your passage chances, though I don't think so. But it's just as well to consider the possibility. Then, if the Mail job falls through, I shall go to Singapore say for three months and then come home. And in that event, you cancel your passage and wait for me home ...

Oct 20 (Sat.), 1945

I expect you know the worst about the Daily Mail by now. Well, I had a cable saying that owing to the sudden decision of the paper control people to continue the paper restrictions they could not make the proposed staff appointments here. It's quite a genuine reason and I am satisfied. I shall not bother about Ditton and the News of the World. After all it's an awful rag and I'm not sure I should like to be known as its representative. So I've made up my mind. I'm all set for Singapore. The fellows I'm working with here now – two 'exports' from London – are delightful chaps. Real old school ties but they know their job and I like working with them. One, the new Director of Broadcasting, is the very image of Hunter-Blair[29] except that he is about three times his girth ... I did a radio feature on the Singapore surrender this week, – the first of its kind I tried. They are very pleased with it and the producer is now working on it ...

Well. I've been sending one or two stories to the DM. I'm wondering whether they've used them and are paying you for them. I hope so. And while we're on this subject, I'm afraid I'll have to take that overdraft to Singapore, bach. You're not cross with me, are you? I'll get it down before long, so don't let that add to your worries. Would you like to let me know how we stand at Martins now? What about such things as the post-war credit for Income Tax &c? I got a new fountain pen in the black market last week and I'm damned if that hasn't been stolen again ...

October 22, 1945

Telegram wedi'i gyfeirio fel a ganlyn: Prichard, 81 Highfield Avenue, Golders Green.

JUST TO SAY HOW MUCH I LOVE YOU SWEET PLEASE REPLY CARADOG

October 24, 1945

Llythyr byr wedi'i deipio mewn llythrennau breision, am nad oedd ganddo *fountain pen*!:

THE DEAD LINE FOR OUR MOVE OFF TO SINGAPORE IS NOV. 15...

October 29 (Monday), 1945

I had a bit of Shir Gaernarfon for company this week-end too. Pte Jack Williams[30] came to spend the week with me at the hostel from Meerút. It was a pure joy to see how he enjoyed the change from a B.O.R.'s[31] life. You should have seen him at breakfast on Sunday morning. 'Diawl, fachgen,' he said after a huge breakfast of sausage and mash and fried eggs, 'Mi rydw i'n teimlo'n ffrindia efo mi fy hun rŵan. Dyma'r brecwast gorau rydw i wedi gael ers pan ydw i yn India'. I gave him a good time and he enjoyed it very much. And he was good company for me too. I've arranged to go over to see him in Meerút on Saturday. They are producing a play called Starlight at the garrison theatre and he's booking a seat for me there. It will be a nice way of getting over another birthday without you my Sweet ...

Nov 1 (Thurs.), 1945

I am writing this with your pen. I received it yesterday and as you can see it fits my hand perfectly although I haven't got quite used to it yet, having been without one. It was so sweet and kind of you to send it for my birthday. You are such a sweet and kind darling. I shall never meet anyone like you. But how I wish I could be worthy of your sweetness. I have done so little to brighten you up since I am here and sent so few gifts to you. Well, perhaps one day before we are much older, I shall prove myself really worthy of you. I should like to fill this letter full of sweet things, all the things I am longing to tell you when I have you in my arms again. I have so often lived that moment since I am away from you. Well, fate seems to have kept you from India, my sweet, and somehow I think it is a kind fate ... You know how I too have had such black moments, with blue murder in my heart. But your sweetness and kindness has cured me of all that and helped to keep me as happy as one can expect to be under the circumstances ... Well, now for Singapore! I shall be going by sea and packing everything nice and tidy. So you'll have no worry about that. As I said, the deadline is about the 15th of this month ... I haven't got your letter by me, but did you say three leopard skins, bach? Oh my! Have you seen a leopard skin? Three of them would be an outsize for a giant African chieftain! And I've just got before me here an advertisement. Somebody asking Rs175 for one – that's about £22. Have a heart! But I'll get you one or two nice things before I leave India. I shall of course cable you on the day I leave and shall probably be able to give you my Singapore address in a day or two ... I'm going to my last Welsh Society meeting in Delhi tonight. I guess the lads have started one in Singapore. If not, I'll get one going there. I hope your Mam is still with you ...

Nov 4 (Sunday), 1945

I am writing this late at night in where do you think? In bed in the barracks at Meerút. I've been spending my birthday as a B.O.R! As I told you, I had arranged to go down to see 'Starlight Inn' – a revue produced by the boys in the Jack Wms's unit. Well, I caught a bus at New Delhi on Sat. afternoon and got a room at the Royal Hotel in Meerút. Then after a wash &c, I went in search of the Private. I walked into the canteen and somebody went to fetch Jack Williams and, as I was very hungry and we would be too late for dinner after the revue, we decided to give it a miss and go for dinner. We had a very nice meal – and a drink – and I saw Jack home to the barracks and so to bed. It was just as well we didn't go to the show, for when I went to call for Jack in the morning, the 'artists' were all in bed with very thick heads as they had had a 'farewell' party at the end of the show. There are about a dozen or more Welsh boys living together and they are very amusing. We had some snaps taken, I in civvies in the centre with the Welsh boys around me.

[Ac wedi'i ysgrifennu rhwng dwy ran ei lythyr – ar yr un dudalen – yn rhedeg o'r top i'r gwaelod: 'I'll send you the snaps as soon as I get them'.]

I had arranged to leave with the 3pm bus this afternoon but I enjoyed it so much that I was persuaded to take a bed in the camp and here I am, a B.O.R. for a night and enjoying it! It has been a lovely break from the civilian and rather lonely life of the hostel to be in the company of these boys … I fully enjoyed the week-end and am catching the 7.30 bus for Delhi in the morning. Jack is a very amusing and very wise fellow and good company. I've asked him down once more before I leave for Singapore. Well, I can't post this till I get to Delhi, so I'll leave the rest till morning. We finished up tonight in a Chinese cafe here and the boys filled themselves to more than capacity with chop suey. One of the boys is a Scotsman named Ian Muir. He can sing every Welsh song you can think of, Welsh words and all, although he doesn't speak Welsh. He learnt them all in India! Well good night for now, my sweet, and many kisses to you for that sweet greeting cable.

Delhi, Mon. Morning

Well, here I am back in the office. A bus ride in this country is an experience never to be forgotten. It shakes every bone in your body and the driver never stops sounding his horn from one end of the journey to the other. I had to dash off for the bus with only a mug of tea, after putting my head and toothbrush under the tap (just like old times, and I enjoyed it) ...

Nov 7 (Wed.), 1945

I've just this minute had your letter written after your visit to Slough ... And I have been reading again some of your sweet letters and realising what a comfort and a blessing they have been to me during my stay in India ... Now there is one point of finance. I am asking the bank for an extra 500 rupees, added to my overdraft, bringing it to 2000 rupees (about £150). This is to cover the expenses of getting to Singapore and clearing everything here. I hope you don't mind this and that Martins can stand it. I shall get the overdraft transferred to Singapore if the bank here agrees – and pay it off. How are your finances now? Will this be a drain on you?

I have been talking to a young Dutch girl who is leaving for her home in Holland via London in a week or two. She is working her passage as a governess. She has had similar experiences to you at this end – disappointment after disappointment. And now she's off. She will be more or less stranded for the short time she is in London and has very little money. Her name is Anna Van der Harst. I've given your address to her, and told her you'll gladly put her up for a couple of nights if she's stranded. And in case you should be away I've given her a letter of introduction to the Snels[32], as I'm sure they'll be sweet to her. She is a nice, healthy-minded girl, and is thrilled at the prospect of rejoining her family after about seven years out here ...

It is getting rather cold here now and I'm wearing that brown (formerly green!) tweed coat and those lovely shirts we bought at Moss Brothers ... I bought a lovely electric coffee pot the other day and I plug it in every night and have a nightcap of malted milk. What do you think of that? I'm taking it with me to Singapore as it will be very useful there. And I'm eating a lot of Chinese food! I like it better than the Indian, but it's much more expensive.

Nov 8 (Thurs.), 1945

After writing to you yesterday I went to see the Bank manager here. Apparently, they have no branch in Singapore and so I have to close the account here and pay up the overdraft from Martins. And so I've asked

Lloyd's here to airmail Martins, asking Martins to cable 2000 rupees to clear me here and give me a little extra to cover my expenses to Singapore. I had two letters from you today and in one you say that the financial situation at Martins in Sept. was £148 owing. Does this cover my overdraft here? And does it include the sum we had in the deposit account? I wish I could get clear on this. I hope you don't mind my nosing like this, but I want to get financially OK before leaving here, without being too much of a drain on you. You won't be angry with me, will you, my sweet. That's all the finance I'll talk [about] in this letter.

I was so sorry to hear about your leg and so relieved that it is healing. I do hope it will be alright. What a blessing your Mam is there. Keep her with you as long as you can. And for goodness sake don't worry about me. I'm in the pink of condition now ... I drink – a little, but only moderately. I work a lot and if I were a bad boy I could not work so well, could I?

On Saturday night I'm putting on a Welsh programme for the troops out here. It's called 'Hen Wlad Fy Nhadau'. I start off with a running commentary in English, then put on some Welsh records and recite Welsh poetry in between. Then, about half way through I turn completely into Welsh. I'm looking forward to it very much. There is a BBC boy with some Welsh interests – another good old school tie, producing for me. And I enjoy working with him. When I get to Singapore I may go wholly on these features. Anyway we'll see how things pan out. Now, no more worrying, my sweet. 1) I'm good. 2) I work hard. And 3) I'm healthy. And I know that you are No 1 and No 3. At least I want you to be No 3 and I don't want you to be No 2. I had a grand sort out of my things yesterday to prepare for packing – putting the things in the sun to air and to kill the bugs. Yes, bach, I've still got the carpet and other things. I'll take them along to Singapore with me. It may be easier to send them home from there ...

Nov. 12, 1945

I have just had your letter telling about your night out with Hugh Sutherland[33]. And I am glad he gave you a good time. But all the comment I can make is that I am not in the mental state to hear about your good time with [him] ... I just can't take it ... I won't say any more as I have no right to stop you trying to brighten your dull life ...

I had such a happy week-end. Jack Williams came again from Meerút and on Sunday he packed everything for me while I supervised. And after he had closed down the trunk we found we had not put in the two rugs. So he opened the trunk, took everything out and repacked it with the rugs in ... So now I have only the essentials unpacked ....

We spent the whole of last evening discussing Mattie and Nans – that's his wife. You should have heard the silly talk – it would have made you laugh. Well, that is the state we get to out here, you see. 'I wonder if I shall ever even shake hands with Mattie,' he said. And then he went on to talk to your picture. It was very funny. Nans appears to be something of your kind and Jack the ideal husband and father ... He brought the snaps I told you about and I shall post them to you tonight in a separate envelope. I wrote a Welsh sonnet about our first meeting in Meerút.

[Cafodd ei soned sylw arbennig yn *Y Cymro* (Rhagfyr 14, 1945). Cafodd ei chysodi mewn 'ffrâm' amlwg yng nghanol tudalen 5 dan y teitl 'Chwilio a Chael', ac fe welodd olau dydd eto, ym 1957, yn *Tantalus – Casgliad o Gerddi Caradog Prichard* (Gwasg Gee, Dinbych, 1957, t. 25).

    Y Milwr
Euthum i chwilio amdano ym mro Meerút,
    Y sowldiwr ar ddisberod pell o'i dref,
Sionyn, nas gwelswn er pan gerddai'n grwt
    Strydoedd Caernarfon a pherllannau'r Nef;
Chwilio diffeithwch barics ar bnawn Sul,
    Ond nid oedd yn y bwnc nac yn y bar;
Crwydro drachefn yn ofer strydoedd cul
    Trwy brysur, heintus ddrewdod y basar.
A dyfod gyda'r hwyr at gapel gwyn
    A'm denu i mewn gan sain yr emyn trist;
Yno fe aeth fy marwor llwyd ynghynn
    O'i ganfod ar ei liniau'n ceisio'i Grist,
Ar ei ddau lin, a'i lygaid tua'r llawr
Yn gwledda ar ogoniant y Waen Fawr.]

... He is a very quaint chap ... and, as he talks about his home life ... they have two children ... he makes me feel how short I have fallen as a mate to you in every way. Well ... I may be able to make up for it in a little way. Even now with these spasms of unreasonable jealousy, I know it is unworthy of me. And it makes me unworthy of you ...

Did you get my letter about the overdraft. I do hope you are not too angry with me about it. But it's the only way I can manage to move in the circumstances.

The bridge of my tooth has become loose on one side so I'm off to the dentist now to get it put right. Tomorrow, I shall go for inoculations &c so that everything will be ready. The hostel is gradually emptying out and I shall be glad to leave it.

Forgive me that I should have started this letter so unpleasantly, my sweet, and thank you for your honesty. But that is just how I want you to know I feel about you. I shall try to write a happier letter tomorrow. God bless you and keep you for me.

Nov 13 (Tuesday), 1945

Telegram at Mattie:

JUST TO SAY HOW MUCH I LOVE YOU, SWEET. PLEASE REPLY. CARADOG.

Nov 13-14 (Tuesday), 1945

I promised you yesterday that I would write you a happy letter today. Wed, Nov 14th: Well, well! That is as far as I could get with this letter yesterday. I could not trust myself to say or try to say any more. Now I am fairly normal again and will try to tell my sweetheart what I have to say in the nicest possible manner. I was in such a mental state yesterday that all I could do was send you that cable and go home to bed. I could do no work. Now don't let this distress you, my sweet. The fit has passed. And now that I feel normal once more, I want to ask you something. I want to ask you to stop all further association with Hugh Sutherland. There are some things which a man can ask his wife, things which appear unfair and even unreasonable. Well, this is one of them. I know that Sutherland has not changed. And I know what he is after. And I am afraid, terribly afraid. This may make you angry and distress you. But I have to write it. Will you do this, just for my piece of mind? You have done many nice things for me, many things which other husbands would give their souls for. And I am sure you will do this too. I debated very seriously with myself yesterday whether or not I should cut out Singapore and get home to you at once. What do you think, my sweet. The only consideration I have is the financial one, – and the hope that I should be able to give you a nice trip out. And that will be possible early in the New Year.

I hope I have convinced you in my letters from here that I have complete faith in you, that you are the sweetest and most important thing in my life and that I want you every hour of the day and night. But when I think of Sutherland there is murder in my heart.

And now, I shall leave it at that. And I shall use the rest of the space to tell you how proud I am of having your love and your thoughts, how proud that you have kept up your dignity and your honour and how happy it makes me to know how honest and straight you have always been with me, and how wise you are. You are so pretty too, – and many men have desired you.

I am posting to you at the same time as these snaps taken with the BORs at Meerut, so that you will know what your sweetheart looked like on his 41st birthday.

Nov 14 (Wed.), 1945

It is now afternoon. I wrote that other letter this morning and have been working hard till now. And at half past four I am going out to tea. Where do you think? To the Y.W.C.A! The party will be a Chinese girl who works here, an ex-missionary in China who also works here, another Englishman who worked in China, a Salvation Army lassie from Niagara Falls and an American chaplain. It should be good, shouldn't it, cariad? That feature programme of mine is being released and recorded in Chinese tomorrow morning. This little Chinese girl came to my office the other afternoon when I was struggling rather miserably with 'David'[34]. I told her about it and she started reading it aloud to herself. It sounded strange, this Chinese girl in her rather stiff English reading about Bethesda. And she said to me very seriously: 'Do you realise that you have a very great gift. You write such good English – it is so simple and easy to understand.' She gave me quite a spurt with David! But there, it will be your turn to be jealous won't it, my sweet, if I don't shut up. I tremble to think what your thoughts will be when you read that other letter. But I feel much calmer and happier now. And I simply had to write it ...

Is your Mam still there? Give her my love and thank her from me for nursing your leg. I must write to your Dad one of these days. Goodbye for now, my sweet, and don't fret too much over that letter ...

Nov 15 (Thursday), 1945

Today I am feeling like one who has just recovered from a long illness or from some high fever. Well, it is not an unpleasant feeling, and I am now waiting for your reply to my 'love' cable. When sorting out my papers over the week-end I came across an article I had written when I arrived in India describing my trip out here[35]. So I sent it off today to the Western Mail, telling them to return it to you if they don't use it and to send payment to you if they do. I wrote it under the name David Ffrancon as I can't use my own name for press articles. I hope you get something for it. In any case, if they send it back it will interest you to read it ...

Cheerio, my sweet, Love to your Mam & Dad & God Bless.

Nov 23 (Friday), 1945

I received today your two letters of the 12th and 14th and also your cable, and they raised me from the slough of despond ...

I shall bring you such nice things from India. And this brings me again to what makes you cross with me – FINANCES! The draft from Martins arrived at Lloyds and this puts me in the clear here. Now I have to confess I have been living a wee bit extravagantly. But you have no idea how expensive it is to live here ... However, your mention of taking a job in London alarms me ... Is not the £60 a month enough to give you a fairly comfortable time and pay the standing expenses? You know, my sweet, I do not begrudge a penny you spend on anything. It is my hope and ambition to be able to give you much more before long. But what are the standing expenses now? Do they not leave you enough? Now that I'm in the clear here I shall make no more demands on Martins and by our joint efforts we'll soon be in the clear there too, – and on the upward grade.

Now, about Singapore. One thing is now definite. We shall not be moving there till January! That is the only definite thing we know ...

Nov 27 (Tues.), 1945

I'm writing this in my room at the hostel. I'm in my dressing gown with a canary polo jumper underneath. I'm bunged up with cold and so it seems everyone else is, because this block I'm in has been echoing with coughs all day. On Saturday I decided to take seven days casual leave to get on with the book. But on Sunday this cold came on and I've been nursing it ever since. I was to have my TAB injections[36] today but could not face their effects on top of this cold.

I bought you a pair of blue shoes on Saturday and a pair of bath slippers. These shoes are not the high-heeled evening sort but what they call chaplis – they are very comfortable. I'll get the high-heeled ones later when I can rise to a sari. But I'm only going to send you the sari on condition that you don't go out in it until I can take you! I also bought a pair of pretty Chinese soup bowls and I'm wondering whether I can pack them so they won't break. I'll send them with the shoes and trust to luck. I'm not in packing form today so I'll do it tomorrow …

What are your plans for Christmas? I do hope you'll be able to make it a happy one. It may interest you to know that I am completely on the waggon again. So I'm dreaming of a dry Christmas as well as a white one. And also a dry Singapore. Because, as you know, drink means sudden death there just now! We've been warned that things are pretty tough there … Now here's a sonnet I wrote to the 'imaginary lady.' Keep it to yourself won't you, sweet. I think it's pretty good:

> Out of the crescent of my lady's lips
> There shines a language rich beyond compare;
> Sweetly un-English, every sentence drips
> Its moonbeam words upon a world made fair.

Oh dear me! I can't remember another word of it! And the copy I made is in the office. So I'll have to send the full version again. Isn't this stupid of me?

Well, I'm going to make tea now. I make my own tea in an electric coffee pot because the tea they provide in the hostel is just like dishwater. How are you doing for food, cariad? I'll send you another food parcel this week and keep on sending regularly. Things must be pretty bad at home by all reports. Our trouble about the food out here is the ghastly way in which it is cooked.

It gets the majority of people into hospital with some tummy trouble sooner or later. Touch wood, I've kept quite free from everything like that this year … Do keep cheerful in that dark and wintry London, cariad. And we'll see that sunny south of France yet. God bless you and keep you for me, my darling. How I do love you.

November 29, 1945

… Thank you for being so nice about my fits of jealousy. It just makes for misery on both sides, doesn't it? I am so very sorry, cariad. You know I have faith and all confidence in you. And we'll leave the unpleasant subject at that …

Dec. 5 (Wed^y), 1945

I'm afraid I'm writing this before posting yesterday's! I left yesterday's in the office. So the two will be posted together. I'm feeling unusually fit these days. I suppose it must be the invigorating weather. But I'm feeling an awful coward today. I went down to hospital to get my inoculations this morning. I had to wait for some time and after waiting for about five minutes, I crept away! Don't you think that was cowardly? Well, I must get them done, so I'll go tomorrow again …

I'm full of schemes these days. One idea I had about coming back, was to get a job as representative of the 'Times' in Wales. What do you think of that? Not much, I expect. You have bigger ideas haven't you? Well, we shall see. I may take a ride to the Cantonment this afternoon, if I feel as energetic as I do now, and have a last look at the grave of Elliss Hughes's son[37] and see that it's kept nice and tidy after I've gone …

Dec. 7 (Friday), 1945

I've just received your three letters, 23, 26 and 27. They appear to come in batches now, at a week's intervals. It's not very satisfactory and I get very low when I have to wait a week for a letter from you. I suppose it's more or less the same with you. Well, your news is very interesting indeed and I thoroughly approve of your new job. It's interesting and should be congenial and will keep you from gloom and boredom. But oh! dear me, I have mixed feelings about it. I'm so afraid of the competition. I have so little and these fellows have so much and you might easily be carried away by the glamour. But there I go again. Isn't my faith in human nature weak? My only consolation is that my faith in you is strong. And again it rather galls me that you should be acting as secretary to anyone, let alone a Welsh MP[38], when you could have been my secretary ... I am eagerly awaiting some news of your WVS[39] interview, but as more than a week has passed without my hearing anything about it, I take it nothing has come of it. Well, don't let that worry you ...

I went to our Welsh Society meeting last night, but it was a very tame affair. The live wires have gone home on 'repat'. I met a General Lewis there who has just been home on a 'duty tour.' Wil Griff Foyles[40] had asked him to send regards to me. Sir Archibald Rowlands[41] & his wife were here too – he very chatty & his wife not. And there was a Colonel who had been out here for 30 years – on the N.W. Frontier by the look of him – face all scarred. And he spoke Welsh as if he had left the Rhondda yesterday. A real wild one. He has just arrived in Delhi from somewhere and heard of the Welsh meeting, so he came along. But he was most disappointed at the tameness of it. Very indignant at the lemonade we were drinking and wanted to know why we did not have a cask of beer there. Ah, well, we meet all sorts, don't we, bach?

Well, I'm hoping to hear some more about your job – and about your boss. I'm glad you're practising typing. You'll find it useful. It was good of Edward[42] to loan you the typewriter.

All my love, sweet, and keep wanting only me.

Dec. 8 (Friday[43]), 1945

How's the job going. I'm sure you're making a rattling success of it. It's a job after your own heart isn't it? I expect you'll be telling me all about it in your next letters ... I've been reading again about the novel competition and trying to get some inspiration from it to carry on. Well, I'm struggling on with it and hope at least to get it all down on paper by the end of the year, or at the latest early in the new year so that I can revise and polish it in time to enter it. Don't talk about this to anyone, bach. We'll just keep it between ourselves and dream and hope for the best. I had another inspiration last night, too. I went to see the film version of 'The Corn is Green'[44] with Bette Davies. Have you seen it? It's very good indeed ...

My cold has completely vanished now and I'm feeling full of beans. I'm also parting my hair on the side as I used to, and feeling much better for it. Isn't it strange what clothes and proper dressing can do to cheer one up? I went to see some garnet ear-rings the other day, and do you know, bach, they are much dearer here than in London. So will you please get those from Harrods for £5 just to please me? Don't let the bank worry you. They have plenty of security from us and they are quite safe. But I do realise that it will be nicer to be in the clear with them. Being completely on the waggon will keep me in the clear this side. It's amazing how even moderate drinking runs away with the money. So these are two worries you will not have from me ever again, bach, – money and drink. My only worry about you is that you are too attractive to be 7000 miles away from me. And surrounded by all those clever and cunning politicians ...

*   *   *

Mae'n amlwg bod Caradog yn brysur iawn yn ysgrifennu erthyglau ac ati i geisio ennill ceiniog neu ddwy ar gyfer yr adeg y byddai'n dychwelyd i Lundain at Mattie. Rhoddai gyfeiriad ei gartref yn Llundain (81, Highfield Avenue, Golders Green) ar gyfer derbyn atebion. Yn dilyn un achlysur pan oedd wedi anfon erthygl at D. R. Prosser, Golygydd y *Western Mail* yng Nghaerdydd, derbyniodd y llythyr a ganlyn oddi wrtho, dyddiedig Rhagfyr 10, 1945, ac wedi'i gyfeirio i'w gartref:

My dear Caradog,

I should very much like to take this article and many others from you, but lack of space will not allow me to push out news for it. The home news, as you will understand, is rapidly getting back to normal and as long as the Government restricts us to four pages we cannot give a quarter of what the public is entitled to.

You are the second soldier to write to me this last week saying you will not be sorry to quit India, and if half of what I hear about Singapore is correct you will not be sorry to quit that part of the world. However, good luck to you wherever you may be.

You might write to Mr. H. N. Heywood at Kemsley House if you have a proposal to make to represent Kemsley Newspapers in the Far East. If you do so please let me know so that I can tell him what I may that will be helpful.

All your old colleagues send you their best wishes.

*   *   *

13.12.45 (Thursday)

… I assure you that I'm feeling on top of the world these days, except that same so-called Cottage Pie at the Mess on Monday sent me and everyone else hurrying back and fore to the Tŷ Bach! But that only lasted for a day. Indeed I'm feeling better than I have done for a long time. I also had a letter today from you, dated Dec 1st. I'm so glad you're enjoying the job. It's alright for that chap to be pleased with you. What has he decided to pay you though? The job may be interesting and all that, but you should not let a Welshman have your services for nothing, however interesting it may be! … I met a strange couple the other night, and I'm going to spend Sat. Evening before a roaring fire in their room in the hostel here. She works with us and he is a corporal in the Army here. His name is Angus and he comes from the Outer Hebrides! He speaks Gaelic, Irish and Welsh! He learned Welsh under Professor Lloyd Jones[45] in Dublin University, but he speaks Old Welsh much better than Modern Welsh. So I'm going to find out exactly how much he knows on Saturday … I'll write again tomorrow, and address my next couple of letters to Cardiff, in the hope that you will receive at least one of them on Christmas Day. I shall spend a very quiet – and completely dry – Christmas between the hostel and the office.

Dec 14 (Fri.), 1945

I am sending this to Cardiff as I guess you will be there when you get it. I shall send the next couple to Cardiff too in the hope that you will get them there. I want you to get at least one from me on Christmas Day to wish you a Christmas as happy as it can be for both of us. I want to send you a reply to your cable to say I am full of beans, but at the moment I'm broke and cannot find time to get to the office i.e. the cashier's office to draw some money. But you should, by today, have had my letter saying I'm quite OK again. In fact I'm feeling fitter than I have been for a long time just now … I have to get the Arwel Hughes Welsh folk song suite programme ready for 7.30 this evening. Don't eat too much over Christmas, bach. But you don't like turkey do you? So I don't suppose there will be any fear of that. I hope my Xmas Card – it's not a very thrilling one – will arrive in time. I was too early last year, wasn't I. God bless you and keep you for me, my sweet. I'll write again tomorrow.

Dec 15 (Sat.), 1945

… Well, my Arwel Hughes programme went quite nicely last evening. And this morning at half past nine, I went to the funeral of the hostel manager. It was a grim affair, only five of us there and the poor widow without a soul to comfort her except one woman who came along from the hostel … We're raising a subscription in the hostel for the poor widow and hope to collect at least £50 … The Japanese unit here, for whom I did my main work, closed down today and I'll be virtually unemployed till we move. So I'll get a special push on from next week on with the Book ['David']. I have an idea I've asked you a lot of questions [that] have gone unanswered, financial &c. But with your Commons work keeping you so busy, I shall quite understand if they're not answered …

Dec 17 (Monday), 1945

… I searched the whole of New Delhi for stamps for that Christmas Card on Saturday and managed to get 14½ annas worth. As the card was over ½oz. there will probably be excess to pay on it. I hope you won't be cross with me for that. If I had kept it till today it would never reach you by Xmas and I'm hoping now that you may get it on Christmas Day.

I met Ex-Brig Jehu on Sunday – he's now Editor of the Times of India. I tapped him for a job there and he was quite promising but could make no concrete promise as they are under obligation to take back members of their staff in the Forces. But he was quite nice and said he'd ring me up if he found time before going back … Do you know what else I've done? I've written for a newspaper interview with the Viceroy! I doubt very much whether that also will come off. But my idea was to sell it exclusively to the

'Mail'. That might persuade them to give me a job out here or in London. Anyhow, all this is in the melting pot at present and I hope you'll keep it all between ourselves.

I wrote a Christmas letter to your Mam & Dad and one to Ivor Thomas.

20.12.45 (Thurs.)

I've just had your letter telling about your miserable Saturday. My poor dear. Isn't it terrible, this loneliness. The week-ends are my worst times too. But I do have the sun to lift the depression here. I'm so sorry I didn't cable back in reply to yours. I've been rather broke this month but I'll cable before Christmas. And I know that you would have had my letter telling you that I was OK again before the cable would have arrived. I heard on the radio last night that men in my category, i.e. over thirty and released from the Army will not be recalled. So that means, I suppose, that I am free as far as that is concerned. And it makes the urge to dash home much stronger. Only two things stop me now. The first is that I want to see what the Singapore set-up is like and see if there's any future in it. And secondly, I want us to be financially sound by the time we get together again. You see, the Foreign Service Allowance would stop the day I left India for home and that would mean the amount alloted to you. But we get paid for a month, in London, I understand …

I am doing a Housman[46] programme next week; you know reciting some of his poems, – those with references to war – with incidental music. We've got a crossword craze on here now and I'm afraid we waste many precious hours on them! But it's one way of killing time when one cannot settle down to other work.

You are wrong, bach, in thinking that I take a poor view of your having as gay a time as possible – and buying all the pretty clothes you can. If these things make you happy, then I am more than satisfied. It is only that I am jealous of those who have your company – and that there are one or two whom I just hate. And that's all there is to it. By the way, I will get you those dainty high-heeled shoes. And I am getting the saree from Old Delhi. They are much nicer there and about half the prices they ask in New Delhi. Oh, there are so many nice things I want to buy you, and I shall buy as much as I can before coming home.

I'm afraid that those grand ideas I mentioned about an interview with the Viceroy &c will come to nothing. I've heard nothing so far, anyway. Well, there was no harm in trying. I've still got plenty of ideas left. I'm just now reading Richard Llewellyn's 'None But the Lonely Heart'. It is a very well-conceived and well-written book, but I don't think it has been very successful, has it? ...

Xmas Eve (Thurs.), 1945

I've got it badly today. So badly that I put in a letter asking to be released from my undertaking to go to Singapore – and for an early repatriation. The chap who is head of my department – he's due to leave for Singapore on the 28th – persuaded me to hang on to the letter until he could send back to me some information about the set up there. So I put the letter in my pocket again. But I'm still hesitating about it. So if I do decide I shall cable you to say so ... Thinking of you as I write makes me feel more than ever like jumping on the first plane and coming to you. Now that there will be no difficulty about the Army, the urge to come home is still stronger. I really cannot bear to be without you much longer, so I expect that Home it will be, after all. If I do decide to get home, I expect it will take about a month to get me a passage and I'll have to go straight to a job, won't I, to keep the bank going? So I expect it will be back on the N.C. again until something better turns up. We'll be down financially for a time but really being together again is much more important than anything else, is it not, my sweet? ...

Dec 29 (Sat.), 1945

... I hope my little parcel to you arrives intact. I've not yet got the saree and shoes but they are on the programme. I'm getting very short of cash just now though, so I may have to tighten up a bit. Let me know, if you haven't done so already, how the financial situation stands. I'm getting a bit dubious about those royalties, but I'm plodding on! To add to my Xmas gloom I had a letter from the Viceroy's secy saying his Excellency was too full up (with engagements) to spare me a newspaper interview. So that's that!

I've just been down to the studio having a rehearsal of the Housman recital and with thoughts of home, my Welsh accent was better than ever! ...

The Last Day of 1945

... There will be all sorts of celebrations here tonight, but I shall have a quiet one before the fire in the hostel. It is very comfortable there in the evenings, listening to the radio.

Will you be working during the recess? I was just listening to the news now and hearing of the peasoup fog that descended upon London yesterday. I wonder if you were caught in it. It's awful to hear about those fogs sitting here in the brilliant winter sun ...

Do you remember the little family with the little daughter Margaret whom I fell in love with and sent you a picture of as a sample of what I want when I come home. I went a long cycle ride at lunch time today to visit them and wish them the season's compliments. But when I got there I was told they had moved to another part of Delhi and I could not get their address ...

Good Heavens, to think that I have been away from you for two years nearly! I cannot understand how I've survived it and it's getting harder every day ...

Good night, my sweet, and may 1946 be our Happy New Year together.

*   *   *

1946

Jan 4 (Friday), 1946

I received today your two sweet letters of Xmas and Boxing Days and I was so glad my letters had arrived on time. Re the cottage (to put business first!) I've been wondering how much you have been paying off so far, and how we stand about it. Perhaps you'll let me know some time. I hope you won't catch any colds if you go up to Bethesda. Be very careful, my sweet, as it must be dreadful weather up there now. Here in the sun I shudder as I think of it ...

If the 'Times of India' plays ball, what I should like would be to make a trip home and bring you back with me. Wouldn't that be grand? But don't think of it, bach, because it is very improbable and I mustn't put these ideas in your head. However, the next five or six weeks will decide definitely how soon we'll be together again. So hold on, Cariad!

January 6, 1946

Well, I have now practically decided definitely that all being well I shall be home in March or beginning of April at the latest ... Somehow, I don't feel like going back to the N.C. unless I actually have to ... I hate the Fleet Street lot for some reason and would like to get away from them. I want a job that will give us plenty of time together to devote to each other and to home, and to make each other happy. I want to take you to dances and concerts and all those things I neglected so much when I had the chance to. And I shall want to show you off as I have never done properly. And I have ideas about cooperating with you in the manufacture of a little girl! What do you say to that?

Mattie gyda'i merch, Mari, a Benji'r pwdl

Ac, yn wir, fe gynhyrchodd y cydweithio eneth fach ddel a fedyddiwyd maes o law yn Mari Christina a dyna lun ohoni efo'i mam a Benji'r pwdl.

January 8, 1946

... I really don't want to go back to that sordid Fleet Street life. I want a completely new life with you, in which I can give you all you want and in which we can be as happy as any two in love can possibly be ... Now, my sweet, will you find out exactly how we stand in the bank ... I hope you are not going to be angry with me, but I shall have to come on the bank for another Rs500 (£40) to clear me up before coming home. Now I don't drink and I don't keep another woman, so please don't be cross with me for this, bach. I admit I haven't been very accountant-like and I have had a false notion of the value of the rupee ...

Jan 16 (Wed.), 1946

Oh, I do feel low today! I'm thinking so much of you in that cold and miserable weather and wondering how you are feeling after receiving my request for more cash. I had to do it, bach, in order to clear up here. But do cheer me up, we'll soon make up for it. It is very trying here now, being left practically alone ...

Thurs Jan 17

There had to be another pause till today because I was called on to write something else. And now your next letter has arrived. It is so good and kind of you, my sweet, to write so often. In these days, with the 'home bug' getting more active, your letters are a tremendous help. Oh I do hope my **SOS** for more cash has not upset you. I'm quite broke and want to get everything square before coming home. Don't worry about it, my sweet, the bank has plenty of our security. But as I said, you'll be the manager when I get home.

... I was shocked to hear about Morris[47]. It is strange but about a fortnight ago one night I sat down to write a sonnet about Prosser, as it is nearly a year since he died. And somehow Morris came into the sonnet. I wondered today whether that could have been the day he died. Ah well, it must have been his heart I suppose.

Now about the News Chronicle I think the 25 percent rise is a good thing and makes me think that I should make sure of my berth there while I jump in to something better. And about the 'reinstatement form' you are mistaken, I'm afraid, bach. You see, I am not demobilised, and shall not be until my group comes up. I am still on the reserve, though there is no likelihood of my being called back. So it would be just as well – indeed it is rather important – that that 'reinstatement form' should be filled up.

About the Cottage. I leave the bargaining about the land in your able hands, of course. But don't go too hard or they might use compulsory powers. And after all, it will be, as you said, a good thing to have that wall up. In view of my need for more cash, that payment can wait a couple of months.

So you're getting Beaverbrook[48] on my track are you. Well, well!! You are really a tonic, my sweet. And of course, I love you all the more for it. You mentioned J. T.[49] in your letter today. I wonder how he is behaving now and what new job he'll be in for.

I wrote a letter to Picton yesterday, but on second thoughts decided not to post it. One thing I have learnt is that it is much better to keep your own counsel and only approach the people who matter …

The MPs are haring it all over India. They are now in Bombay and I look forward to their return here, because Hopkin Morris says he will persuade Robert Richards to make that Welsh record for me. I may get an interview with him for the D. Mail too. Oh dear, how this home bug is itching. I hope you're still confining your attention to the little boys in Eton jackets as I am confining mine to little girls. We'll see what we can do about that when I get back! Anyhow, I know I shall have a very efficient secretary when I return! You sound terrific with those files, my sweet. Looking forward to your next letter.

Jan 18 (Friday), 1946

I have just been informed that I am released from my obligation to go to Singapore and that I shall be repatriated 'in due course' …

Now let me repeat about the 'News Chronicle'. Unless something else turns up I think the best thing is to go back there before jumping off to something better. That is, making sure of my berth there in case I should want it. Oh dear, I'm getting quite excited at the prospect. What I was going to say is that we should make some inquiries about that 'reinstatement form'. Anyhow, don't you worry, bach, I've worried you quite enough about these things.

I am going to the bank tomorrow to ask them to get some more from Martins, that is, unless you have done so already as I must get clear and have some money to come home with. Again, I say, bach, don't let this money business worry you. We shall be alright.

I received today a copy 'Y Cymro' with my sonnet to Meerut boys in it. They had made quite a feature of it …

January 21, 1946 (i)

Telegram, wedi'i gyfeirio fel a ganlyn: Prichard, 81 Highfield Avenue, Golders Green.

HOME NEXT MONTH LOVE CARADOG

Jan 21 (Friday), 1946 (ii)

My application for a passage home went on Saturday ... I asked in a previous letter if you would arrange with Martins to let me have some more cash and on Saturday I had Lloyds here to cable Martins as I was broke and have to clear up before coming home. I do hope you won't be too cross with me, my sweet. I feel an awful heel at having to do it but it is the only way I can clear up and have something to see me right on the voyage. As I told you also, my trunk went to Singapore and I have to wait it back. I have had it insured for £100 but it is crated and will be brought back here, with several others ...

I shall try and find out the port I get into when I get my passage and I'll wire you before sailing if I find out, as I probably shall. I don't expect it will be anything like a pleasure cruise but I shall try and make the most of it and rest as much as possible.

(Five minute pause)

The news has just come that we are closing down here on Jan 31st. So it looks as if I'll be home even sooner than expected. I don't know what the position will be, but I suppose they'll make us take leave while waiting for a boat. Anyhow, it's a great relief to have something definite. I think I have about 14 days due. The passage should come through by that time ...

Oh dear. I'm getting so excited. I shall have to leave off this letter now, and wait till tomorrow to write in a calmer mood. Keep well and cheerful for me, my sweet.

Jan 24, 1946

Telegram, wedi'i gyfeirio fel a ganlyn: Prichard, 81 Highfield Avenue, Golders Green.

EXTRA 25 NEEDED TO CLEAR LOVE – CARADOG

Feb 8 (Sunday), 1946

... I have been grieving and worrying so much about you these last few days after that depressing letter of yours with your bad cold on. And it is so hard not to grieve and worry when one is just sitting around waiting news of that boat that will bring me to you. This may be the shortest month of the year, but it's the longest one of my life! I've had my priority & all that, and my trunk is definitely on its way back from Singapore. It is quite likely that I shall be on my way by the end of the month. It is so hard to settle down to do anything while waiting. I have been thinking quite a lot about that bad chest of yours and how you used to cough in the mornings and I've been feeling like kicking myself that I didn't do something about it long ago …

The Australians here were whisked off to Bombay at a few hours notice to catch a boat for home. They were in a flat spin. Two of them, who had gone for a short holiday, missed the boat, so they are being flown! But don't you worry, my sweet, I shan't miss any boat. And you need not worry about an overcoat or anything like that. I'll be well wrapped up when I land. All I pray now is that you are fit and well again and that you will be your own bright self when we meet.

Feb 10 (Sunday), 1946

I was glad to have your letter yesterday and find a brighter tone in it. But reading the paper about the terrible weather you're having, I can quite understand how depressing it must be for the brightest of souls. I went yesterday for a long cycle ride with Harker and another chap to the BMH [*British Military Hospital*] to see a chap who had broken his leg in a swimming pool of all places! We took off our shirts and cycled with only shorts on. I felt very much fitter after the ride. On the way I left them to call in the cemetery for a last look at the grave of Elliss Hughes's boy and found it in order. Then I joined the others in the hospital and we had tea by the bedside – bread & cheese, raw spring onions like leeks, and tea! We came back & Harker and I dashed off to the cinema to see Abbot & Costello in one of the worst films I've ever seen, called 'Lost' …

Re your queries about pay. I'll get paid up to the time of leaving India at the full rate, that is, foreign service allowance and all. From then on, the F.S.A. stops and I shall be on the salary only. And on arrival in UK, I'll get a month's notice, that is, a month's holiday with pay. The £35 I needed to clear here had not come by yesterday, so the bank here has asked Martins to send it, if it had not already started on its way. I rather relied on having it at the end of the month as you said. I'm terribly sorry, once more, that I had to ask for this, but it was the only way I could clear up. Oh, if you had only been here to act as manager! But, there it is, I'll have a good manager soon and I'll see that she has plenty of money to manage. So now I'm settling down to try & get some work done on that wretched book! That, too, I'd have finished long ago if you would have been here. But it's no use moaning now. I promise you I'll get down to it from the moment I get home. We'll lock ourselves in for a month! What do you say? I seem to hear angry miaws from you … about that. Well, my sweet, keep fit for me in spite of everything. I'm getting to feel fitter every day as I think of you and home.

Feb 11 (Sunday), 1946

Here is Monday morning and I'm wondering how you are feeling after your stormy week-end. Oh I do hope you are not still feeling miserable and that that cold is better. I'm feeling rather good. I went to church last night. Perhaps that's why. Anyway, I went to the Free Church for a change. The pastor, who has just arrived, had a church somewhere in South Wales before he came. The church was crowded with people of all colours and races and the singing was pretty good. So I felt pretty good after it & I went to the mess for dinner and then to my room for a little writing and so to bed. This morning I've wandered down to the office for a change and am trying to settle down to some writing here. The main office is still open – it will be until they've got us all home …

This fountain pen you so sweetly sent out to me is getting a bit of a wreck. I wonder whether you could order one in the Waterman's place for me so that I could have it when I come home. A good new fountain pen always gives me a good start!

I'll do what I can about the things you listed, my sweet. But the cash is very low and things are so expensive. However, I'll see where I am when I've cleared everything. I'm trying to inherit a typewriter but doubt whether I'll succeed. One has to be so careful.

February 13, 1946

I have just been notified of my passage per City Line commercial steamer 'SS MAHANADA' for which passengers are required at Bombay about end of February …

Feb 15 (Friday), 1946

I've just had word that we are to be in Bombay by the 26th ready to embark on the 27th. I do not yet know where the ship will dock but I'll find out & cable just in case my last letter goes astray ...

I've been waiting for that cash after the bank here called last Saturday to Martins but nothing has come so far. I expect it will be in today or tomorrow.

Now, bach, one more thing. There will only be half the usual allowance going in at the end of this month, as I'm drawing the other half this side to cover my expenses home. There is a possibility that we may be held up in Bombay, so I have to be prepared for that. When I know where the ship is docking – and I may not know till we are in Bombay – I shall cable you. If it is some place like Glasgow, and travelling is difficult, I would advise you not to come & meet the ship. But I know you. So, alternatively, I'd advise getting Edward to escort you and we might see a bit of bonnie Scotland[50].

Oh dear, I'm so excited about it, all.

Yes, my tooth is in, my hair is long & parted at the side and I'm all dandy. Have you still got that Edwardian hair-do? I'm curious to see what it looks like. So you're bullying your MP boss, are you? He must have rubbed you up the wrong way! Dear me, what a Spitfire you must have become. I'm rather terrified of coming home. Still, I suppose I'll get over it ...

Well, this is all a bit haywire, but that's how I feel this morning. But all I can do is lie down in this office till I cool down a bit ... They have a Victory March here first week of March. Well, I've had enough Victory and now it's going to be Home Sweet Home!

February 18, 1946

Telegram wedi'i gyfeirio fel a ganlyn: Prichard, 81 Highfield Avenue, Golders Green, ac o New Delhi.

ALL'S WELL SWEETEST LOVE – CARADOG

February 20, 1946 [wedi'i anfon o Room 132, Eastern House, Asoka Road, New Delhi]:

Five more days! And off we go for Bombay. ... Well, my plans as I see them now are to get back to work – on the N.C. to start with anyway – as soon as possible, and then take you for a damn good holiday say in June, to France possibly or somewhere nice and sunny like that ...

February 25, 1946

Our departure for Bombay has been postponed till Thursday ... My last Sunday in Delhi was a pleasant one. In the morning I cycled out to see the Johnstone family – where the little girl I fell in love with is – she is only five and a half years old ... [I'm] determined to have a go at producing a duplicate of her when I come home!

February 26, 1946

... Alas for the typewriter! I had 'acquired' a beauty and was about to pack it when they made a last minute check up and pounced on me. Ah well, that's another thing we must acquire by the sweat of our brows ...

*   *   *

Mae Caradog Prichard yn gadael Delhi Newydd ar Chwefror 28, 1946, ac yn hwylio o Bombay ar yr *SS Mahanada* ar Fawrth 2, 1946. A dyma ei ddwy neges olaf at Mattie cyn ei gweld eto ar ôl dwy flynedd yn hiraethu cymaint am yr awr fawr sydd o fewn ei afael!

March 10, 1946 (In the Red Sea)

... The Captain, Taffy Owen, is from Portmadoc, and looks a real old salt.

March 13, 1946 (In the Suez Canal)

Nodyn byr at Mattie, dyddiedig Mawrth 13 1946, 'In the Suez Canal' (yn amlwg ar ei ffordd adref o'r India).

*   *   *

Wrth gloi, mae'n werth crybwyll yn y fan hon mai tua'r cyfnod hwn, mae'n debyg, y lluniodd Caradog Prichard y drafft teipiedig a ganlyn o fywgraffiad byr (ar ddwy dudalen 4½ modfedd wrth 6 modfedd) ar gyfer ei gynnwys mewn llythyr cais am swydd:

Address   81 Highfield Ave, London, N.W.11.

Age   40 years

Born   Bethesda, Caernarvonshire, Wales

Education Bethesda County School,

            University of Wales, Arts degree

Was a reporter and sub-editor on Western Mail, Cardiff for 7 years. Appointed to the sub-editorial staff of the News Chronicle 1934. At the outbreak of war was foreign sub-editor, and editor of the Welsh edition.

Army: Joined H. M. Forces in 1942, and served for 2 years in the R.A.S.C.[51] and then was seconded to the Foreign Office and sent to New Delhi on the Political Intelligence staff. For the first 6 months was news editor for radio news transmissions, then appointed as British propaganda script writer and feature programme producer. This work has now come to an end and he is now en route for England arriving on March 26th.

In addition has produced British propaganda scripts for the European services of the B.B.C., given wireless talks in this country, lectured, written special articles, and books.

Languages

Good knowledge of several Asiatic languages, fair knowledge of German and Italian[51].

References

W. Anthony Davies[53], Esq, Features Editor, News Chronicle, Bouverie St, E.C.4

Sir Robert Bruce Lockhart[54], P. I. Dept. Foreign Office, Bush House.

Prof. W. J. Gruffydd[55], M.P., Hon. Mem. Welsh Universities – House of Commons, SW.1.

Sir Robert Webber[56], Western Mail, St Mary St., Cardiff.

Ni wyddys at bwy'n union yr anfonwyd ceisiadau'n cynnwys y manylion bywgraffyddol uchod ond cofiwn i Garadog fynd i weithio i'r *News Chronicle* wedi dychwelyd o'r India. Cwta flwyddyn fu yno cyn symud, ar Chwefror 10, 1947, i weithio ar y *Daily Telegraph* lle treuliodd weddill ei yrfa waith.

Nodiadau

Adran 1a: Caradog a'i Fam – a'r Seilam

[1] Gweler, hefyd, *BaBCP*, tt. 43-4 a 49.

[2] Gŵr 'diwyd a rhadlon ... caredig, cydwybodol ... a rhyw ddwyster parhaus yn ei lygaid gleision, er ei sirioldeb'. Dyna sut y disgrifiodd Caradog ef yn *ADA*. Daeth yn berchen *Yr Herald* yn y 1940au.

[3] Morris T. Williams (1900-46), brodor o'r Groeslon, Sir Gaernarfon. Pan oedd yn gysodydd ar bapurau'r *Herald*, daeth yn un o gyfeillion gorau Caradog. Bu'n hynod garedig wrtho pan oedd Caradog yng nghanol ei helbulon. Gwaetha'r modd, bu cyfnod o chwerwder rhwng y ddau ond mwy am hynny ymhellach ymlaen!

[4] Gwilym Richard Jones (1903-1993), a aned yn Nhal-y-sarn yn Nyffryn Nantlle. Bardd a gohebydd gyda phapurau'r *Herald*, a fu wedi hynny yn Olygydd *Baner ac Amserau Cymru* am chwarter canrif.

[5] R. J. Rowlands (Meuryn), (1880-1967). Brodor o Abergwyngregyn; newyddiadurwr, llenor, bardd, darlithydd, pregethwr. Magodd ei enw barddol ystyr newydd yn yr iaith, sef y teitl a ddefnyddir am y tafolwr mewn gornestau cynganeddu. Enillodd y Gadair yn Eisteddfod Genedlaethol Caernarfon ym 1921 am ei awdl 'Min y Môr'. Awdur nifer o lyfrau ar gyfer pobl ifainc. Roedd yn dad i'r ysgolhaig Eurys Ionor Rowlands a thaid i Meilyr Rowlands, sydd heddiw'n Bennaeth Estyn, y corff sy'n arolygu Addysg a Hyfforddiant yng Nghymru.

[6] Ysgol y Sir y galwyd hi'r adeg honno nes ei huno gydag Ysgol Ganolraddol y Cefnfaes, Bethesda, ym 1950, gan fedyddio'r ysgol gyfun newydd yn Ysgol Dyffryn Ogwen. Ceir rhagor o wybodaeth am yr ysgolion hyn yn Hughes, J. Elwyn, *Canmlwyddiant Ysgol Dyffryn Ogwen, 1895-1995* (Llangefni, Y Ganolfan Astudiaethau Iaith, 1995).

[7] Cyflwynodd Gwilym R. Jones ei atgofion yn 'Y Llwybrau Gynt', sef y gyfres o atgofion a ddarlledwyd ar y radio ddechrau'r 1970au. Cyhoeddwyd ei gyfraniad ef (tt. 57-90) ynghyd ag atgofion Dora Herbert Jones, Martin Lloyd-Jones ac R. S. Thomas yn *Y Llwybrau Gynt 2*, Alun Oldfield-Davies (gol.), Cyfres Llyfrau-Poced Gomer, Llandysul, 1972. Roedd *Y Llwybrau Gynt 1*, Llandysul, 1971, yn cynnwys atgofion Llewelyn Wyn Griffith, Glyn Jones, T. J. Morgan ac Iorwerth Peate.

8   Beriah Gwynfe Evans (1848-1927). Athro a phrifathro, newyddiadurwr, golygydd, ac ysgrifennydd cyntaf Cymdeithas yr Iaith Gymraeg a sefydlwyd ym 1885 gan Dan Isaac Davies (1839-1887).

9   John Richard Morris (1879-1970). Llyfrwerthwr adnabyddus yn y Bont Bridd yng Nghaernarfon. Cofiaf alw yn ei gartref un tro ym Methel, ger Caernarfon, a darllen arwydd ar ddrws ffrynt ei fwthyn bychan: 'Os Cymro ydych, curwch dair gwaith' – a chefais groeso cynnes iawn ganddo!

10   John Tudor Jones (1903-1985). Bardd, newyddiadurwr a golygydd, a adwaenid yn gyffredinol fel John Eilian. Ganed ef ym Mhlwyf Llaneilian, Ynys Môn, ar Ragfyr 29, 1903. Bedyddiwyd ef yn John Thomas Jones ond newidiodd y 'Thomas' yn 'Tudor', drwy gyfraith. Er iddo fod ym Mhrifysgolion Aberystwyth a Rhydychen, mae'n debyg mai prinder arian a barodd iddo adael heb raddio. Serch hynny, aeth ymlaen i fod yn newyddiadurwr llwyddiannus iawn. Ym 1930, ac yntau'n 27 oed, sefydlodd (a golygodd) *Y Ford Gron* (a phapur-newydd *Y Cymro* wedi hynny). Rhwng 1927 a 1929, bu'n olygydd y *Times of Mesopotamia* a thra oedd yn y wlad honno, priododd â Lilian Maud Powell ar Hydref 4, 1929. Wedi dychwelyd i Lundain, aeth i weithio ar y *Daily Mail* yn Stryd y Fflyd. Enillodd y Gadair yn Eisteddfod Genedlaethol Bae Colwyn 1947 a'r Goron yn Eisteddfod Genedlaethol Dolgellau ym 1949. Cawn ragor o'i hanes isod yn yr adran 'Gohebiaeth Cyfeillion a Chydnabod, 1926-46', tt. 188-197

11   Ganed John Thomas (Eifionydd) ym Mhenmorfa, ger Porthmadog, ym 1848. Sefydlydd (a golygydd) *Y Geninen* (a sefydlwyd ym 1883) a golygydd dau gasgliad o gerddi'n dwyn y teitl *Pigion Englynion fy Ngwlad* (1881-1882). Bu farw ym 1942.

12   Thomas Owen Jones (Gwynfor), (1875-1941), brodor o Bwllheli a enillodd fri iddo'i hun fel dramodydd, actor a chynhyrchydd, ac a fu'n Llyfrgellydd y Sir yng Nghaernarfon. Byddai'n aml yn taro i mewn i Swyddfa'r *Herald* ar y Maes yn y dref a dyna pryd y daeth i adnabod Caradog. Byddai rhai o bobl lengar yr ardal hefyd yn mynd ato yntau am sgwrs yn y Llyfrgell, pobl fel R. J. Rowlands (Meuryn), Albert Evans Jones (Cynan), E. Morgan Humphreys, ac eraill.

13   Merch Hugh Williams, Rhyd y Galen, Bethel. Sonnir amdani eto yn yr adran 'Gohebiaeth Hen Gariadon, 1927-1929' (tt. 166-179) a hefyd yn *BaBCP*, tt. 50-51.

14   W. G. Williams oedd ei bennaeth yn Swyddfa'r *Herald* yng Nghaernarfon; gellir darllen rhagor amdano (ac am y ffrae a gododd rhyngddo ef a Charadog) yn *BaBCP*, tt. 60-64.

15   Frederick Coplestone, o Gaer, oedd perchennog papurau'r *Herald*; 'hen ŵr bywiog, gwydn ei gorff a hoff o gerdded', yn ôl Caradog.

[16]   Swyddog a benodid gan y Plwyf i weinyddu cyfundrefn o gymorth i dlodion yr ardal.

[17]   Dr William Griffith Pritchard (1869-1946). Ganed ef yn ardal Glynllifon, ger Caernarfon. Daeth yn feddyg i Fethesda tua 1903 ac ef oedd meddyg teulu Margaret Jane Pritchard a'i meibion. Ymddeolodd tua 1937 a symud i fyw i Bryn Bia, Llandudno, i dŷ yr oedd wedi cael ei adeiladu ar gyfer yr adeg y byddai'n ymddeol. Am ragor o'i hanes, gweler *BGIUNOL*, tt. 144-46.

[18]   Ysbyty Cyffredinol Môn ac Arfon ym Mangor, a elwid yn aml yn 'C and A' (talfyriad o *Caernarvonshire and Anglesey*). Caewyd ym 1984 pan agorwyd Ysbyty Gwynedd. Chwalwyd yr hen ysbyty a chodwyd archfarchnad Safeway (Morrisons erbyn hyn) ar y safle.

Adran 1b: Howell a Glyn, brodyr Caradog

[1]   Gweler, hefyd, *BaBCP*, tt. 40-2.

[2]   Cafodd ei brentisio, i ddechrau, gyda Robat Ifans yn ei Siop Barbar ar Stryd Fawr, Bethesda, o fewn rhyw hanner canllath i Gapel Bethesda (A). Gw. *BaBCP*, t. 40.

[3]   Jeremiah Thomas (Jeri Becar, ys geilw Caradog Prichard ef), a roes brentisiaeth i Howell yn ei fecws yn y Gerlan. Mae'n werth crybwyll, wrth fynd heibio, fod Jeremiah yn frawd i Benjamin Thomas (1838-1920), awdur y gân 'Moliannwn'.

[4]   Ceir rhagor o hanes William John Brown mewn mannau eraill yn y gyfrol hon a gweler hefyd *BaBCP*, tt. 47-8.

[5]   Gwelwyd mewn dogfen ar y we: 'Railway Agreement 1925' yn y 'Canadian Museum of Immigration at Pier 21'.

[6]   Saif y Victoria Hotel ar ochr y Lôn Bost (yr A5) yng nghanol y Stryd Fawr ym Methesda. Yno yr arferai Caradog a'r teulu aros gan amlaf pan ymwelent â Dyffryn Ogwen a daethant yn gyfeillgar iawn â'r gwestywyr, Mr a Mrs Jack Webb. Roedd y Douglas Arms Hotel, ar y llaw arall, yn adeilad mawr yn sefyll ar ei ben ei hun ar gyrion canol y pentref (lle saif o hyd, dan ofal Gwyn a Christine Edwards). Byddai Caradog yn taro i mewn yn y Douglas, hefyd, o bryd i'w gilydd.

[7]   Mae'n ymddangos bod Howell wedi meddwl bod ei frawd eisoes *wedi* cyhoeddi casgliad o'i gerddi ond ym 1937 y cyhoeddodd Caradog ei gasgliad cyntaf o farddoniaeth (dan y teitl *Canu Cynnar*, Wrecsam, 1937).

[8]   'A Ddioddefws a Orfu' oedd testun cystadleuaeth y Goron yn Eisteddfod Genedlaethol Aberafan ym 1933 a'r tri beirniad oedd Caradog Prichard, Cynan a Wil Ifan (sef y Parchedig William Evans, 1882-1963, bardd, dramodydd,

eisteddfodwr a cholofnydd, yn enedigol o Lanwinio, Sir Gaerfyrddin). Thomas Eurig Davies oedd yn fuddugol (er nad felly ym marn Cynan) a hynny am 'gerdd anarbennig' yn ôl Alan Llwyd yn ei gyfrol *Blynyddoedd y Locustiaid : Hanes Eisteddfod Genedlaethol Cymru 1919-1936* (Cyfres Hanes yr Eisteddfod Genedlaethol), Cyhoeddiadau Barddas, 2007.

[9]   Ymddengys fel pe bai Kershaw dan yr un camargraff â Howell, fod Caradog ar fin neu eisoes wedi cyhoeddi casgliad o'i gerddi.

[10]   Bu Howell farw ddydd Sadwrn, Medi 9, 1972.

Adran 1c: Robert (Bob) Pritchard

[1]   Mab Richard John ac Ellen Pritchard (Hughes gynt) oedd Robert (Bob) a aned ym 1882. Chwarelwr oedd ei dad, yn Gymro uniaith a aned ym 1839 ym Mhlwyf Llanllechid. Un o Langefni oedd ei fam, wedi'i geni ym 1846 ac yn gallu siarad Cymraeg a Saesneg. Magwyd plant eraill ar eu haelwyd yn 2 Hill Street, Gerlan, Bethesda: John (g. 1860); Mary Elizabeth (g. tua 1872); William (g. tua 1873); John (g. tua 1876); Grace E. (g. tua 1878); a Maggie (g. tua 1886).

[2]   Roedd Ysgol y Carneddi y drws nesaf i Gapel y Methodistiaid yn y Carneddi, pentref bychan ar y bryniau uwchlaw Bethesda. Codwyd Capel y Carneddi ym 1816. Caewyd yr ysgol ym 1937 a symudwyd y disgyblion i adeilad newydd sbon, sef Ysgol Pen-y-bryn, ychydig islaw'r hen ysgol ac o fewn tafliad carreg i'r tŷ lle ganed Caradog Prichard.

[3]   Mae'r cyfeiriad a wna Bob Pritchard at nain Caradog a'r mangl (yn y Bontuchaf, sef treflan rhwng y Carneddi a'r Gerlan) yn ein hatgoffa mai fel 'Jac Bach Mangl' yr adwaenid John Pritchard (tad y bardd) yn yr ardal. Gan fod William, taid Caradog Prichard, wedi cael ei ladd (yn 44 oed) yn Chwarel y Penrhyn ym 1870 (a'i fab, John, ond yn ddau fis oed ar y pryd), aeth ei weddw ati i gynnal ei theulu drwy olchi a manglio i bobl yr ardal. Cyd-ddigwyddiad rhyfeddol, a chreulon, fu i dad Caradog yntau gael ei ladd yn yr un chwarel, pan oedd yn 34 oed a Charadog ond yn bum mis oed.

[4]   Roedd y gŵr hwn yn gapten llong ac yn dad i Phyllis a ddaeth yn wraig i Dr Emyr James Jones, brodor o Glwt-y-Bont, ger Deiniolen, a oedd yn feddyg uchel ei barch yng Ngogledd Cymru. Cafodd Capten a Mrs Pritchard brofedigaeth fawr ym 1921 pan fu farw eu merch, Gwyneth Ellen (a elwid yn Gwen gan y teulu) yn 8 oed ar Orffennaf 19 y flwyddyn honno.

[5]   Mewn pennod dan y teitl 'Cantorion ac Unawdwyr' yn ei chyfrol *Hanes Cerddoriaeth yn Nyffryn Ogwen* (Y Llyfrfa, Caernarfon, 1965), dywed Gwladys Lloyd Williams fod:

        John Samuel Williams yn un o gerddorion mwyaf disglair y dyffryn, ac fe'i [h]enwogodd ei hun yn neilltuol fel athro yn y Tonic Sol-ffa … roedd yn hynod o fedrus. Y mae llu mawr o gerddorion … yn ddyledus iddo am eu hyfforddiant … Yr oedd hefyd yn ganwr swynol ac yn gyfansoddwr melodaidd iawn.

Fel mae'n digwydd, roedd Harri (1891-1963), mab John Sam, hefyd yn ganwr poblogaidd ac yn aelod o Gôr Meibion y Penrhyn; gelwid ef 'Y Tenor Cymreig'. Yn y Gerlan, ar y llethrau uwchlaw Bethesda ac yng nghysgod y Carneddau, yr oedd y teulu cerddorol hwn yn byw. Un o'i ddisgynyddion ydi Euryn Ogwen Williams, gŵr sydd wedi chwarae rhan flaenllaw a dylanwadol ym myd y cyfryngau dros y blynyddoedd ac englyn o'i waith ef a gerfiwyd ar fedd ei ewythr ym Mynwent Coetmor, Bethesda:

'Nefol hedd, cêst ei feddu – addewid
   Y di-ddiwedd ganu;
Difyr wyt yn codi fry
Dy lais yn anadl Iesu.

Adran 1ch: Caradog a Mattie

[1]   Ceir ychydig rhagor o'i hanes yn *BaBCP*, tt. 86-7.

[2]   E. Prosser Rhys. Cawn wybod mwy amdano isod yn yr adran 'Gohebiaeth Cyfeillion a Chydnabod, 1926-46', tt. 219-255.

[3]   Thomas Parry ac Enid Picton Davies (a ddaeth yn wraig i Tom Parry ar Fai 20, 1936). Sonnir mwy amdano yn yr adran 'Gohebiaeth Cyfeillion a Chydnabod, 1926-46', tt. 198-218.

[4]   Cawn wybod rhagor am hyn yn 'Croeso Dinesig Caerdydd', t. 76-85.

[5]   Sam(uel) Jones. Ar ôl cyfnod o dair blynedd yn athro, trodd Sam Jones ei olygon at newyddiaduraeth a chael swydd ym 1927 ar y *Western Mail* yng Nghaerdydd, a dyna pryd y daeth i adnabod Caradog Prichard a chydweithio gydag ef nes iddo adael ym 1933 ac ennill enw iddo'i hun maes o law gyda'r BBC. Ymddeolodd ar Dachwedd 30, 1963, a bu farw, ym Mangor, ar Fedi 5, 1974. Gw. Evans, R. Alun, *Stand by! Bywyd a Gwaith Sam Jones* (Llandysul, Gwasg Gomer, 1998).

[6]   Y Rhyddfrydwr Richard Thomas Evans (1890-1946).

[7]   Bu Mattie'n ymgeisydd ar ran y Blaid Ryddfrydol mewn etholiadau lleol yn Llundain a hefyd yn ddarpar ymgeisydd seneddol yn etholaeth Caernarfon ym 1963.

[8]   Weithiau'n 'Benji, weithiau'n Benjy' a hyd yn oed yn 'Ben' gan Garadog ar brydiau.

[9]   Newyddiadurwr, darlledwr, golygydd a chynhyrchydd uchel iawn ei barch.

Ganed ef yn Llangybi, Eiifonydd, ym 1914. Parhaodd ei raglen wythnosol ar Radio Cymru, 'Tros Fy Sbectol', am 29 o flynyddoedd a chyhoeddwyd sawl cyfrol o'i sgyrsiau. Bu hefyd yn olygydd *Y Casglwr*, cylchgrawn Cymdeithas Bob Owen, rhwng 1976 a 1991. Treuliodd flynyddoedd olaf ei oes yn Llanrug, a bu farw yn 2004.

10   Ganwyd Selwyn Iolen Griffith (1928-2011) ym Methel, ger Caernarfon, lle bu'n byw am y rhan fwyaf o'i oes cyn symud i Lanrug. Bu'n athro mewn sawl ysgol gynradd cyn cael ei benodi'n Brifathro Ysgol Gynradd Rhiwlas, ar gyrion Dyffryn Ogwen. Cyhoeddodd nifer o lyfrau barddoniaeth i blant ac, ar ôl cipio dros ddeugain o gadeiriau a choronau mewn amrywiol eisteddfodau drwy Gymru benbaladr, enillodd y Goron yn Eisteddfod Dyffryn Conwy 1989 am ei bryddest ar y testun 'Arwyr'. Bu'n Archdderwydd rhwng 2004 a 2009.

11   Cewch ragor o hanes Benji a Wili yn *BaBCP*, tt. 153-7.

12   William Bouverie Carpenter (29/4/46-1/05). Awdur, cofiannydd, darlledwr a cherddor. Mab Harry Carpenter, Esgob Rhydychen. Ganed iddo ef a Mari ddwy ferch, Clare a Kate.

13   Mae dwy fynwent y drws nesaf i'w gilydd yn ardal Coetmor, Bethesda:

(i) Mynwent yr Ymneilltuwyr, a agorwyd ym 1902, bellach dan ofal Cyngor Gwynedd; a (ii) Mynwent Eglwys Goffa Charles Donald Robertson. Yn y fynwent hon y ceir carreg fedd: 'Youngest son of Charles Boyd Robertson and of Adelheid, daughter of Arnold von Rabe of Lesnian, Prussia, and grandson of the Rev. F. W. Robertson, of Brighton. Born September 27, 1879. Fell on Glyder Fach March 25, 1910'. Yn ôl pob sôn, rhoes ei rieni arian i godi Eglwys yn y fynwent ar yr amod fod bedd eu mab, a'r garreg arno, yn wynebu'r mynydd lle collodd ei fywyd. Gosodwyd carreg yn y wal wrth ymyl drws yr Eglwys yn dynodi i'r adeilad gael ei godi er cof amdano ym 1911.

Adran 2a: Croeso Dinesig Caerdydd

1   William Richard Williams, Y.H. Urddwyd ef yn Farchog ym 1930, ac ym 1954, rhoddwyd iddo Ryddfraint Dinas Caerdydd.

2   Llwyddodd sawl bardd (e.e. Cadfan, Wil Ifan, Crwys, Cynan) i ennill tair Coron yn yr Eisteddfod Genedlaethol ond dim ond Caradog Prichard sydd wedi ennill y Goron Genedlaethol dair blynedd yn olynol.

3   Cawn hanes Picton Davies yn yr adran 'Amryw Bytiau o blith Papurau Caradog Prichard' (t. 126-8).

4   John Arthur Sandbrook (1876-1942), cyd-olygydd y *Western Mail* ar y pryd a'r newyddiadurwr uchel ei barch a olynodd Syr William Davies yn olygydd y papur hwnnw ym 1931.

5   Mae'n amlwg na allai'r Maer ei hun fod yn bresennol, fel y ceir gwybod yn y paragraff nesaf.

6   Gw. Nodyn 1 uchod.

7   Hugh Michael Hughes (1858-1933) a aned yn Llanllechid, ger Bethesda. Gweinidog gyda'r Annibynwyr a fu yng Ngholegau Aberystwyth a Chaerdydd ac ennill graddau BA a BD. Bu'n olygydd *Y Tyst* ac yn weinidog Capel Ebenezer, Caerdydd, am bron i ddeugain mlynedd.

8   Ibid.

9   Cyfeiriad at Glwb Pêl-droed Dinas Caerdydd yn ennill Cwpan y Gymdeithas Bêl-droed drwy drechu Arsenal 2-1 ar Ebrill 23, 1927 – y tro cyntaf, a'r unig dro, i dîm y tu allan i Loegr gyflawni'r gamp hon.

10   John John [*sic*] Roberts (1840-1914). Gweinidog gyda'r Methodistiaid Calfinaidd, llenor a bardd. Bu'n feirniad yn yr Eisteddfod Genedlaethol, a chyhoeddodd nifer o lyfrau. Sylwn i'w fab nodi mai *dwy* Goron a enillasai ei dad yn yr Eisteddfod Genedlaethol ond nodir yn y *Y Bywgraffiadur Cymreig hyd 1940* (Llundain, 1953) bod J. J. Roberts wedi ennill y Goron Genedlaethol ym 1890, 1891, 1892 – *deirgwaith yn olynol*, felly. Ond llithriad yw hwn gan mai David Adams (Hawen) a enillodd y Goron ym 1891 am ei bryddest ar y testun 'Oliver Cromwell'.

11   William John Gruffydd (1881-1954), ysgolhaig, bardd, beirniad llenyddol a golygydd. Bu'n ddarlithydd ac yna'n Athro yn Adran y Gymraeg, Coleg y Brifysgol, Caerdydd. Trechodd Saunders Lewis ym 1943 mewn etholiad i fod yn Aelod Seneddol yn cynrychioli Prifysgol Cymru yn San Steffan, swydd a ddaliodd nes diddymu'r sedd ym 1950. Cyhoeddodd nifer o gyfrolau yn ymwneud ag agweddau ar lên Cymru ac roedd hefyd yn fardd cynhyrchiol iawn. Ef oedd golygydd cyntaf *Y Llenor* ym 1922 a chyflawnodd y swydd honno tan 1945 ac wedyn yn gydolygydd gyda T. J. Morgan. Cofir amdano fel beirniad llym ei dafod yn ei nodiadau golygyddol yn *Y Llenor*. Bu'n beirniadu cystadleuaeth y Goron sawl gwaith yn yr Eisteddfod Genedlaethol.

12   Gw. Adran 1b, Nodyn 8.

13   Cyfeiriad ysgafn at y gobaith y byddai Caradog Prichard yn ennill y Goron eto yn Eisteddfod Genedlaethol Llanelli y flwyddyn ganlynol (1930).

Adran 2b: Gwahoddiad David Lloyd George

1   Y tŷ urddasol a gododd David Lloyd George iddo'i hun a'i deulu tua 1908-09, bellach yn Gartref i'r Henoed.

2   Geoffrey Crawshay (1892-1954). Bu'n weithgar a blaengar iawn mewn nifer o feysydd Cymreig a chanddo ddiddordeb byw yn yr Eisteddfod Genedlaethol,

yn aelod o'r Orsedd dan yr enw Sieffre o Gyfarthfa ac yn Arwyddfardd amlwg ei bresenoldeb ar gefn ei geffyl ar faes yr Eisteddfod.

[3]   Un o feibion Lloyd George.

Adran 2c: 'Terfysgoedd Daear' (Cystadleuaeth y Goron 1939)

[1]   Er na chafodd ei chyhoeddi yn y *Cyfansoddiadau a Beirniadaethau*, cafodd weld golau dydd mewn llyfryn tenau dan y teitl *Terfysgoedd Daear: Y Bryddest Ddi-Goron yn Eisteddfod Dinbych 1939*. Dywed Caradog yn *ADA* mai Morris T. Williams oedd yn gyfrifol am gyhoeddi'r bryddest 'yn ei wasg ei hun' (sef Gwasg Gee), a pharatoi copïau i'w gwerthu am chwe cheiniog yr un ar y maes yn ystod wythnos yr Eisteddfod. Ceir ychydig rhagor o fanylion am hyn yn *BaBCP*, tt. 89-90.

[2]   Ysgolhaig a bardd (1885-1956) a aned yn Nolwyddelan. Bu'n ddarlithydd ac yn Athro yn Adran y Gymraeg a'r Ieithoedd Celtaidd yng Ngholeg y Brifysgol Dulyn, swydd y bu ynddi am 40 o flynyddoedd nes iddo ymddeol ym 1955. Enillodd y Gadair yn Eisteddfod Genedlaethol Rhydaman ym 1922 am ei awdl 'Y Gaeaf'. Cyhoeddodd nifer o weithiau ysgolheigaidd yn ymwneud â'r Gymraeg. Bu farw yn Nolwyddelan ym 1956.

[3]   Ni fyddai Caradog Prichard fyth wedi galw ei gyfaill yn 'Mr Professor' ac ni ellir ond amau bod y sawl a olygodd waith Caradog yn y wasg, o weld bod y ddau feirniad arall yn Athrawon, wedi cymryd yn ei ben fod Prosser Rhys hefyd yn Athro.

[4]   Gw. Adran 2a, Nodyn 11.

Adran 2ch: Y 'Professor of Poetry' yn Rhydychen

[1]   Parry, Thomas, *Hanes Llenyddiaeth Gymraeg hyd 1900* (Gwasg Prifysgol Cymru, 1944).

[2]   Dyfynnir barn Caradog Prichard amdano yn *BaBCP*, t. 116.

[3]   Ceir ychydig rhagor o fanylion am ymgyrch Caradog Prichard i fod yn Athro Barddoniaeth Rhydychen yn *BaBCP*, tt. 144-5.

Adran 3: Dau Dystlythyr

[1]   Gw. Adran 1a, Nodyn 6.

[2]   Gw. Adran 1a, Nodyn 5.

[3]   Gw. Adran 1a, Nodyn 4.

[4]   Gw. Adran 1a, Nodyn 3.

[5]   Y Parchedig Ganon Richard Thomas Jones (1862-1917) yw'r gŵr a gaiff ei

bortreadu fel y 'Canon' yn *UNOL*. Gw. *BGIUNOL*, tt. 109-34, am ragor o hanes y Canon a'i deulu.

6   David James Williams (1870-1951), brodor o Gaerffili, ac yn un o 13 o blant. Cafodd radd dosbarth cyntaf yn Rhydychen ym 1893 a'i benodi'n brifathro cyntaf yr Ysgol y Sir newydd ym Methesda ym 1895, swydd y bu ynddi nes iddo ymddeol ym 1933. Bu'n ddiacon mewn dau gapel ym Methesda – Capel Bethesda (A) a Chapel Bethania (A) – a gwnaeth gyfraniad sylweddol i fywyd cymdeithasol y pentref chwarelyddol hwn yn Nyffryn Ogwen.

7   Gw. Adran 1a, Nodyn 14.

Adran 4: 'Dyddiadur' (anghyflawn) o Ionawr 1, 1963, tan Chwefror 6, 1980

1   Oedd, roedd Glyn wedi marw, a hynny ddydd Sadwrn, Mehefin 18, 1960, yn 58 oed, mewn ysbyty yn Winnipeg, Canada.

2   *Y Genod yn ein Bywyd*, a gyhoeddwyd gan Wasg Gee ym 1964. Charles Charman oedd Rheolwr-Gyfarwyddwr y wasg.

3   Roedd yn gas gan Garadog y gŵr hwn ond bu Eastwood yn hael ei ganmoliaeth iddo wrth ysgrifennu amdano ym 1985, gan orffen ei deyrnged fel hyn: 'To the Welsh, Caradog was a poet; to Fleet Street, he was a professional of great ability and enormous charm.' Gw. *BaBCP*, t. 116.

4   Cyfeiriad at y golofn reolaidd a gyhoeddid ym mhapur wythnosol *Y Cymro* ac er mai'r argraff a geir yma yw mai CP oedd awdur colofn 'Mati Wyn o Lundain', mae'n bwysig nodi mai colofn Mattie oedd hi a hi fyddai'n gwneud yr holl ymchwil, cynnal cyfweliadau, etc., ac yna'n cofnodi'r cyfan yn ei llawysgrifen ei hun. Yna byddai Caradog yn golygu'r gwaith, yn cyfieithu lle'r oedd deunydd Saesneg wedi'i gynnwys, ac yn rhoi sglein ar y copi terfynol – gorchwyl yr oedd yn hen gyfarwydd â'i wneud wrth ei waith beunyddiol.

5   Cyfarfod Croeso, a drefnwyd gan Gyngor Dinesig Bethesda, oedd hwn i roi teyrnged i ddau o feibion Dyffryn Ogwen, sef y Prifardd Emrys Edwards a'r Prifardd Caradog Prichard, Emrys wedi ennill y Gadair yn Eisteddfod Genedlaethol Rhosllannerchrugog ym 1961 a Charadog y Gadair yn Llanelli y flwyddyn ganlynol. Ceir hanes yr achlysur hwn, a lluniau, yn *BaBCP*, tt. 139-41.

6   Lled-ddyfyniad o gân yr afon yng Nghaniad Cyntaf pryddest 'Y Briodas'.

7   Capel Bethesda ar Stryd Fawr y pentref a'i enw Hebraeg yn golygu 'Tŷ Trugaredd'. Codwyd adeilad gwreiddiol y capel ym 1820, ar ochr lôn bost newydd Thomas Telford (yr A5) a ddaeth drwy Ddyffryn Ogwen. Cafodd ei ailgodi ym 1828, ei adnewyddu ym 1840 ac eto rhwng 1872 a 1875. Daliai tua 1,000 o bobl – hwn oedd 'Capel Mawr' yr ardal. Daethpwyd â'r achos i ben ym 1988 a'i droi'n nifer

o fflatiau erbyn mis Gorffennaf 1993. Gan ei fod yn adeilad rhestredig, bu'n rhaid cadw'i wyneb ond rhoddwyd iddo enw newydd, sef 'Arafa Don', i goffáu'r cyfansoddwr a'r cerddor, R. S. Hughes (1855-93), a fu'n organydd y capel ac a gladdwyd ym Mynwent Glanogwen, Bethesda.

8   Un o'r 'cymeriadau' diddorol, a gwahanol, hynny a gyfoethogai'r gymdeithas â'u hatebion ffraeth a pharod a'r hynodrwydd diniwed a berthynai iddynt. Roedd Wil, sef William Thomas Jones, yn drwsiwr beiciau a chlociau ac yn crwydro'r ardal gyda'i feic a'i gi bach gwyn ar dennyn. Bu Wil farw ddydd Mawrth, Mai 27, 1980, yn 84 oed.

9   Paentiad o Bont-y-Tŵr (a alwyd yn Bont Stabla yn *UNOL*) a roddwyd yn rhodd i Garadog ar y noson. Gwaith y chwarelwr-arlunydd Tom Parry Jones oedd hwn, anrheg briodol iawn o gofio lle mor amlwg a roes Caradog i'r 'llyn bach diog wrth Bont-y-Tŵr' yng nghân yr afon yn 'Y Briodas'.

10   Roedd Mattie'n Rhyddfrydwraig o'r crud ac wedi ymuno â'r blaid yn lleol er mwyn cael bod yn rhan o'r gweithgareddau. Bu'r fuddugoliaeth annisgwyl yn Orpington yn gyfrwng i'r Blaid Ryddfrydol ymysgwyd i geisio adennill ei safle'n genedlaethol. Cafodd Mattie ei dewis yn ddarpar ymgeisydd yn etholaeth Caernarfon ym 1963, gyda chefnogaeth gref gan Olwen Carey Evans, trydedd ferch David Lloyd George, a chan ei hasiant, y Parchedig Roger Roberts (yr Arglwydd Roberts o Landudno yn ddiweddarach). Roedd holl dreuliau'r ymgyrch yn hynod gostus nid yn unig i Mattie ond i'r Blaid Ryddfrydol hefyd, yn gymaint felly nes y penderfynwyd peidio â mynd ymlaen i ymladd am y sedd.

11   Bu Glenys yn Arolygydd Ysgolion yn Lloegr. Roedd ei brawd, William John Edwards, a oedd yn ddiacon yng Nghapel Bethesda ac yn fawr ei barch yn y Dyffryn, yn un o gyfeillion bore oes Caradog.

12   William John Brown, ei gefnder. Gw. tt. 46-8, 51 uchod a hefyd *BaBCP* (tt. 141-3) am ragor o'i hanes.

13   Ffarm ar lethrau'r Carneddau yn perthyn i Richard Temple Morris. Byddai Caradog, Mattie a Mari yn treulio cyfnodau o wyliau mewn bwthyn o'r enw Tan-y-garth Bach ar dir y ffarm.

14   Eglwys Glanogwen, lle'r âi Caradog bob Sul, yn blentyn ac yn llencyn, a lle bu'n aelod selog o'r Côr.

15   O 'gwastatáu', gair a ddefnyddid yn y chwarel am glirio sglodion llechi o'r gweithle.

16   Gw. Nodyn 12 uchod.

17   Roedd William John, a fuasai'n gweithio yn Chwarel Dinorwig, wedi symud o'r Bwlch Uchaf i fyw yn 7 Vaynol Terrace (Tai Faenol), Deiniolen.

18   Ei gyfeillion yn ystod ei gyfnod yn Nyffryn Conwy. Gw. ambell lythyr oddi

wrthynt yn yr adran 'Gohebiaeth at Garadog Prichard, 1927-33' (tt. 134-136). Am ragor o hanes Ewart a Myf, gweler *BaBCP*, t. 63, a hefyd Atodiad 6, tt. 296-9, yn *BGIUNOL*.

[19] Hon oedd 'Awen o bentre Bethel' y bu Caradog yn ei chanlyn am gyfnod byr pan oedd newydd ddechrau gweithio ar bapurau'r *Herald* yng Nghaernarfon a hithau'n ddisgybl yn chweched dosbarth yr Ysgol Sir. Gyda llaw, Williams oedd ei chyfenw morwynol ond Jones ar ôl iddi briodi â Dafydd Gwyndaf Jones o Rosgadfan. Gw. 'Gohebiaeth Hen Gariadon, 1927' (tt. 161-71).

[20] Lewis Haydn Lewis (1903-85), gweinidog a bardd, a enillodd y Goron yn Eisteddfod Genedlaethol y Barri, 1968, am ei bryddest ar y testun 'Meini'.

[21] Adlais o eiriau cyntaf Awen wrtho pan dynnodd ei sylw i'w gyfarch yn Eisteddfod Genedlaethol y Barri.

[22] Prifathrawes y Cardiff High School for Girls pan oedd Mattie'n ddisgybl yno. Ysgrifennodd Caradog gerdd hyfryd iddi – gw. *BaBCP*, t. 79.

[23] Darlith a draddododd Caradog Prichard yng nghyfres Darlithoedd Llyfrgell Bethesda, 1971. Gw. *BaBCP*, tt. 146-7 am ragor o fanylion.

[24] Man geni Caradog Prichard a hefyd y tŷ lle magwyd y Prifardd Ieuan Wyn.

[25] Ei gyfnither. Merch William Roderick (brawd John, tad Caradog Prichard) oedd Laura. Priododd hi â William Morris Jones, a nhw oedd rhieni William Emyr (a gadwai gysylltiad â Charadog ar hyd y blynyddoedd).

[26] Y llawfeddyg (Cymro o Dredegar) a dynnodd y tyfiant canseraidd o wddw Caradog yn y London Clinic – 'arbenigwr o fri ar anhwylderau gyddfol', ys galwodd Caradog ef yn *ADA*.

[27] Dilynwyd y llawdriniaeth gan gwrs o radiotherapi yn ystod yr wythnosau canlynol.

[28] Does dim ffeithiau na thystiolaeth i brofi bod unrhyw wirionedd yn y 'stori' hon gan Garadog.

[29] Roedd Ronnie Harker yn newyddiadurwr ac yn un o gydweithwyr Caradog.

[30] Cofiaf yr achlysur yn dda! Diwrnod bythgofiadwy sy'n haeddu mwy o le nag sydd ar gael mewn nodyn byr fel hwn.

[31] Dr Linford Rees, hen ffrind i'r teulu. Seiciatrydd blaenllaw yn Ysbyty Bart's yn Llundain, a oedd wedi rhoi triniaeth i Garadog am ei iselder yn y gorffennol ac, yn ôl a gesglir yma, a oedd wrth law pan gafodd Caradog ei dderbyn i'r ysbyty am driniaeth i'r hyn a ganfuwyd i fod yn ganser ar ei ysgyfaint. Roedd meddyg o Gymro arall, John Griffiths, eisoes wedi rhoi llawdriniaeth i Garadog ar ganser y coluddyn mawr ac mae'n debyg y byddai ef a Dr Linford Rees wedi sgwrsio efo'i gilydd yn ei gylch.

Adran 5: Deunydd Amrywiol

1 Mae Caradog yn cyfeirio at yr hyn a ysgrifennodd yn *ADA*: '[C]redaf y byddwn, er enghraifft, yn barod i fod yn ddall o'm babandod pe cawswn fod yn ymgnawdoliad o'r Parchedig John Puleston Jones a byw ei fywyd ef.'

2 William Ewart Roberts, efallai. Gweler hefyd Adran 4, nodyn 18.

Adran 6: Gohebiaeth Gyffredinol at Garadog Prichard, 1927-33

1 Gw. Adran 4, Nodyn 18.

2 Syr William Davies oedd golygydd y *Western Mail*, y gŵr a wahoddodd Caradog Prichard tua diwedd 1927 i ymuno â'i staff a hynny am ddwbl y cyflog yr oedd yn ei dderbyn tra oedd yn gweithio ar *Baner ac Amserau Cymru* yn Nyffryn Conwy.

3 Roedd Dewi Morgan ac Edward Prosser Rhys yn ddau o gyfeillion pennaf Caradog yn ystod y cyfnod pan weithiai ar *Y Faner* yn Nyffryn Conwy.

a) Ceir rhagor am Brosser Rhys yn y bennod sy'n dwyn ei enw yn y gyfrol hon (tt. 219-25).

b) Dewi Morgan (1877-1971), bardd, newyddiadurwr a beirniad. Ef oedd tad y Barnwr a'r gwleidydd craff a galluog, Yr Arglwydd Elystan Morgan, a'i frawd, y cyfreithiwr Deulwyn Morgan.

4 Gw. Adran 1ch, Nodyn 5.

5 Un o Gaernarfon oedd Owain Llewelyn Owain (1878-1956), gohebydd, awdur a cherddor. Bu'n Olygydd *Y Genedl Gymreig* ac ym 1948 cyhoeddodd ei gyfrol ar *Hanes y Ddrama yng Nghymru, 1850-1943*.

6 [Syr] Robert John Webber (1884-1962), newyddiadurwr. Daeth yn Rheolwr Cynorthwyol ar y *Western Mail* ac yn ddiweddarach yn Gydreolwr-Gyfarwyddwr gyda Syr William Davies. Urddwyd ef yn Farchog ym 1934. Bu ei fab, Frank Edward (1893-1963) yn Rheolwr Cyffredinol y *Western Mail* ac yn ddiweddarach yn Gyfarwyddwr ac yn Is-Gadeirydd.

7 Mae Cassie Davies yn amlwg yn cyfeirio at adolygiad W. J. Gruffydd yn *Y Llenor*, Cyf. VII, Rhif 3, Hydref 1928 (tt. 189-92), lle rhoddir sylw manwl i 'Penyd', pryddest fuddugol Caradog am y Goron yn Eisteddfod Genedlaethol Treorci 1928. Ac fel y cawn weld wrth roi sylw isod i ohebiaeth W. J. Gruffydd at Garadog Prichard, cydnebydd Gruffydd y llythyr a anfonasai Caradog ato.

8 Roedd Thomas John Morgan (1907-86) yn Athro yn Adran y Gymraeg Coleg Prifysgol Abertawe rhwng 1961 a 1975. Mae'n debyg mai un o'i weithiau mwyaf adnabyddus yw *Y Treigladau a'u Cystrawen* (Gwasg Prifysgol Cymru, 1952). Ym 1935, priododd Huana Rees (y cyfeiria ati yn ei lythyr at Garadog) a

chawsant ddau fab, yr hanesydd Prys Morgan (a aned ym 1937) a'r gwleidydd Rhodri Morgan (1939-2017).

9   Gw. Nodyn 5 uchod.

10 Gwilym D. Williams, o Gwm y Glo, oedd hwn, un o gydweithwyr Caradog ar yr *Herald* yng Nghaernarfon ac ef a anfonwyd i lenwi'r bwlch yn Nyffryn Conwy pan ymunodd Caradog â'r *Faner*. Ceir ychydig o'i hanes yn *BaBCP* (tt. 66-7).

11 Bu farw ychydig ddyddiau ar ôl cael ei glwyfo ar Awst 30, 1918, a chladdwyd ef ym Mynwent Brydeinig Geuxin Court, ger Doubleus, Ffrainc.

12 Sonnir yn *UNOL* am 'Mister Vinsent Bank a'i wraig a'u hogyn bach, Cyril'. Fel y dangosais yn y bennod â'r teitl hwnnw yn *BGIUNOL*, seiliwyd y teulu hwnnw ar deulu go iawn yn Nyffryn Ogwen. 'Cyril' oedd Noel Lloyd a briodasai ferch Roger Evans.

13 Huw Robert Jones (1894-1930), Deiniolen, Ysgrifennydd Cyffredinol cyntaf Plaid Cymru.

14 John Tudor Jones (John Eilian) a chyfeiriad at y gyfrol o farddoniaeth, *Gwaed Ifanc* (Wrecsam, 1923), a gyhoeddodd ar y cyd ag E. Prosser Rhys. Gw. hefyd, Nodyn 10 yn Adran 1a a 'Gohebiaeth John Eilian', tt. 188-197.

15 Gw. Nodyn 3 uchod.

16 Gw. Adran 1a, Nodyn 12.

17 Yn y llythyr hwn y ceir yr unig gyfeiriad at ladron yn ymosod ar Garadog.

18 Roedd y Parchedig R. G. Berry (1869-1945), yn enedigol o Lanrwst; awdur a dramodydd, a gweinidog gyda'r Annibynwyr.

19 William Llewelyn Davies (1887-1952). Llyfrgellydd y Llyfrgell Genedlaethol o 1930 hyd at ei farw ym 1952.

20 Tom Macdonald (1900-1980), a dreuliodd ryw ddeugain mlynedd yn newyddiadurwr a golygydd papurau-newydd yn Lloegr, Tsieina, Awstralia a De Affrica, cyn dychwelyd i Gymru i ymddeol ym 1965. Cyhoeddodd nifer o lyfrau yn Saesneg ac, yn Gymraeg – e.e., *Y Tincer Tlawd* (1971), *Y Nos Na Fu* (1974), a *Gwanwyn Serch* (1982), sef cyfrol o'i atgofion a gyhoeddwyd ar ôl ei farw.

21 Golygydd a rheolwr y *Cambrian News*. Gw. rhagor am Robert Read yn y bennod ar Edward Prosser Rhys, t. 219-25.

22 William Anthony Davies (1886-1962). Wedi colli ei law chwith mewn damwain yn ei gartref, trodd ei olygon at newyddiaduraeth. Bu'n gweithio ar y *South Wales Daily News*, ar y *Daily Sketch* yn Llundain ac yna'r *Daily News* (a drodd yn *News Chronicle* maes o law). Roedd ei golofn wythnosol yn y papur hwnnw, dan yr enw 'Llygad Llwchwr', yn hynod boblogaidd ac yn amlygu ei gariad at

Gymru, ei phobl a'i diwylliant. Bu'n is-olygydd, prif is-olygydd, golygydd nos, a golygydd cynorthwyol y *News Chronicle* ac roedd Caradog yn amlwg yn gweld gobaith y gallai Cymro mor dwymgalon ei helpu i gael gwaith ym mhrifddinas Lloegr. Ar ôl iddo ymddeol, a symud i Gaerdydd ym 1953, bu farw Margaret, ei wraig gyntaf. Ym 1958, ailbriododd ag Eirene Hughes (gweddw'r llenor, T. Rowland Hughes).

23   Wedi holi dau o'm cyfeillion yng Nghaerdydd, sef y Parchedig Ddr R. Alun Evans a'r Athro John Gwynfor Jones, cadarnhawyd fy amheuon na fu erioed Gapel Seion yn Roath Court Place.

Adran 7: Gohebiaeth Hen Gariadon 1927-9

1   Merch Hugh a Margaret Williams, Rhyd y Galen, Bethel, a aned ar Awst 21, 1906. Bu farw Mai 25, 1975, yn 68 oed. Ceir rhagor o hanes Awen yn *BaBCP*, tt. 50-1 a 144.

2   Mae'n bur debyg mai cyfeirio y mae at ei ddiota – a barodd iddi anfon ato lythyr yn cynnwys y 'Cyngor a Cherydd a Ffarwel' a thorri cysylltiad ag ef pan aeth i'r Coleg Normal ym Mangor i'w hyfforddi i fod yn athrawes.

3   Meddai Caradog, yn *ADA* (t. 53): 'Eisteddais ... i lawr y noswaith honno ... a sgrifennu rhes o benillion yn moli prydferthwch digymar Awen, ei rhinweddau angylaidd a'm serch difarw tuag ati. A'u hanfon iddi i'r ysgol trwy law Iorwerth, fy llatai o'r llety ...'. Dyna'r penillion sydd gan Awen dan sylw. Gwaetha'r modd, ni lwyddais i ddod o hyd i gopi!

4   Cafodd ei swydd gyntaf yn athrawes yn Ysgol Gynradd Rhosgadfan.

5   Cawsai'r Goron ynghyd ag £20 yn wobr yn yr Eisteddfod yn Nhreorci.

6   Un doniol, un digri, un rhyfedd ...

7   Er chwilio, ni ddaeth y penillion hyn i'r golwg.

Adran 8a: Gohebiaeth W. J. Gruffydd, 1928

1   Gw. Adran 2a, Nodyn 11.

2   Cadwyd y llythyr hwn ymhlith y casgliad o Bapurau W. J. Gruffydd yn Llyfrgell Genedlaethol Cymru.

Adran 8b: Gohebiaeth W. Roger Hughes, 1932

1   Gw. Adran 1a, Nodyn 10.

2   Cyhoeddwyd y gyfrol fach hon ym 1932, ac fe'i disgrifiwyd gan Syr Thomas Parry fel 'Casgliad bychan o'i farddoniaeth, yn cynnwys awdl a phryddest eisteddfodol a nifer o delynegion mwy gwrthrychol na llawer o gerddi cyffredin

y cyfnod'. Mae'n werth cofnodi'r englyn a ganlyn a ysgrifennodd yn dilyn marwolaeth ei fam, Jane Ann, ar Hydref 30, 1949, yn 80 oed. Cerfiwyd yr englyn ar ei charreg fedd:

> Yma y mae fy mam i – bu annwyl,
> > Bu unwaith yn heini;
> Hi erys, er ei hoeri,
> Yn fyw o hyd ynof i.

Wyth mlynedd yn ddiweddarach, collodd Roger Hughes ei dad a gwelodd yn dda i'w goffáu yntau gydag englyn, eto wedi'i gerfio ar yr un garreg fedd:

> Yma o'i hynt y mae yntau – fy nhad
> > A fu'n hoyw ei ddoniau;
> Dduw, dy help i rinwedd dau
> Fyw ynof tra bwyf innau.

3   Cofir ef, yn bennaf, am ei waith arloesol gyda'r BBC. Gw. Adran 1ch, Nodyn 5.

Adran 8c: Gohebiaeth Albert Evans Jones (Cynan)

1   'Syr Cynan Evans Jones' ar ôl cael ei urddo'n Farchog ym 1969.

2   Cyfeirir at Eisteddfod Aberafan 1933 ond, yn rhyfedd iawn, sylwn mai '[19]32' yw'r dyddiad a roes Cynan ar frig ei lythyr at Garadog.

3   Mae'n amlwg bod Prosser Rhys, golygydd *Baner ac Amserau Cymru* ar y pryd, wedi gofyn i Garadog Prichard a Chynan am gopi o'u beirniadaethau ymlaen llaw er mwyn iddo gael achub y blaen ar unrhyw bapur arall gyda'i adroddiad.

4   Wil Ifan oedd y trydydd beirniad ar y bryddest. Gw. Adran 1b, Nodyn 8.

5   Dyna ffugenw'r bardd yr oedd Cynan yn ei ffafrio yng nghystadleuaeth y Goron yn Aberafan, sef D. R. Griffiths (Amanwy), brawd y gwleidydd James Griffiths, o Rydaman.

6   Sef, o'i gyfieithu, 'Nid oes dadl ynglŷn â chwaeth'.

Adran 8ch: Gohebiaeth John Tudor Jones (John Eilian)

1   Gw. Adran 1a, Nodyn 10.

2   Ganed Hywel yn Llundain ym mis Ionawr 1944.

3   Ger Amlwch, Sir Fôn. Yn yr eglwys hon y priododd Thomas Jervis ag Elizabeth Thomas, modryb Gwen (chwaer ei thad) ac ym mynwent yr eglwys hon y claddwyd John Eilian. Roedd Thomas Jervis yn Brifathro Ysgol Penysarn cyn

symud i Fethesda i fod yn bennaeth Ysgol y Gerlan ac wedyn Ysgol Glanogwen (lle'r oedd Caradog Prichard yn ddisgybl).

Adran 8d: Gohebiaeth Thomas Parry

1   Gwastad faes: cartref (dan rent) Richard a Jane Parry (rhieni Tom). Roedd y teulu wedi symud yno o Frynawel ym 1922 ac wedyn, ymhen rhai blynyddoedd, wedi symud yn ôl i Frynawel.

2   *Y Llenor*. Cylchgrawn chwarterol, dan olygyddiaeth W. J. Gruffydd. Yng Nghyfrol VII, Rhif 2, Haf 1928, t. 71, ymddangosodd cerdd gan R. Williams Parry 'Trwy'r Sbienddrych' a gyhoeddwyd ganddo'n ddiweddarach yn *Cerddi'r Gaeaf* (t. 7), ym 1952. Ni newidiwyd dim ar gynnwys y gerdd ond cafodd deitl fymryn yn wahanol, sef 'Sgyfarnog Trwy Sbeinddrych'.

3   R. I. Aaron. Cyfeirir at erthygl ganddo, 'Dylanwad Plotinus ar Feddwl Cymru', yn *Y Llenor*, Cyf. VII, Rhif 2, Haf 1928, tt. 115-26. Roedd Richard Ithamar Aaron (1901-1987), yn cael ei gydnabod yn arbenigwr ar John Locke. Bu'n ddarlithydd yn Adran Athroniaeth Coleg y Brifysgol, Abertawe, cyn cael ei benodi'n Athro Athroniaeth yn Aberystwyth.

4   Gw. Adran 1ch, Nodyn 5.

5   Idwal (Idwal Jones). Mewn cyfrol fach werthfawr a olygwyd gan John Roberts Williams ac a gyhoeddwyd gan Wasg Gee, Dinbych, ym 1972, dan y teitl *Atgofion*, ymddangosodd pedwar 'atgofiant' (gair y golygydd) yn enw Kate Roberts, Thomas Parry, William Morris a John Gwilym Jones. Wedi crybwyll bod Caradog Prichard a Sam Jones (gw. Adran 1ch, Nodyn 5) yn byw yn yr un stryd, sef Tewkesbury St, yng Nghaerdydd, dyma a ddywed Tom Parry am Idwal Jones: 'Ym mhen arall y dre, ac yn weledig mewn sefydliad arbennig yn St Mary St bob nos Sadwrn, yr oedd Idwal Jones ... o Ben-y-groes ac un ... o weision y Bwrdd Iechyd, gŵr y canodd R. Williams Parry englyn coffa iddo *cyn* ei farw pan oedd sôn fod mynwent Macpela, Pen-y-groes, yn wlyb iawn:

> Yfodd a fedrodd tra fu – o gwrw,
>   A gwariodd nes methu;
>   Carai dast y cwrw du –
>   Mewn dŵr y mae'n daearu.'

6   Mae'n debyg mai cyfeirio a wna at ei fwriad ef ac R. H. Hughes i drosi *Hedda Gabler* (Ibsen) ar gyfer Cymdeithas Ddrama Coleg Prifysgol Bangor; cyhoeddwyd y gwaith hwnnw ym 1930. Ceir cyfeiriad arall at hyn mewn llythyr dyddiedig Gorffennaf 31, 1929, oddi wrth Tom Parry at Garadog (gw. isod).

7   Nid oes amheuaeth nad yw'r holi am Dreorci yn gyfeiriad at Eisteddfod Genedlaethol 1928 yn y dref honno ac mae'n amlwg bod Tom Parry yn gwybod

bod Caradog wedi cystadlu am y Goron. A'r flwyddyn honno, wrth gwrs, yr enillodd ei ail Goron am ei bryddest 'Penyd'.

8   Enid oedd merch Owen a Jane Picton Davies, a'i thad yn un o gydweithwyr Caradog Prichard ar y *Western Mail* ac awdur *Atgofion Dyn Papur Newydd* (Lerpwl, 1962). Roedd Tom wedi dechrau canlyn Enid ychydig wythnosau cyn iddo adael Caerdydd ym 1929 ond ni phallodd ei gariad tuag ati a gwnâi bob ymdrech i'w gweld cyn amled ag y gallai a phryd bynnag yr oedd amgylchiadau'n caniatáu iddynt eu dau ddod ynghyd. Priodasant yng Nghapel Ebeneser, Caerdydd, ar Fai 20, 1936. Am ragor o fanylion, gw. cyfrol gynhwysfawr Derec Llwyd Morgan, *Y Brenhinbren – Bywyd a Gwaith Thomas Parry 1904-1985*, Gomer, 2013.

9   Wil John/wiljonparri. Meddai Thomas Parry wrth sôn am William John Parry o Ben-y-groes yn ei atgofiant (t. 50) yn *Atgofion*, a olygwyd gan John Roberts Williams: 'Roedd o ychydig flynyddoedd yn hŷn na mi, ac yn rhyw fath o glarc ym Mwrdd Iechyd Cymru. Roedd o wedi gadael yr ysgol elfennol yn bedair ar ddeg ac wedi ymuno â'r fyddin cyn bod yn ddeunaw, trwy ddweud celwydd, ac wedi bod yn Ffrainc ynghanol y mwd a'r gwaed i gyd. Roedd o wedi darllen yn helaeth ar ei liwt ei hun, yn Fedyddiwr selog ac yn weddïwr cyhoeddus huawdl. Ond roedd hefyd yn ymgomiwr digymar ac yn llawn doniolwch ... Un o ergydion creulonaf fy mywyd i oedd ei farw sydyn ym 1946 ...'. Ychwanega Derec Llwyd Morgan yn *Y Brenhinbren* (t. 51): 'Diau mai ymgais i fynegi cyflymder parabl W. J. Parry oedd arfer diweddarach Tomos o ysgrifennu'i enw fel wilijohnparri [*sic*]'.

10   Cyfeirir at y gwahoddiad a gawsai Caradog Prichard, Prosser Rhys, Cynan, ac eraill i aros yn Bryn Awelon, cartref David Lloyd George yng Nghricieth, yn dilyn llwyddiant Caradog yn ennill ei drydedd Goron. Cafwyd rhagor o hanes yr ymweliad hwn yn y bennod 'Gwahoddiad David Lloyd George', tt. 86-8.

11   Cyfeiriad at y cyfarfod yng Ngorsaf Reilffordd Caerdydd i groesawu Caradog yn ôl o Lerpwl yn dilyn ei fuddugoliaeth yn ennill Coron yr Eisteddfod Genedlaethol. Gw. y bennod 'Croeso Dinesig Caerdydd', tt. 76-85 a *BaBCP*, tt. 84-5.

12   Cymeriadau yn awdl 'Yr Haf', R. Williams Parry (a enillodd y Gadair iddo yn Eisteddfod Genedlaethol Bae Colwyn, 1910) yw Rhiain yr Haf a'r Brawd Llwyd. Yn y cyswllt hwn, Enid, wrth gwrs, yw Rhiain yr Haf, a Thomas Parry ei hun yw'r Brawd Llwyd. Mae'r frawddeg yn cyfeirio hefyd at un o linellau awdl 'Yr Haf', sef 'Fe'i gwelwyd yng ngwlad y pomgranadau' (sef rhyw fath o fro hud).

13   Sef 'Y Gân ni Chanwyd', y bryddest a enillodd iddo'r Goron yn Eisteddfod Genedlaethol Lerpwl y flwyddyn honno.

14 Cyfeiriad at y croeso 'dinesig' a gawsai Caradog ar ôl ennill y Goron yn Lerpwl. Mae'n debyg mai mewn llythyr oddi wrth Enid y cawsai Tom yr hanes.

15 Ni wn pwy yw'r 'Macwy'.

16 Sam Jones (y BBC wedyn). Gw. Adran 1ch, Nodyn 5.

17 R. Meirion Roberts (1906-1967). Brodor o Landrillo ym Meirionnydd, gweinidog, athronydd a bardd. Awdur dwy gyfrol o farddoniaeth: *Plant y Llawr* (1946) ac *Amryw Ganu* (1965).

18 'Yr wylaidd benddu lygeitu' oedd Enid a'r 'wylaidd benfelen lygeitlas' oedd Mattie.

19 Byddai'n ddiddorol gwybod pam y mae'n swnio mor falch fod W. J. Parry yn symud i Wrecsam!

20 [*Yr*] *Efrydydd*: Disgrifid y cyhoeddiad hwn ar ei glawr fel a ganlyn: 'Cylchgrawn misol o dan nawdd Mudiad Cristnogol y Myfyrwyr ac Urdd y Deyrnas a than olygyddiaeth J. Morgan Jones, Bangor'. Yng Nghyfrol VI, Rhif 6 [Cyfres Newydd], Mawrth 1930, tt. 155-160, cawn ysgrif R. Meirion Roberts, 'Dwy Gân Mr Caradog Prichard'. Mae'n amlwg, felly, fod Caradog wedi rhoi'i ganiatâd i'r awdur ei hanfon at y golygydd i'w chynnwys yn y cylchgrawn.

21 25 Roath Court Place, Caerdydd, lle'r oedd teulu Picton Davies yn byw.

22 Gall y llawysgrif a drowyd yn llyfr gyfeirio at *Adysgrifau o'r Llawysgrifau Cymraeg, VI Peniarth 49*, Caerdydd, 1929, a gopïwyd ac a olygwyd gan Thomas Parry.

23 Mae'n deg cymryd mai Enid yw'r 'ferch' dan sylw!

24 Cyhoeddodd Thomas Parry ysgrifau ar yr hynafiaethydd, ysgolhaig a meddyg hwn a rhoes sylw dyledus iddo hefyd yn ei gyfrol *Hanes Llenyddiaeth Gymraeg hyd 1900* (Gwasg Prifysgol Cymru, 1944).

25 O'r geiriau 'Diddorol yw dychmygu'r dathlu yn 1950 ...' hyd at '... Felly ystyriwn bethau mwy sylweddol', cawn Tom Parry yn 'dyfalu' sut y gallai Caradog a'i deulu fod ymhen ugain mlynedd. Mae'n ddyfaliad ysgafn a doniol ac mae'n siŵr y byddai Caradog Prichard wedi bod wrth ei fodd yn ei ddarllen.

26 Anodd gwybod pwy oedd yr 'ef' hwn (onid cyfeiriad ysgafn at Garadog ei hun, efallai!).

27 Uwchben y 'dwy em', ceir 'dau –'. Yn ôl *Geiriadur Prifysgol Cymru*, gall 'gem' fod naill ai'n fenywaidd neu'n wrywaidd, ond 'alla i ddim meddwl y byddai Tom Parry yn 'herio' '*dwy* em' Syr John Morris-Jones!

28 Gw. Adran 2b, Nodyn 2.

29 Cyfeiriad coeglyd at Garadog Prichard ac E. Prosser Rhys.

30 Timothy Lewis (1877-1958). Darlithydd yn Adran y Gymraeg yng Ngholeg y

Brifysgol, Aberystwyth. Cyhoeddodd *A Glossary of Mediaeval Welsh Law* ym 1913, *A Welsh Leech Book* ym 1914, *Beirdd a Bardd-rin Cymru Fu* ym 1929 a *Mabinogi Cymru* ym 1931.

31   Cyfeirir at erthygl a ymddangosodd dan y pennawd 'Gorsedd Narberth' ar dudalennau 115-26 y rhifyn a nodir o'r *Llenor*. Trafod Gorsedd Beirdd Ynys Prydain a wna Henry Lewis, mewn gwirionedd, a'i beirniadu'n hallt a diflewyn-ar-dafod, gyda gosodiadau deifiol fel a ganlyn: 'mor dila yw'r sefydliad gorseddol … Fe'i sefydlwyd ar dwyll a chelwydd, fe'i hamddiffynir heddiw yn yr un modd' a chrynhoi ei sylwadau drwy alw'r Orsedd yn 'rhyw sefydliad tair a dimai y mae'r genedl yn gwastraffu tri chant o bunnoedd arno'. A dyna greu helynt, helynt yr ymhelaethir arni gan Alan Llwyd, gyda'i drylwyredd arferol, yn *Blynyddoedd y Locustiaid : Hanes Eisteddfod Genedlaethol Cymru 1919-1936* (Cyfres Hanes yr Eisteddfod Genedlaethol), tt. 57-62, Cyhoeddiadau Barddas, 2007.

32   Howell Elvet Lewis (1860-1953), gweinidog, emynydd a bardd. Archdderwydd 1924-28.

33   Maurice Jones (1863-1957), brodor o Drawsfynydd. Offeiriad a Phennaeth Coleg Dewi Sant. Aelod o Orsedd y Beirdd a'i Thrysorydd rhwng 1925 a 1938, Bardd yr Orsedd a Derwydd Gweinyddol o 1947 tan 1957.

34   John Jenkins (Gwili) (1872-1936). Brodor o Hendy, Sir Gaerfyrddin. Diwinydd, bardd a llenor. Archdderwydd 1932-1936.

35   Mae'n eithaf tebygol (er na ellir bod yn *gwbl* sicr) mai Gwilym Rhug (William Edward Williams, o Lanrug) oedd y Cofiadur hyd at 1931 pan olynwyd ef gan Gwylfa (Y Parchedig Gwylfa Roberts). Yn ôl cofnodion sydd ym meddiant fy nghyfaill, Dyfrig Roberts (Dyfrig ab Ifor, Arwyddfardd presennol yr Orsedd), ni ddaliodd Gwilym Rhug y swydd yn hir gan nad oedd yn gryf ei iechyd a bu farw'n gymharol ieuanc ym 1931.

36   Gw. Adran 1b, Nodyn 8.

37   Dynwarediad ysgafn o 'JT a Lilian' a chyfeiriad at y ffaith fod John Eilian a Lilian, ei briod, yn disgwyl eu plentyn cyntaf, sef Nia, a aned ym 1933.

38   Ystyr y geiriau Lladin hyn ydi: 'Mae cariad yn trechu popeth'.

39   Cyfeiriad ysgafn at ffrind iddyn nhw eu dau, sef William John Parry – gw. Nodyn 9 uchod.

40   'Dy Fattie di'. Mae 'dau' yn hen ffurf ar y rhagenw blaen (sef 'dy') ac yn dilyn yr enw.

Adran 8dd: Gohebiaeth Edward Prosser Rhys

[1] Gw. Adran 1a, Nodyn 14.

[2] Gw. Adran 8d, Nodyn 34.

Adran 8f: Gohebiaeth Morris T. Williams

[1] Deuthum o hyd i gerdd 'Y Lili', yn llyfr llofnod Eleanor. Cerdd a ysgrifennodd Caradog yn benodol iddi hi oedd hon ym mis Ebrill 1923 ac fe'i dyfynnais yn llawn yn *BaBCP* (t. 56). Rhwng tudalennau 55 a 59 yn y gyfrol honno, hefyd, ceir rhagor o hanes carwriaeth y ddau.

[2] Cyhoeddwyd y gerdd hon gyntaf yn *Canu Cynnar* (1937). Fe'i cyhoeddwyd hi hefyd yn *Cerddi Caradog Prichard – y Casgliad Cyflawn* (Abertawe, 1979) ac wrth ei hymyl yng nghopi personol Eleanor roedd hi wedi ysgrifennu: 'Morris – wedi dwyn ei gariad'. Am ragor o fanylion a chopi o'r gerdd, gw. *BaBCP* (tt. 58-9).

[3] Gw. Adran 8d, Nodyn 34.

[4] Roedd William Evans (Wil Ifan, gw. Adran 1b, Nodyn 8) a W. J. Gruffydd (gw. Adran 2a, Nodyn 11) yn feirniaid cystadleuaeth y Goron yn Eisteddfod Genedlaethol Treorci ym 1928. Y trydydd beirniad, na chrybwyllir mohono, oedd Rhuddwawr, sef John Evan Davies (1850-1929), gweinidog gyda'r Methodistiaid Calfinaidd, awdur sawl cyfrol a chyfrannwr cyson i'r *Geninen*. Enillodd y Goron yn Eisteddfod Genedlaethol Llanelli, 1903, ar y testun 'Y Ficer Prichard'.

[5] Pa ryfedd iddo ddweud hynny – roedd Kate Roberts ac yntau'n priodi ar Ragfyr 23, 1928.

[6] 'Asynnod' oedd y gair a ddefnyddiodd Caradog i ddisgrifio aelodau'r Orsedd ym 1927.

Adran 8ff: Gohebiaeth Kate Roberts

[1] Emrys James, wrth gwrs, oedd Dewi Emrys, a enillodd y Gadair yn Lerpwl gyda'i awdl 'Dafydd ap Gwilym'.

Adran 9: Llythyrau Caradog Prichard at Mattie o'r India

[1] Mae sawl cyfeiriad yn y llythyrau at y 'cottage', sef 5 Fron-bant, yn y Gerlan, Bethesda, a rentiai Caradog yn ystod y Rhyfel ac a fu'n lloches i Mattie a'i rhieni yn ystod y cyfnod helbulus hwnnw. Am ragor o fanylion, gw. *BaBCP*, tt. 91, 96, 98, 101.

Ymhlith papurau Caradog Prichard, ceir llythyr, dyddiedig Hydref 4, 1947, oddi wrth H. Wilson ynghyd ag anfoneb am ddefnyddiau oddi wrth G.

Jones, 'General Ironmonger and Hardware Dealer, Eryri Stores, High Street, Bethesda'. Cyfeirwyd y llythyr at 'Mr Evans', sef J. W. Evans, tad Mattie, ac mae'n amlwg bod Mr Wilson yn byw yn y bwthyn, yn talu rhent i dad Mattie ac, yn ôl a welwn yn y llythyr a ganlyn, yn gallu troi ei law at wneud gwaith ar y bwthyn, a chael gostyngiad yn ei rent yr un pryd.

Amgaeodd Mr Wilson fil o £2.5.2 am y defnyddiau a chweugain am ei lafur, cyfanswm o £2.15.2, a thynnodd y swm hwnnw o'r £5.5.0 oedd yn ddyledus ganddo am 5 wythnos o rent am y bwthyn. Meddai yn ei lythyr:

Enclosed is the balance from five weeks rent, which I think is correct for the month of September is it not? I have enclosed a statement, and receipt for the goods used, together with the cost of putting up the plaster board in the kitchen, and fitting the letter box to the front door, I hope you will consider my charges reasonable, if not, then please tell me when next you write. The letter box certainly looks very smart, and can be plainly seen from the main road, especially on these lovely sunny days we are being blessed with at the moment.

We are pleased that you got the plums and damsons safely, and that you enjoyed them … I think I told you that the plaster board has now been finished in the kitchen, and all that remains to do is to paper up the small gaps, which I'm afraid were inevitable, owing to the building being anything but a perfect square, and then we shall white-wash it all over. Everyone who has seen it since it was covered in, agrees that it makes it so much more snug and cosy.

We intend making a start on the little room next week, and when finished should, we think, look very nice indeed. I am enclosing herewith also a photo of the cottage taken during the sunny spell, hope you like it … I contemplate starting on the garden next week too, so until that is all dug over and cleaned up, I shall be plenty busy, as you can guess, knowing the size thereof.

2 'David' oedd y nofel na lwyddodd Caradog i'w gorffen pan oedd yn yr India a hyd y gwyddom, ni ddaeth â hi'n ôl gydag ef o'r India! Mae ganddo sawl cyfeiriad ati yng nghorff ei lythyrau at Mattie ond rhaid crybwyll un llythyr neilltuol, dyddiedig 'Nov. 14, 1945', lle mae'n sôn am ferch o Tsieina, a weithiai yn yr un adeilad ag ef, yn galw yn ei swyddfa tra oedd yn gweithio ar ei 'nofel'. Cymer hithau ddiddordeb yn ei waith a dechrau'i ddarllen yn uchel; dywed Caradog fod ei chlywed yn darllen am Fethesda yn ei Saesneg benthyg yn ei daro'n chwithig. Mae hyn yn ein hatgoffa am ddogfen anorffenedig, o ryw saith tudalen yn llawysgrifen Caradog, a geir ymhlith ei bapurau yn y Llyfrgell Genedlaethol (LLGC Caradog Prichard 525), dan y teitl, 'Dafydd, Tyrd Adref'. Sonnir am ddwy wraig yn sgwrsio â'i gilydd mewn Pentref, na roddir iddo enw. Cawn wybod bod gŵr un ohonynt wedi'i ladd yn y chwarel ac eir ymlaen i drafod llythyr a dderbyniasai oddi wrth ŵyr iddi sy'n gwasanaethu gyda'r

Lluoedd yn yr India tua diwedd yr Ail Ryfel Byd. Mae'r ieithwedd a'r arddull yn ddrych o'r un nodweddion yn *Un Nos Ola Leuad* – tybed ai trosiad neu addasiad cynnar o 'Dafydd, Tyrd Adref' oedd 'David'; a thybed nad dyma egin yr hyn a droes i fod y nofel Gymreig orau erioed?

3   On'd oedd o'n un hael ei 'awgrymiadau' (neu orchmynion!) ac yn dirprwyo cyfrifoldebau hyd yn oed o'r India bell! Cawn ragor o hyn yma ac acw yng ngweddill ei lythyrau.

4   Willie/Wil(i) Rowlands oedd un o'i ffrindiau bore oes a'r gŵr a drefnodd ddeiseb 'Save our Soldier' i gyflwyno achos i'r Weinyddiaeth Ryfel rhag anfon Caradog i faes y gad yn ystod yr Ail Ryfel Byd ('unless it is absolutely necessary'). Ceir rhagor am hynny yn *BaBCP*, tt. 96-97.

5   Gw. Adran 4, Nodyn 29.

6   Acronym oedd ITMA am 'It's That Man Again', comedi radio ar y BBC (rhwng 1939 a 1949) a ddarlledwyd o stiwdio'r BBC ym Mangor yn ystod cyfnod y Rhyfel. Y 'That Man' oedd Adolf Hitler ond aethpwyd i'w ddefnyddio i gyfeirio at seren y rhaglen, sef Tommy Handley.

7   Martin's Bank Limited, Llundain.

8   Syr Rhys Hopkin Morris (1888-1956), gwleidydd a fu'n aelod seneddol Rhyddfrydol rhwng 1923 a 1932 ac eto rhwng 1945 a 1956. Aeth i Kings College, Llundain, i astudio'r gyfraith. Daeth yn Gyfarwyddwr Rhanbarthol y BBC yng Nghymru ym 1936.

9   Alun Bennett Oldfield Davies (1905-1988). Athro, darlledwr, trefnydd rhaglenni radio'r BBC i ysgolion, ac ym 1945, cafodd swydd Hopkin Morris yn Gyfarwyddwr Rhanbarthol y BBC yng Nghymru cyn i deitl ei swydd newid, ym 1948, yn Bennaeth y Gorfforaeth yng Nghymru.

10   'David' y nofel eto.

11   Yn dilyn difrod i Bencadlys y BBC gan fomiau'r Almaenwyr ym mis Rhagfyr 1940, symudodd Gwasanaeth y BBC i Ewrop i Bush House yng nghanol Llundain. Dilynwyd hynny gan Wasanaeth Tramor y BBC ym 1958 a daeth Gwasanaeth y BBC i'r Byd i weithredu o Bush House hefyd.

12   Mae Mari'n cofio Queenie Betts fel hen ffrind i'r teulu pan oedd Caradog a Mattie'n byw yn Golders Green.

13   Fel Siôn Pitar y cyfeiria Caradog ato'n aml, prentis o fferyllydd a gydletyai â Charadog yn 7 Margaret Street. Ceir rhagor amdano yn *BaBCP*, tt. 49, 101-103, 109, a 134.

14   Gw. Nodyn 4 uchod.

15   Gw. Adran 6, Nodyn 21.

16   Bûm yn chwilio'n hir i geisio canfod pwy oedd y bachgen ifanc y gallai Caradog

fod yn cyfeirio ato, a throi yn y pen draw at André Lomozik, perthynas i mi o Fethesda, sy'n gyfrifol am golofn fisol yn *Llais Ogwan* (papur lleol Dyffryn Ogwen) yn olrhain hanes hogiau ifanc yr ardal a laddwyd yn y ddau Ryfel Byd. Dim ond un cofnod a ddarganfu sy'n cydweddu â'r manylion prin a chynnil yn llythyr Caradog ac mae'n ymddangos y gallai André fod wedi datrys y dirgelwch. Dyma'r manylion: bu farw Caradoc Roberts, a oedd yn Gorporal yn y Royal Airforce Volunteer Reserve, ar Orffennaf 1, 1942. Roedd yn 31 oed, yn ŵr i Jane Ann (Jeannie) Roberts ac yn fab i William R. a Margaret Roberts, o Fethesda. Claddwyd y gŵr ifanc hwn ar Orffennaf 3 yn y Sai Wan War Cemetery, Tsieina. Dylid crybwyll yr arfer o droi 'William' yn 'Gwilym'. Gallaf yn awr gadarnhau bod manylion André yn gywir gan i mi gael sgwrs â nai Caradoc Roberts, sef Dr Dafydd Roberts, sydd yn gyfrifol am Amgueddfa Lechi Cymru yn Llanberis, a chadarnhaodd gywirdeb yr wybodaeth a gawswn gan André.

17 Alec Hunter oedd yn gyfrifol am newyddion tramor ar y *News Chronicle*.

18 Cyfeiriad arall at y bwthyn yn Fron-bant, y Gerlan, Bethesda. Gw. Nodyn 1 uchod.

19 Mae'r diwn gron yn parhau am 'David'!

20 Roedd yn mynd i gael £50 y flwyddyn o godiad yn ei gyflog ond 'only a temporary measure' oedd hyn nes y câi'r dyrchafiad i fod yn 'head of section'.

21 Edward Hunter-Blair oedd tad bedydd Mari Christina (a aned Awst 11, 1947), merch Caradog a Mattie. Roedd y gŵr hwn yn ffrind i'r teulu yn ystod y Rhyfel ac yn cydweithio â Mattie pan oedd hi'n sensro galwadau ffôn, cyn i Garadog fynd i'r India. Symudodd yn ôl i'r Alban ar ôl priodi, yng nghanol y 1950au. Cyfeiria'r 'trip' at yr achlysur pan aeth Edward â Mattie gydag ef i weld ei rieni yn yr Alban.

22 Er bod Caradog yn cyfaddef mai brith gof oedd ganddo o union deitl y gyfrol yr oedd am i Mattie gael hyd iddi yn eu cartref yn Llundain, llwyddodd i gael union eiriau cyntaf y teitl yn bur agos ati. Y gyfrol oedd ganddo dan sylw oedd yr un a gyhoeddwyd gan Wasg y Brython, ar ran Cymdeithas yr Eisteddfod Genedlaethol, ym 1926 dan y teitl *Awdlau Cadeiriol Detholedig y Ganrif Hon 1900-1925*, gyda Rhagair gan Syr John Morris-Jones, a than olygyddiaeth E. Vincent Evans.

23 Dyna deitl y bryddest a enillodd y Goron i *Dedalus*, sef Edward Prosser Rhys, yn Eisteddfod Genedlaethol Pont-y-Pŵl ym 1924, dan feirniadaeth W. J. Gruffydd, Crwys a Gwili.

24 Gw. Nodyn 21 uchod.

25 Gw. Nodyn 9 uchod.

26 Y Swyddfa Dramor.

27 Cyfeiriad at Mattie'n ymweld â'i fam yn y Seilam yn Ninbych.

28 Gw. Nodyn 11 uchod.

29 Gw. Nodyn 22 uchod.

30 Gw. Nodyn 13 uchod.

31 *British Other Ranks* – aelodau o'r fyddin yn yr India nad oeddynt yn gomisynedig.

32 Ffrindiau'r teulu yn Golders Green oedd y Snels (a ddeuai'n wreiddiol o'r Iseldiroedd).

33 Ni chefais hyd i unrhyw wybodaeth am y gŵr hwn ond gweler cyfeiriad ato eto gan Garadog yn ei lythyr nesaf at Mattie, dyddiedig 'Nov 13-14 (Tuesday), 1945'.

34 Y nofel eto fyth!

35 Daethpwyd o hyd, ymhlith ei bapurau, i'r union ysgrif y mae'n cyfeirio ati, sef 'Magic Carpet Flight' a ddyfynnwyd yn llawn ar ddechrau'r Adran hon (tt. 242-5).

36 Chwistrelliad o frechlyn cyfun er mwyn creu imiwnedd a diogelu rhag yr afiechydon teiffoid, parateiffoid A a pharateiffoid B.

37 Elliss Hughes oedd prif ohebydd y *Western Mail*. Roedd ei fab wedi cael ei ladd mewn damwain awyren ar Dachwedd 27, 1943, yn 20 oed. Trefnodd Caradog i ffotograffydd fynd efo fo i dynnu llun y bedd ac anfonodd dri chopi at Elliss Hughes. Ceir ychydig rhagor am hyn, ynghyd â llun y bedd, yn *BaBCP*, tt 100-102.

38 Yn ôl a gofia Mari Prichard, swydd weinyddol/ysgrifenyddol oedd hon, mae'n debyg, i gynorthwyo grŵp o aelodau seneddol newydd o Gymru. Yn wahanol i'w gŵr, ni feddai Mattie sgiliau llaw-fer ond gallai dalfyrru ac ysgrifennu'n gyflym a theipio â thri bys – ac roedd yn mwynhau'r gwaith. Byddai Mattie'n arfer mynd â Mari am ambell 'noson allan' i Dŷ'r Cyffredin, lle byddai unrhyw un o'r nifer o aelodau seneddol a staff y Tŷ yn barod i lofnodi drosti i gael mynediad i wrando ar ambell ddadl a'i gorffen hi wedyn yng nghaffi Tŷ'r Cyffredin lle byddai Mari'n cael platiad o sglodion!

39 Gwasanaeth Gwirfoddol y Merched.

40 William Griffith, a agorodd siop lyfrau gyda'i frodyr ym 1946 yn Cecil Court, Charing Cross, Llundain. Daeth y siop yn gyrchfan boblogaidd i bobl drafod llenyddiaeth uwch panad o de efo Wil.

41 Ganed ym Mhenarth ym 1892. Cafodd yrfa amrywiol a llewyrchus mewn amrywiol swyddi yn Llywodraeth y Deyrnas Unedig. Yn ystod dwy flynedd

olaf yr Ail Ryfel Byd, bu'n goruchwylio gwahanol adrannau'r Llywodraeth Brydeinig a gawsai eu symud i'r India yn ystod y rhyfel. Bu farw yn Henley-upon-Thames ym 1953.

42   Gw. Nodyn 21 uchod.

43   Dydd Sadwrn (nid dydd Gwener) oedd Rhagfyr 8, 1945.

44   Ffilm boblogaidd iawn a addaswyd o ddrama o'r un enw gan Emlyn Williams. Rhyddhawyd y ffilm ym 1945.

45   Cofiwn mai ef, ynghyd â T. H. Parry-Williams ac E. Prosser Rhys, oedd beirniaid cystadleuaeth y Goron yn Eisteddfod Dinbych, 1939, pan wrthodwyd rhoi'r Goron i Garadog Prichard am ei bryddest, 'Terfysgoedd Daear'. Gw. Adran 2c, Nodyn 2 a'r bennod uchod ar 'Terfysgoedd Daear' (tt. 89-97).

46   A. E. Housman (1859-1936), ysgolhaig a bardd, a gofir yn arbennig am ei 'Shropshire Lad'.

47   Morris T. Williams, a fu farw fore Sul, Ionawr 6, 1946. Gw. Adran 1a, Nodyn 3, a hefyd y bennod 'Gohebiaeth Morris T. Williams, 1926-28' (tt. 229-35).

48   William Maxwell Aitken (1879-1964). Gŵr busnes (a oedd yn filiwnydd erbyn cyrraedd ei 30 oed), gwleidydd llwyddiannus, a wnaed yn Farwn, a pherchennog y *Daily Express* a'r *Sunday Express*.

49   J. T. Jones (John Eilian). Gw. Adran 1a, Nodyn 10, a hefyd 'Gohebiaeth John Eilian', tt. 288-97.

50   Cyfeiriad arall at Edward Hunter-Blair (gw. Nodyn 21 uchod). Roedd ei rieni'n byw heb fod nepell o Glasgow, sy'n egluro awydd Caradog i gael gweld 'a bit of bonnie Scotland'.

51   Royal Army Service Corps.

52   Dyma'r unig gyfeiriad sy'n crybwyll bod gan Garadog unrhyw fath o feistrolaeth ar yr ieithoedd hyn ond gall fod wedi bod yn defnyddio Hindustani neu Hindi yn Delhi Newydd a bod ganddo, efallai, ryw gymaint o afael, hefyd, ar Eidaleg ac Almaeneg.

53   Gw. Adran 6, Nodyn 23.

54   [Sir] Robert Hamilton Bruce Lockhart (1887-1970). Albanawr, awdur, newyddiadurwr, diplomydd Prydeinig, ac ysbïwr (a gyhoeddodd *Memoirs of a British Agent* ym 1932).

55   Gw. Adran 2a, Nodyn 11.

56   Gw. Adran 6, Nodyn 6.

Llyfryddiaeth

Baines, Menna, *Yng Ngolau'r Lleuad – Ffaith a Dychymyg yng Ngwaith Caradog Prichard*, Llandysul, 2005.

Cardiff Times, Mehefin 24, 1933.

Daily Telegraph, Gorffennaf 30, 1994; Medi 20, 1994.

Davies, Picton, *Atgofion Dyn Papur Newydd*, Lerpwl, 1962.

Evans, R. Alun, *Stand by! Bywyd a Gwaith Sam Jones*, Llandysul, 1998.

Gruffydd, W. J. (Gol.), *Y Llenor*, Gaeaf, 1927, Cyf. VI, Rhif 4, tt. 206-212), Wrecsam.

　　Y Llenor, Hydref 1939, Cyf. XVIII, Rhif 3, tt. 129-130, Wrecsam.

Hincks, Rhisiart, *E. Prosser Rhys, 1901-45*, Gwasg Gomer, 1980.

Hughes, J. Elwyn, *Byd a Bywyd Caradog Prichard, 1904-1980 – Bywgraffiad Darluniadol*, Cyhoeddiadau Barddas, 2005.

Hughes, J. Elwyn, *Byd Go Iawn Un Nos Ola Leuad*, Cyhoeddiadau Barddas, 2008.

Hughes, J. Elwyn, *Canmlwyddiant Ysgol Dyffryn Ogwen, 1895-1995*, Llangefni, 1995.

Jones, J. Morgan (Gol.), *Yr Efrydydd*, Cyf. VI, Rhif 6 [Cyfres Newydd], Mawrth 1930, Wrecsam, 1930.

Jones, Nerys Ann, *Dewi Morgan : Cofiant*, Y Lolfa, 1987.

Llwyd, Alan, *Blynyddoedd y Locustiaid : Hanes Eisteddfod Genedlaethol Cymru 1919-1936* (Cyfres Hanes yr Eisteddfod Genedlaethol), Cyhoeddiadau Barddas, 2007.

Llwyd, Alan, *Kate : Cofiant Kate Roberts, 1891-1985*, Y Lolfa, 2011.

Morgan, Derec Llwyd, *Y Brenhinbren : Bywyd a Gwaith Thomas Parry, 1984-1985*, Gwasg Gomer, 2015.

North Wales Weekly News, Ebrill 5, 1973; Awst 30, 1973; Mehefin 19, 1975; Tachwedd 15, 1973; Mehefin 21, 1973.

Oldfield-Davies, Alun (Gol.), *Y Llwybrau Gynt 2*, Cyfres Llyfrau-Poced Gomer, Llandysul, 1972; atgofion Gwilym R. Jones, tt. 57-90.

Prichard, Caradog, *Afal Drwg Adda : Hunangofiant Methiant*, Gwasg Gee, Dinbych, 1973.

Prichard, Caradog, *Canu Cynnar*, Wrecsam, 1937.

Prichard, Caradog, 'Coronau a Chadeiriau', *Trafodion Cymdeithas Anrhydeddus y Cymmrodorion, Sesiwn 1970 (Rhan II)*, Gwasg Gee, 1970.

Prichard, Caradog, *Un Nos Ola Leuad*, Gwasg Gee, Dinbych [1961].

Prichard, Caradog, *Yr Argae*, Argraffiad Preifat, [1954].

Prichard, Caradog, *Cerddi Caradog Prichard – Y Casgliad Cyflawn*, Gwasg Christopher Davies [1979].

Prichard, Caradog, *Y Genod yn ein Bywyd*, Gwasg Gee, Dinbych [1964].

Prichard, Caradog, *Y Rhai Addfwyn*, Darlith Llyfrgell Bethesda, Llyfrgell Sir Gaernarfon, 1971.

Roberts, R. Meirion, 'Dwy Gân Mr. Caradog Prichard (tt. 155-160) yn Jones, J. Morgan (Gol.), *Yr Efrydydd* Cyf. VI, Rhif 6 [Cyfres Newydd], Mawrth 1930, Wrecsam, 1930.

The Sunday Express, Ionawr 14, 1973.

The Times, Medi 19, 1994.

Y Cymro, Awst 5, 1952.

The Western Mail, Awst 12, 1929.

Trafodion Cymdeithas Anrhydeddus y Cymmrodorion, Sesiwn 1970, Rhan II.

Williams, Gwladys Lloyd, *Hanes Cerddoriaeth yn Nyffryn Ogwen*, Caernarfon, 1965.

Williams, Gwladys, *Swyn Cofio*, Darlith Llyfrgrell Bethesda, Llyfrgell Sir Gaernarfon, 1977.

Williams, John Roberts (Gol.), *Atgofion*, Gwasg Gee, 1972.

Y Bywgraffiadur Cymreig hyd 1940, Llundain, 1953.

Y Bywgraffiadur Cymreig 1941-1950, Llundain, 1970.

Y Bywgraffiadur Cymreig 1951-1970, Llundain, 1997.

Yr Herald Cymraeg, Medi 19, 1973; Gorff. 28, 1931.

Y Llenor, Cyf. VII, Haf 1928; Cyf. VII, Rhif 3, Hydref 1928; Cyf. XVIII, Rhif 3, Hydref 1939.

Mynegai

A

Aaron, R. I., 200, 319n

Abdul, 252, 255

Aberafan, 118-9, 182-3, 224, 306n, 318n

Aberdâr / Aberdare, 55-6

Aberdyfi / Aberdovey, 63-4

Abertawe, 143, 191, 221, 228, 315n,
  319n, 323n

Aberystwyth, 61, 71, 87, 98, 150, 153-4,
  199-200, 219-25, 243, 305n, 310n,
  319n, 322n

*Afal Drwg Adda – Hunangofiant
  Methiant (ADA)*, 21, 31, 41, 44, 87,
  89, 96, 128-30, 137, 140, 219-20

Ail Ryfel Byd, Yr (Gw. Rhyfel 1939-
  45)

Aitken, William Maxwell (Lord
  Beaverbrook), 328n

All India Radio, [13], 245, 247-9

Allt Bryn, 30, 151

America, 55, 59, 256-7

Arfon, 107-8, 135, 140, 304n, 306n

'Argae, Yr', 96

Arglwydd Faer Caerdydd (Gw.
  Williams, William Richard)

Arolygydd Meddygol Seilam Dinbych
  (Gw. Jones, Frank G.)

asynnod, [12], 84, 216, 222, 235, 323n

'Atgof', 269

Atgofion Dyn Papur Newydd, 127

Athro Barddoniaeth Rhydychen, 98-100

Atkins, Harold, 99

*Awdlau Cadeiriol Detholedig y Ganrif
  Hon – 1900-1925*, 326n

B

Bae Colwyn, 44, 305n, 320n

Baines, Menna, 89

Baner ac Amserau Cymru / Y Faner, 35,
  52, 92, 96, 147, 154, 166, 191, 219-
  21, 223-4, 226, 315n, 316n

Bangor, 29, 68, 109, 114, 146-7, 205-7,
  209-10, 218, 319n, 321n

Bangor & Beaumaris Union, 29

Bart's Hospital / Ysbyty Bartholomew,
  114-6

Basrah (Persian Gulf), 188-9, 191

Bassey, Shirley, 73

BBC, 67, 130, 140, 281, 308n, 318n,
  321n, 328n

Beaverbrook, Lord (Gw. Aitken,
  William Maxwell)

Benji / Benjy / Ben, 69-71, 110, 295,
  308n, 309n

Berry, R. G., Y Parchedig, 157, 316n

Bethel (Caernarfon), 27, 166, 305n,
  314n, 317n

Bethesda, 14, 17, 1-26-7, 29, 34, 39, 52,
  54, 70, 73, 81, 102-3, 107-8, 111-2,
  137, 147-50, 156-7, 229, 249-51, 257,
  260-2, 284, 294, 303, 304n, 306n,
  307n, 308n, 309n, 310n, 312n, 313n,
  314n, 323n, 324n, 326n

Betts, Queenie, 258, 325n

Betws y Coed, 110

Blaenau Ffestiniog, 136, 149

£7.95

Byd a Bywyd Caradog Prichard
(Cyhoeddiadau Barddas, 2005).

J. Elwyn Hughes

Byd
Go Iawn

Un Nos
Ola Leuad

UN NOS OLA LEUAD

CARADOG PRICHARD

Byd Go Iawn Un Nos Ola Leuad
(Cyhoeddiadau Barddas, 2008).